W0005268

RICHARD OSMAN ist Autor, Produzent und Fernsehmoderator. Seine Serie über die vier scharfsinnigen und liebenswerten Ermittlerinnen und Ermittler des Donnerstagsmordclubs hat ihn über Nacht zum Aushängeschild des britischen Krimis und Humors gemacht. Für sein Debüt *Der Donnerstagsmordclub* wurde er bei den British Book Awards 2020 zum ›Autor des Jahres‹ gewählt. Er lebt mit Partnerin und Katze in London.

Von Richard Osman sind in unserem Hause
außerdem erschienen:
Der Donnerstagsmordclub und der Mann, der zweimal starb

RICHARD
OSMAN

DER DONNERSTAGSMORDCLUB

Kriminalroman

Aus dem Englischen von Sabine Roth

Ullstein

Besuchen Sie uns im Internet:
www.ullstein.de

Wir verpflichten uns zu Nachhaltigkeit

- Papiere aus nachhaltiger Waldwirtschaft und anderen kontrollierten Quellen
- ullstein.de/nachhaltigkeit

Ungekürzte Ausgabe im Ullstein Taschenbuch
1. Auflage Januar 2023
5. Auflage 2023
© für die deutsche Ausgabe Ullstein Buchverlage GmbH,
Berlin 2021 / List Verlag
© 2020 by Richard Osman
Die englische Originalausgabe erschien 2020 unter dem Titel
The Thursday Murder Club bei Viking, PRH UK
Wir behalten uns die Nutzung unserer Inhalte für Text und Data Mining
im Sinne von § 44b UrhG ausdrücklich vor.
Umschlaggestaltung: Sabine Kwauka, München
Titelabbildung: © Look and Learn / Bridgeman Images;
shutterstock / Komleva, Istry Istry
Satz: Pinkuin Satz und Datentechnik, Berlin
Gesetzt aus der Dante MT Pro
Druck und Bindearbeiten: ScandBook, Litauen
ISBN 978-3-548-06653-0

Für meine Mutter,
»die letzte noch lebende Brenda«,
in Liebe

Jemanden töten ist keine Kunst. Die Frage ist nur, was macht man danach mit der Leiche? Da kriegen sie einen dann oft.

Mein Glück war, dass ich sehr schnell auf das optimale Versteck kam. Ein todsicheres Versteck, wenn man so will.

Ab und zu komme ich her und sehe nach dem Rechten. Alles ist immer bestens, und daran wird sich so bald wohl nichts ändern.

Manchmal zünde ich mir eine Zigarette an. Sehr schädlich, ich weiß, aber dafür mein einziges Laster.

Erster Teil

Neue Freunde, neue Sitten

1

Joyce

Fangen wir mit Elizabeth an, einverstanden? Der Rest ergibt sich dann schon.

Ich wusste natürlich, wer sie war, Elizabeth kennt hier jeder. Sie hat eine von den Vierzimmerwohnungen im Larkin Court. Die Eckwohnung mit der Sonnenterrasse. Und einmal war ich im selben Quizteam wie Stephen, der, aus diversen Gründen, bereits ihr dritter Mann ist.

Ich saß beim Mittagessen, ein, zwei Monate ist das jetzt her, und es muss Montag gewesen sein, weil es Shepherd's Pie gab. Sie wolle mich nicht bei meiner Mahlzeit stören, sagte Elizabeth, aber sie habe eine Frage an mich, zum Thema Stichwunden, wenn ich nichts dagegen hätte.

Ich sagte: »Wieso denn, nein, fragen Sie nur«, oder etwas in der Art. Ich werde mich nicht immer ganz einwandfrei an alles erinnern, das schicke ich lieber gleich voraus. Jedenfalls klappte sie daraufhin einen Ordner auf, und ich sah ein paar getippte Seiten und Ränder von alten Fotos. Sie kam ohne Umschweife zur Sache.

Ich solle mir ein Mädchen vorstellen, sagte sie, das mit einem Messer attackiert worden war. Ich fragte, mit was für einem Messer, und Elizabeth meinte, höchstwahrscheinlich einem ganz ordinären Küchenmesser. Nirosta. Das sagte sie nicht, aber das war meine Assoziation. Dann sagte sie, ich solle mir vorstellen, dass auf dieses Mädchen drei- oder viermal eingestochen worden war, gleich unterm Brustbein. Rein, raus, rein, raus, sehr scheußlich, aber Arterie sei keine durchtrennt worden. Sie redete ziemlich leise, weil überall um uns gegessen wurde, und irgendwo zieht selbst Elizabeth die Grenze.

Da saß ich also und stellte mir Stichwunden vor, und Elizabeth wollte wissen, wie lange es meiner Meinung nach dauern würde, bis das Mädchen verblutet sei.

Ach ja, das sollte ich vielleicht dazusagen, ich war viele Jahre Krankenschwester – nicht dass Sie sich jetzt wundern. Und Elizabeth wusste das offenbar irgendwoher, weil Elizabeth alles weiß. Sonst ergäbe ihre ganze Fragerei ja gar keinen Sinn. Im Moment fehlt mir noch die Übung im Schreiben. Aber das wird schon noch, versprochen.

Jedenfalls tupfte ich mir den Mund, bevor ich antwortete, so wie man das manchmal im Fernsehen sieht. Dadurch wirkt man intelligenter, probieren Sie's aus. Dann fragte ich, wie viel das Mädchen gewogen hatte.

Elizabeth suchte in ihrem Ordner, fuhr mit dem Finger eine Seite hinab und las vor, dass das Mädchen sechsundvierzig Kilo gewogen habe. Was uns beide aus der Bahn warf, denn weder sie noch ich waren uns sicher, was das umgerechnet hieß. Ich hatte so ein Gefühl, dass es um die dreiundzwanzig Stone sein mussten. Zwei zu eins, schwebte mir vor. Oder waren das Inches und Zentimeter?

Dreiundzwanzig Stone könne auf keinen Fall stimmen, sagte Elizabeth, denn sie habe ein Bild der Leiche in ihrem Ordner, und sie sei definitiv kein Koloss. Sie tippte noch einmal auf die Seite und sprach dann in den Saal hinein: »Kann jemand Bernard fragen, wie viel sechsundvierzig Kilo sind?«

Bernard sitzt immer für sich allein, an einem der kleinen Tische vorn beim Lichthof. Tisch 8. Streng genommen tut das hier nichts zur Sache, trotzdem ein paar Worte zu Bernard:

Bernard Cottle war sehr nett zu mir, als ich neu in Coopers Chase war. Er gab mir einen Ableger von seiner Klematis und erklärte mir den Recycling-Plan. Wir haben vier Tonnen, in vier verschiedenen Farben. Vier! Dank Bernard weiß ich, dass die grüne für Glas ist und die blaue für Pappe und Papier. Bei der roten und der schwarzen tappen wir alle mehr oder weniger im Dunkeln. Es gibt fast nichts, was ich da drin nicht schon gesehen hätte. Einmal sogar ein Faxgerät.

Bernard war früher Professor, irgendetwas Naturwissenschaftliches, und hat auf der ganzen Welt gearbeitet. Er war sogar in Dubai, bevor irgendjemand sonst von Dubai gehört hatte. Zum Essen trägt er immer Anzug und Krawatte, liest dabei aber den *Daily Express*. Mary, die im Ruskin Court wohnt und ihm am nächsten sitzt, sprach ihn an und fragte ihn, wie viel sechsundvierzig Kilo auf gut Englisch seien.

Bernard nickte und rief zu Elizabeth hinüber: »Sieben Stone drei, plus/minus.«

Und da haben Sie Bernard.

Elizabeth bedankte sich und sagte, das komme ziemlich genau hin, und Bernard wandte sich wieder seinem Kreuzworträtsel zu. Hinterher schlug ich das mit den Zentimetern und Inches nach, und wenigstens das stimmte.

Elizabeth kam auf ihre Frage zurück. Wie lange hätte das Mädchen mit den Messerwunden noch zu leben gehabt? Ich sagte, wenn die Wunden unversorgt blieben, etwa fünfundvierzig Minuten.

»Ja, nicht wahr?«, sagte sie und ließ gleich die nächste Frage folgen: Und wenn das Mädchen medizinisch versorgt worden wäre? Nicht zwingend von einem Arzt, einfach von jemandem, der eine Wunde verbinden konnte. Jemandem beispielsweise, der beim Militär gewesen war. Oder etwas Vergleichbares.

Ich habe in meinem Beruf viele Stichverletzungen gesehen. Als Krankenschwester behandelt man nicht nur verstauchte Knöchel. Also sagte ich, dann hätte sie überhaupt nicht zu sterben brauchen. Was eine Tatsache ist. Lustig wäre es für sie nicht gewesen, aber man hätte sie schon wieder zusammengeflickt.

Elizabeth nickte auch dazu und meinte, genau das habe sie Ibrahim auch gesagt, wobei ich Ibrahim zu der Zeit noch nicht kannte. Wie gesagt, das war vor ein, zwei Monaten.

Elizabeth kam die ganze Sache verdächtig vor, ihrer Meinung nach hatte der Freund das Mädchen umgebracht. Das gibt es nach wie vor öfter, als man denkt. Man braucht nur die Zeitung zu lesen.

Bevor ich hierherkam, wäre mir diese ganze Unterhaltung reichlich aberwitzig erschienen, aber sie ist ziemlich alltäglich, wenn man sich erst ein bisschen eingelebt hat. Gerade erst letzte Woche habe ich den Mann kennengelernt, der die Schoko-Minz-Eiscreme erfunden hat, jedenfalls behauptet er das. Ich wüsste jetzt nicht, wie ich es nachprüfen soll.

Ein klein wenig hatte ich Elizabeth ja doch helfen können, also traute ich mich, sie auch um etwas zu bitten. Ich fragte sie, ob ich das Bild von der Leiche mal sehen dürfe. Rein aus beruflichem Interesse.

Elizabeth strahlte, wie die Leute hier strahlen, wenn man Fotos von ihren Enkeln bei der Abiturfeier sehen will. Sie zog einen A4-Abzug aus ihrem Ordner, legte ihn verdeckt vor mich hin und sagte, ich könne ihn ruhig behalten, sie alle hätten Abzüge.

Ich sagte, das sei sehr nett von ihr, und sie sagte, nichts

zu danken, ob sie mir noch eine letzte Frage stellen dürfe.

»Natürlich«, sagte ich.

Und sie sagte: »Haben Sie donnerstags schon etwas vor?«

Und ob Sie es glauben oder nicht, so hörte ich zum ersten Mal von den Donnerstagen.

2

Police Constable Donna De Freitas würde gern eine Dienstwaffe tragen. Sie würde gern in verlassenen Lagerhäusern Serienmörder zur Strecke bringen, eiskalt, trotz der Kugel, die in ihrer Schulter steckt. Plus vielleicht Geschmack an Whisky finden, und eine Affäre mit ihrem Kollegen müsste natürlich auch sein.

Aber von derlei Höhenflügen, das sieht sie ein, während sie sich mit vier Senioren, die sie kaum kennt, um Viertel vor zwölf zum Mittagessen setzt, ist sie mit ihren sechsundzwanzig Jahren noch weit entfernt. Außerdem muss sie zugeben, dass die letzte Stunde eigentlich ziemlichen Spaß gemacht hat.

Donna hat ihren Vortrag »Sicherheitstipps für das häusliche Umfeld« schon x-mal gehalten. Immer vor ähnlichem Publikum, älteren Herrschaften mit Decken auf den Knien, viele davon Kekse mümmelnd, ein paar weiter hinten im Saal friedlich dösend. Sie spult jedes Mal dieselben Ratschläge ab. Betont die absolut zwingende Notwendigkeit, Fensterschlösser einzubauen, sich *immer* den Ausweis zeigen zu lassen und *niemals* persönliche Daten an unbekannte Anrufer herauszugeben. Hauptzweck der Übung ist es, Sicherheit in einer bedrohlichen Welt zu vermitteln. Donna versteht das, und da es ihr obendrein Gelegenheit gibt, dem Revier und dem Schreibkram zu entfliehen, meldet sie sich freiwillig dafür.

Auf dem Polizeirevier Fairhaven geht es verschlafener zu, als Donna das gewohnt ist.

Heute allerdings hat es sie in die Seniorensiedlung Coopers Chase verschlagen. Harmlos genug, so ihr erster Eindruck: grün, üppig, behäbig, und auf der Hinfahrt hat sie ein nettes Pub erspäht, in dem sie auf dem Rückweg vielleicht Mittag machen kann. Die Serienmörder, die sie auf Schnellbooten in den Schwitzkasten nimmt, werden sich also noch etwas gedulden müssen.

»Sicherheit«, hat Donna begonnen und dabei überlegt, ob sie sich nicht ein Tattoo stechen lassen soll. Einen Delfin am Steißbein? Oder wäre das zu girlymäßig? Und wird es wehtun? Höchstwahrscheinlich, aber dazu ist man ja Polizistin, oder? »Woran denken wir, wenn wir das Wort ›Sicherheit‹ hören? Nun, ich glaube, das Wort kann verschiedene Bedeutungen haben, je nachdem …«

In der ersten Reihe schnellte eine Hand in die Höhe. Was normalerweise nicht vorgesehen ist, aber sei's drum. Eine tipptopp gekleidete Endsiebzigerin hatte etwas beizusteuern.

»Kindchen, wir hoffen, glaube ich, alle, dass Sie uns nichts von Fensterschlössern erzählen wollen.« Zu allgemeinem Beifallsgemurmel sah die Frau um sich.

Ein Herr mit einem Rollator in der zweiten Reihe meldete sich zu Wort. »Und nichts von Ausweisen bitte, das kennen wir in- und auswendig. Kommen Sie tatsächlich von den Gaswerken, oder sind Sie ein Einbrecher? Glauben Sie mir, wir haben's verstanden.«

Damit waren sämtliche Schranken gefallen.

»Das sind heute nicht mehr die Gaswerke. Das ist Centrica«, sagte ein Mann in einem adretten Dreiteiler.

Sein Nachbar, in Shorts, Flipflops und einem West-Ham-United-Shirt, nahm dies zum Anlass, aufzustehen und einen Finger in die Luft zu bohren. »Und bei wem dürfen wir uns dafür bedanken? Bei Frau Thatcher! Die hat unser Eigentum privatisiert!«

»Schon gut, Ron. Setz dich wieder hin«, befahl die elegante Dame. »Entschuldigen Sie ihn«, fügte sie an Donna gewandt mit einem Kopfschütteln hinzu. Die Kommentare schwirrten unterdessen weiter heran.

»Und welcher Kriminelle schafft es nicht, einen Ausweis zu fälschen?«

»Ich habe grauen Star. Mir können Sie einen Bibliotheksausweis hinhalten, und ich lasse Sie rein.«

»Heute kommt ja sowieso keiner mehr zum Ablesen. Das geht alles online.«

»Das geht über die Cloud.«

»Mir wäre ein Einbrecher ganz recht, dann käme wenigstens mal Leben in die Bude.«

Eine ganz kurze Stille trat ein. Dann ein atonales Pfeifkonzert, als einige Hörgeräte lauter gestellt und andere ausgeschaltet wurden. Die Dame in der ersten Reihe übernahm wieder das Kommando.

»Also – ich bin übrigens Elizabeth – keine Fensterschlösser, wenn's geht, keine Ausweise und auch nicht das mit den Nigerianern, denen wir unsere PIN-Nummer nicht geben dürfen, wenn sie anrufen. Falls man überhaupt noch Nigerianer sagen darf.«

Donna De Freitas hatte sich wieder gefangen, dachte jetzt aber nicht mehr an Tattoos oder Mittagessen im Pub, sondern an das Deeskalations-Training damals in den guten alten Zeiten im Londoner Süden.

»Gut, worüber sollen wir dann reden?«, fragte sie. »Ich muss mindestens fünfundvierzig Minuten vollkriegen, sonst bekomme ich keine Überstunde angerechnet.«

»Institutionalisierter Sexismus bei der Polizei?«, schlug Elizabeth vor.

»Wie wär's mit der ungesetzmäßigen Tötung von Mark Duggan, die vom Staat sanktioniert und von der –«

»Du sollst dich hinsetzen, Ron!«

So ging es weiter, vergnüglich und einvernehmlich, bis die Stunde um war, worauf man Donna herzlich dankte, ihr die Fotos der Enkel zeigte und sie dann zum Mittagessen einlud.

Und nun sitzt sie hier in einem »zeitgemäßen, gehobenen Ambiente«, wie die Speisekarte des Restaurants verkündet, und stochert in ihrem Salat. Viertel vor zwölf ist für sie ein bisschen früh, aber sie hätte die Einladung ja nicht gut ausschlagen können. Ihre vier Gastgeber, stellt sie fest, langen nicht nur mächtig zu, sie haben auch ein Fläschchen Rotwein entkorkt.

»Das war ganz fantastisch, Donna«, sagt Elizabeth. »Ein Hochgenuss.« Elizabeth erinnert Donna an eine dieser Lehrerinnen, vor denen man das ganze Jahr zittert, und am Schluss geben sie einem eine Eins und weinen, wenn man von der Schule abgeht. Vielleicht liegt es an der Tweedjacke.

»Es war gigantisch, Donna«, sagt Ron. »Darf ich Donna zu Ihnen sagen, Herzchen?«

»Sie dürfen Donna zu mir sagen, aber wenn's geht, nicht unbedingt Herzchen«, sagt Donna.

»Recht haben Sie, Schätzchen«, stimmt Ron zu. »Gebongt. Aber was Sie da erzählt haben, von dem Ukrainer mit dem Strafzettel und der Kettensäge – Sie könnten glatt als Tischrednerin auftreten. Da ist richtig Geld drin. Ich kenn da wen, falls Sie an einem Kontakt interessiert sind?«

Dieser Salat schmeckt köstlich, denkt Donna, und so etwas denkt sie nicht oft.

»Ich würde wahrscheinlich einen guten Heroinschmuggler abgeben.« Das kommt von Ibrahim, der vorhin Centrica ins Spiel gebracht hat. »Das ist in erster Linie eine Frage der Logistik, richtig? Wobei mir das Abwiegen sicher auch läge, diese Akribie. Und sie haben Maschinen zum Geldzählen. Alles auf dem neuesten technischen Stand. Haben Sie jemals einen Drogendealer gefangen, PC De Freitas?«

»Nein«, muss Donna zugeben. »Aber es steht auf meiner Liste.«

»Das mit den Maschinen zum Geldzählen stimmt doch, oder?«, insistiert Ibrahim.

»Ja, das stimmt.«

»Großartig«, sagt Ibrahim und schwappt seinen Wein hinunter.

»Wir langweilen uns schnell«, fügt Elizabeth hinzu und trinkt ebenfalls ihr Glas leer. »Gott schütze uns vor Fensterschlössern, WPC De Freitas.«

»Nur PC. Das ›*Woman*‹ sagt man heute nicht mehr«, sagt Donna.

»Aha.« Elizabeth spitzt den Mund. »Und was ist, wenn ich trotzdem noch WPC sage. Verhaften Sie mich dann?«

»Nein, aber Sie würden ein Stückchen in meiner Achtung sinken«, sagt Donna. »Weil es keine Mühe macht und ein Zeichen des Respekts vor mir ist.«

»Verdammt. Schachmatt. Also gut«, sagt Elizabeth, und der spitze Zug um ihren Mund verschwindet.

»Danke«, sagt Donna.

»Auf wie alt würden Sie mich schätzen?«, drängt Ibrahim.

Donna zögert. Ibrahim trägt einen guten Anzug, und seine Haut ist beneidenswert glatt. Er duftet betörend. Aus seiner Brusttasche winkt ein kunstvoll gefaltetes Tüchlein. Das Haar etwas schütter, aber noch vorhanden. Kein Bauch und nur ein Kinn. Aber unter alledem?

Hmmm. Donna sieht auf Ibrahims Hände. Hände können nicht lügen.

»Achtzig?«, rät sie.

Das trifft ihn sichtlich. »Exakt, woher wissen Sie das? Aber ich wirke jünger. Ich sehe wie vierundsiebzig aus, das sagen alle. Das Geheimnis ist Pilates.«

»Und was ist Ihre Geschichte, Joyce?«, wendet sich Donna an die Vierte im Bunde, eine kleine weißhaarige Frau mit lavendelblauer Bluse und fliederfarbener Strickjacke. Sie sitzt zufrieden dabei und hört zu. Ohne etwas zu sagen, aber mit wachem Blick. Wie ein stilles Vögelchen, dem nichts entgeht, was im Sonnenschein blinkt.

»Meine Geschichte?«, sagt Joyce. »Ich habe keine. Ich war Krankenschwester und dann Mutter und dann wieder Krankenschwester. Bei mir gibt's nichts Spannendes, fürchte ich.«

Elizabeth schnaubt. »Unterschätzen Sie Joyce nicht, PC De Freitas. Sie ist eine Macherin.«

»Ich bin einfach nur gut organisiert«, sagt Joyce. »Das ist heute nicht mehr modern. Wenn ich sage, ich gehe zum Zumba, dann gehe ich auch. So bin ich eben. Meine Tochter ist die Interessante in der Familie. Sie verwaltet einen Hedgefonds, wenn Sie wissen, was das ist?«

»Nicht so richtig«, gesteht Donna.

»Ich auch nicht«, sagt Joyce.

»Zumba kommt unmittelbar vor Pilates«, sagt Ibrahim. »Ich mache nicht gern beides. Das wirkt sich kontraintuitiv auf die wichtigen Muskelgruppen aus.«

Eine Frage hat Donna während des ganzen Essens beschäftigt. »Wenn ich Sie das fragen darf – ich weiß, Sie leben alle in Coopers Chase, aber wodurch sind Sie vier Freunde geworden?«

»Freunde?« Das scheint Elizabeth zu amüsieren. »Oh, wir sind keine Freunde, meine Liebe.«

Ron lacht in sich hinein. »Himmel, nein, wir sind keine Freunde, Herzchen. Noch einen Schluck, Liz?«

Elizabeth nickt, und Ron schenkt ihr ein. Sie sind bei der zweiten Flasche angelangt. Es ist Viertel nach zwölf.

Ibrahim sieht es genauso. »Ich denke, Freunde trifft es nicht ganz. Wir hätten nie aktiv den Kontakt zueinander gesucht, unsere Interessen sind extrem unterschiedlich. Ich mag Ron, sicher, aber er kann sehr anstrengend sein.«

Ron nickt. »Ich bin sehr anstrengend.«

»Und Elizabeths Art ist recht abschreckend.«

Elizabeth nickt. »Das stimmt, fürchte ich. Ich war schon immer gewöhnungsbedürftig. In der Schule schon.«

»Joyce ist nett. Ich glaube, Joyce mögen wir alle«, sagt Ibrahim.

Auch hierzu nicken Ron und Elizabeth.

»Danke, wie lieb von euch«, sagt Joyce und stellt ein paar wegkullernden Erbsen auf ihrem Teller nach. »Irgendjemand sollte flache Erbsen erfinden, meint ihr nicht?«

Donna versucht, Licht in das Dunkel zu bringen.

»Wenn Sie keine Freunde sind, was sind Sie dann?«

Sie sieht Joyce aufblicken und über die anderen den Kopf schütteln. Was für eine sonderbare Clique. »Also«, sagt Joyce. »Erstens sind wir natürlich sehr wohl Freunde; ein paar von uns sind da nur etwas schwer von Begriff. Und zweitens, wenn das bei unserer Einladung eben nicht klar wurde, PC De Freitas, dann ist nur meine Schusseligkeit schuld: Wir sind der Donnerstagsmordclub.«

Elizabeths Augen glänzen ein wenig vom Rotwein, Ron kratzt sich das tätowierte »West Ham« an seinem Hals, und Ibrahim poliert einen blitzblanken Manschettenknopf.

Das Restaurant um sie herum füllt sich, und Donna ist nicht der erste Gast in Coopers Chase, der denkt, dass sich hier nicht schlecht leben ließe. Jetzt ein Glas Wein und ein freier Nachmittag!

»Und ich schwimme natürlich jeden Tag«, sagt Ibrahim abschließend. »Das strafft die Haut.«

Wo ist sie hier nur gelandet?

3

Wenn Sie auf der A21 aus Fairhaven heraus und weiter ins kentische Hinterland fahren, sehen Sie nach einer Weile, auf Höhe einer scharfen Linkskurve, eine alte Telefonzelle (noch in Betrieb). Ein paar hundert Meter danach, bei dem Wegweiser nach »Whitechurch, Abbots Hatch und Lents Hill«, biegen Sie rechts ab und fahren durch Lents Hill, vorbei an einem Pub, das Blue Dragon heißt, und an dem kleinen Hofladen mit dem großen Ei davor, bis Sie die schmale Steinbrücke über den Robertsmere erreichen. Offiziell gilt der Robertsmere als Fluss, aber schrauben Sie Ihre Erwartungen lieber nicht zu hoch.

Gleich nach der Brücke führt ein einspuriges Sträßchen nach rechts. Keine Angst, Sie haben sich nicht verfahren, der Weg ist kürzer als die Route, die im Prospekt angegeben ist, und auch malerischer, wenn man wildwuchernde Hecken mag. Schließlich verbreitert sich das Sträßchen, zwischen Bäumen hindurch ahnen Sie erste Zeichen der Zivilisation in dem Hügelland zu Ihrer Linken. Vor Ihnen taucht ein winziges holzverkleidetes Bushäuschen auf, ebenfalls noch in Betrieb, sofern sich ein Bus pro Tag und Richtung als Betrieb bezeichnen lässt. Unmittelbar vor dem Bushäuschen geht es links ab nach Coopers Chase.

Baubeginn für Coopers Chase war vor gut zehn Jahren, als die katholische Kirche den Grund verkauft hat.

Die ersten Bewohner, darunter Ron, zogen drei Jahre später ein. Angekündigt wurde das Ganze als »Englands erstes Luxus-Resort für Senioren«; tatsächlich war es laut Ibrahim, der dazu recherchiert hat, das siebte. Derzeit hat es an die dreihundert Bewohner. Man muss über fünfundsechzig sein, um hier einziehen zu können, und wenn die Lieferlaster von Waitrose über den Weiderost holpern, klirrt es in ihnen von Wein- und Medikamentenflaschen.

Herzstück von Coopers Chase ist das alte Kloster, von dem die vier modernen Wohntrakte ausgehen. Über hundert Jahre war das Kloster ein Ort der Stille, erfüllt nur von dem trockenen Rascheln der Ordensgewänder und der ruhigen Gewissheit zum Himmel gesandter und vom Himmel erhörter Gebete. Unter den Frauen, die auf leisen Sohlen durch die dämmrigen Gänge wandelten, hätte man etliche angetroffen, die heiter in sich ruhten, andere, die Zuflucht vor einer schnelllebigen Welt suchten, wieder andere, die sich vor etwas versteckten oder sich etwas beweisen wollten, und natürlich auch die, die freudig einem höheren Zweck dienten. Man hätte Schlafsäle mit schmalen Betten vorgefunden, lange, niedrige Tische, an denen karge Mahlzeiten eingenommen wurden, eine Kapelle, so düster und still, dass man hätte schwören können, Gott atmen zu hören. Mit anderen Worten, man hätte die Schwestern von der Heiligen Kirche vorgefunden, eine Armee, die die Ihren nie aufgab, die sie nährte und kleidete und ihnen stets das Gefühl gab, gebraucht und geachtet zu sein. Der einzige Preis dafür war lebenslange Hingabe, und da es immer jemanden gibt, der diesen Preis fordert, gab es auch immer Freiwillige. Und wenn ihre Zeit um war, traten sie die kurze Reise hangaufwärts an, durch den Tunnel aus Bäumen zum Garten der ewigen Ruhe, dessen eisernes Tor und niedrige Steinmauer auf das Kloster und die endlose Schönheit des Hügellandes dahinter blickten, wo ihr Leib sein letztes schmales Ruhebett unter einem schlichten Stein fand, Seite an Seite mit den Schwester Margarets und Schwester Marys vorausgehender Generationen. Die Träume, die sie einmal gehegt haben mochten, konnten frei über die grünen Hügel von Kent schweifen, und ihre Geheimnisse, wenn es denn welche gab, waren in den vier Wänden des Klosters für immer bewahrt.

Oder richtiger, seinen drei Wänden, denn die Westseite ist jetzt zur Gänze verglast und beherbergt den Wellnessbereich. Durch das Glas hat man Blick auf den Bowling-Rasen und, ein Stück darunter, den Besucherparkplatz, für den die Lizenzen so heiß umkämpft sind, dass der Ausschuss Parkraummanagement der machtvollste Klüngel in Coopers Chase ist.

An den Swimmingpool grenzt ein kleines »Arthritis-Therapiebecken«, das eher wie ein Jacuzzi aussieht, was daran liegen könnte, dass es ein Jacuzzi *ist*. Wenn der Eigentümer, Ian Ventham, Besucher durch die Anlagen führt, zeigt er ihnen im Anschluss die Sauna. Er öffnet die Tür immer einen Spalt und sagt: »Uff, das ist ja wie eine Sauna da drin!« Das ist Ians Humor.

Mit dem Lift geht es hinauf in den Sport- und Freizeitbereich, inklusive Fitnessraum und »Studio«, wo zwischen den Geistern der schmalen Betten von einst fröhlich Zumba getanzt wird. Für die weniger schweißtreibenden Tätigkeiten und Vorlieben gibt es das »Puzzle-Stübchen«, die Bibliothek sowie die Lounge, in der die größeren und kontroverseren Ausschusssitzungen stattfinden oder auf dem Flatscreen-Fernseher Fußball geguckt wird. Und im Erdgeschoss, ebenfalls mit dem Lift zu erreichen, liegt das ehemalige Refektorium mit den langen, niedrigen Tischen, das nun zu dem Restaurant mit dem »zeitgemäßen, gehobenen Ambiente« mutiert ist.

Im Zentrum von Coopers Chase, an die Klostermauern gebaut, steht noch die alte Kapelle. Mit ihrer lichten Stuckfassade wirkt sie fast mediterran gegen die gotisch-strenge Düsternis des Klosterbaus. Die Kapelle ist intakt und unverändert geblieben, eine der wenigen Auflagen, auf denen die Anwälte der Schwestern von der Heiligen Kirche bestanden haben, als der Verkauf vor zehn Jahren über die Bühne ging. Die Bewohner mögen die Kapelle. Hier regieren die Schatten der Vergangenheit, hier rascheln noch immer die Habite, und der Stein hat das Flüstern von damals bewahrt. Wer hier sitzt, kann sich als Teil von etwas Langsamerem, Sanfterem fühlen. Ian Ventham sucht nach vertraglichen Schlupflöchern, die es ihm vielleicht doch ermöglichen, die Kapelle in acht weitere Wohnungen umzuwandeln.

Auf der anderen Seite des Klosterbaus liegt Willows, seinerzeit der eigentliche Daseinsgrund des Klosters, heute das an Coopers Chase angeschlossene Pflegeheim. Die Schwestern hatten es 1841 als Armenhospital gegründet, ein Hafen für all die Kranken und Gebrochenen, derer sich sonst keiner annahm. In der zweiten Hälfte des letzten Jahrhunderts wurde es dann als Altenheim betrieben, bis die Gesetzgebung der 1980er-Jahre zur endgültigen Schließung führte. Ab da war das Kloster nur noch ein Warteraum, und als 2005 auch die letzte Nonne starb, verlor die Kirche keine Zeit und verramschte das Ganze.

Zu dem Anwesen gehören fünf Hektar Land, teils Wald, teils schöne, weite Hügel. Zwei kleine Seen sind da, ein natürlicher und einer, den Ian Venthams Bauunternehmer Tony Curran mit seinen Leuten angelegt hat.

Die vielen Enten und Gänse, die gleichfalls in Coopers Chase beheimatet sind, geben ganz klar dem künstlichen den Vorzug. Auf der Kuppe des Hügels, wo der Wald endet, werden noch Schafe gehalten, und auf der Weide am See grast eine zwanzigköpfige Lamaherde. Ian Ventham hatte zwei gekauft, die den Verkaufsfotos zusätzlichen Pfiff geben sollten, und die Sache lief aus dem Ruder, wie das manchmal so ist.

So viel in aller Kürze zu Coopers Chase.

4

Joyce

Vor vielen Jahren hatte ich schon mal ein Tagebuch, aber ich habe darin gelesen, und ich glaube nicht, dass irgendetwas daran interessant für Sie ist. Es sei denn, Sie wollen etwas über Haywards Heath in den Siebzigerjahren erfahren, was ich mir kaum vorstellen kann. Nichts gegen Haywards Heath oder die Siebziger, aber alles zu seiner Zeit und an seinem Ort.

Aber seit der Unterhaltung mit Elizabeth war ich jede Woche beim Donnerstagsmordclub, und jetzt denke ich, vielleicht sollte ich darüber schreiben. So wie dieser Mensch, der das Tagebuch über Holmes und Watson geführt hat. Ein Mord, das zieht immer, egal, was einer öffentlich sagt, also fange ich einfach mal an.

Der Donnerstagsmordclub, so viel wusste ich schon, bestand aus Elizabeth, Ibrahim Arif, der auch hier im Wordsworth Court wohnt, aber einen umlaufenden Balkon hat, und Ron Ritchie. Ja, *der* Ron Ritchie. Auch das machte es also spannend. Jetzt, wo ich ihn etwas kenne, ist der Glanz ein bisschen verblasst, aber dennoch.

Bis vor Kurzem gehörte auch Penny Gray dazu, aber sie ist inzwischen in Willows, dem Pflegeheim. Wenn ich so darüber nachdenke, war ich genau die Ergänzung, die sie brauchten. Sie hatten einen leeren Platz, und ich war die neue Penny.

Trotzdem war ich nervös, als ich zum ersten Mal hinging. Ziemlich nervös sogar. Ich brachte eine gute Flasche Wein mit (€ 8,99, nur damit Sie eine Vorstellung haben), und als ich hereinkam, waren die drei schon im Puzzle-Stübchen versammelt und breiteten auf dem Tisch Fotos aus.

Elizabeth hat den Donnerstagsmordclub zusammen mit Penny gegründet. Penny war jahrelang bei der Kripo Kent, und sie brachte die Akten der unaufgeklärten Mordfälle mit. Streng genommen war das natürlich gegen alle Regeln, aber es bekam ja keiner mit. Ab einem gewissen Alter können Sie sich so ziemlich alles erlauben. Niemand schimpft Sie mehr aus, mit Ausnahme Ihrer Ärzte und Ihrer Kinder.

Was Elizabeth von Beruf war, darf ich nicht sagen, auch wenn sie selbst ganz gern die ein oder andere Anekdote erzählt. Jedenfalls waren Mord, Mordermittlungen et cetera für sie kein ganz unbekanntes Terrain.

Elizabeth und Penny ackerten sämtliche Akten durch, Zeile für Zeile, studierten jedes Foto, lasen jede Zeugenaussage, ob nicht irgendein Fingerzeig übersehen worden war. Sie wollten sich nicht damit abfinden, dass es noch Mörder gibt, die sich ungeniert ihres Lebens freuen – in ihrem Garten sitzen, Sudokus lösen, alles völlig ungestraft.

Außerdem machte es ihnen einfach einen Heidenspaß, glaube ich. Ein paar Gläschen Wein und ein Kriminalfall. Sehr gesellig, aber auch blutig. Was gibt es Besseres?

Sie trafen sich immer donnerstags (daher der Name). Donnerstags deshalb, weil da beim Belegungsplan des Puzzle-Stübchens eine zweistündige Lücke zwischen Kunstgeschichte und Französischer Konversation war. Sie reservierten sie unter »Diskussionsveranstaltung zur japanischen Oper«, und unter dem Namen firmieren sie heute noch, weshalb sie nie jemand stört.

Beide hatten, aus verschiedensten Gründen, Beziehungen auf vielerlei Ebenen und konnten deshalb über die Jahre Leute aller Art zu einem freundlichen Plausch einbestellen. Forensiker, Buchhalter und Richter, Baumdoktoren, Pferdezüchter, Glasbläser – alle saßen sie schon im Puzzle-Stübchen. Je nachdem, von wem sich Elizabeth und Penny sachdienliche Informationen versprachen.

Nach kurzer Zeit kam dann Ibrahim dazu. Er hat früher mit Penny Bridge gespielt und hatte ihnen hier und da mit einer Auskunft ausgeholfen. Er ist Psychiater. Oder war es vielmehr. Oder ist es immer noch, ganz sicher bin ich da nicht. Auf den ersten Blick scheint er gar nicht der Typ, aber wenn man ihn besser kennt, passt es vielleicht doch. Ich würde nie und nimmer eine Therapie anfangen, das ist wie ein Riesen-Strickzeug, das man auftrennt. Viel zu riskant, danke vielmals. Meine Tochter Joanna hat eine Therapeutin – mir ein Rätsel, bei dem Haus, das sie hat. Mit dem Bridge-Spielen hat Ibrahim jedenfalls aufgehört, was meiner Meinung nach ein Jammer ist.

Ron, welche Überraschung, hat sich selbst eingeladen. Er hat das mit der japanischen Oper keine Sekunde lang geglaubt und kam eines Donnerstags einfach ins Puzzle-Stübchen marschiert, um der Sache auf den Grund zu gehen. Mit Misstrauen punktet man bei Elizabeth immer, und so forderte sie Ron auf, sich die Akte eines Pfadfinderführers anzusehen, dessen verbrannter Leichnam 1982 in einem Waldstück nahe der A27 entdeckt worden war. Sie hatte im Nu Rons Hauptstärke ausgemacht, die darin besteht, grundsätzlich nichts zu glauben, was ein anderer ihm erzählt. Heute sagt Elizabeth, Polizeiakten in der sicheren Gewissheit zu lesen, dass die Polizei lügt, kann erstaunlich fruchtbar sein.

Das Puzzle-Stübchen heißt übrigens deshalb so, weil

hier die größeren Puzzles gelegt werden, auf einem leicht geneigten Holztisch in der Mitte des Raums. An diesem ersten Donnerstag war gerade ein 2000-Teile-Puzzle in Arbeit, das den Hafen von Whitstable zeigte und bei dem nur noch ein kleines Quadrat Himmel fehlte. Ich war einmal in Whitstable, ein Tagesausflug nur, aber so ganz verstehe ich nicht, warum alle so davon schwärmen. Die Austern, gut, aber sonst bieten die Läden ja nicht grade viel.

Jedenfalls hatte Ibrahim eine dicke Plexiglasscheibe über das Puzzle gelegt, und darauf breiteten er, Elizabeth und Ron die Autopsie-Aufnahmen von dem armen Mädchen aus. Dem Mädchen, das nach Elizabeths Meinung von ihrem Freund umgebracht worden war. Dieser Freund war verbittert, weil man ihn als dienstuntauglich aus der Armee entlassen hatte, aber irgendwo drückt der Schuh ja immer, oder? Wir haben alle unser Päcklein zu tragen, aber wir laufen deshalb nicht alle herum und stechen Leute ab.

Elizabeth bat mich, die Tür hinter mir zu schließen und mir ein paar Bilder anzusehen.

Ibrahim stellte sich vor, gab mir die Hand und sagte, sie hätten Kekse da. Es seien zwei Lagen, erklärte er, aber sie versuchten immer, erst die obere aufzuessen, bevor sie sich an die untere machten. Ich sagte ihm, dass er mir da aus der Seele sprach.

Ron nahm mir den Wein ab und stellte ihn zu den Keksen. Er nickte, als er das Etikett sah, und bemerkte, dass es ein Weißer sei. Dann überraschte er mich damit, dass er mich auf die Wange küsste.

Ein Kuss auf die Wange, daran finden Sie vielleicht nichts Unnormales, aber glauben Sie mir, bei Männern über siebzig ist das alles andere als normal. Schwiegersöhne küssen einen auf die Wange, aber sonst doch niemand! Sodass gleich klar war, dass Ron gern auf Tuchfühlung geht.

Dass der berühmte Gewerkschaftsführer Ron Ritchie in Coopers Chase wohnt, wusste ich schon von Anfang an, und zwar deshalb, weil er und Pennys Ehemann John einen verletzten Fuchs gesund gepflegt und ihn Scargill getauft hatten. Darüber stand gleich nach meiner Ankunft ein Artikel im Coopers-Chase-Rundbrief. Da John früher Tierarzt war und Ron, nun ja, Ron ist, gehe ich davon aus, dass das Gesundpflegen Johns Aufgabe war und Ron nur den Namen festlegte.

Der Rundbrief heißt übrigens *Cut to the Chase*, was ein Wortspiel ist und so viel bedeutet wie »Auf den Punkt gebracht«.

Wir beugten uns alle über die Autopsie-Aufnahmen. Armes Mädchen, mit diesen Wunden, an denen sie nie hätte sterben dürfen, auch damals nicht. Der Freund war auf dem Weg zur Vernehmung aus Pennys Streifenwagen getürmt und seitdem nicht mehr gesehen worden. Aber vorher hatte Penny noch einen ziemlichen Rempler von ihm kassiert. Wen wundert's. Einmal Frauenschläger, immer Frauenschläger.

Selbst wenn er sich nicht abgesetzt hätte, wäre er aber vermutlich nicht verurteilt worden. So etwas liest man immer wieder in der Zeitung, aber damals war es noch schlimmer.

Auch der Donnerstagsmordclub wird ihn nicht auf wundersame Weise seiner gerechten Strafe zuführen, was natürlich allen klar ist. Penny und Elizabeth konnten etliche Fälle zu ihrer eigenen Befriedigung aufklären, aber das ist auch alles.

Das heißt, ihr wahres Ziel haben Penny und Elizabeth letztlich nie erreicht. Keiner dieser Mörder ist inzwischen bestraft, alle laufen sie frei herum und hören gemütlich den Seewetterbericht. Sie sind mit ihrer Tat durchgekommen, wie so viele, leider Gottes. Je älter man wird, desto mehr muss man sich damit arrangieren.

Gut, aber was philosophiere ich da? Das bringt uns nicht weiter.

An diesem Donnerstag waren es also erstmals wir vier, Elizabeth, Ibrahim, Ron und ich. Und wie schon gesagt, es passte genau. Als wäre ich das fehlende Teil in ihrem Puzzle.

So viel erst mal für heute. Morgen findet hier eine große Versammlung statt. Bei so etwas helfe ich immer beim Stühleaufstellen. Ich melde mich dafür freiwillig, weil es mich a) nützlich aussehen lässt und mir b) direkten Zugriff auf die Erfrischungen verschafft.

Bei der Versammlung soll es um ein neues Bauprojekt in Coopers Chase gehen. Ian Ventham, der Oberboss, wird uns seine Pläne erläutern. Ich bin immer gern möglichst ehrlich, also nehmen Sie es mir hoffentlich nicht krumm, wenn ich sage, dass ich ihn nicht ausstehen kann. Er vereint alle Unarten in sich, die ein Mann nur haben kann, wenn ihn niemand an die Kandare nimmt.

Um das neue Projekt gibt es furchtbaren Wirbel, weil dafür Bäume gefällt und ein Friedhof verlegt werden sollen, und von Windrädern wird auch gemunkelt. Ron freut sich schon darauf, auf den Tisch hauen zu können, und ich freue mich darauf, ihn in Aktion zu sehen.

Ab jetzt will ich schauen, dass ich jeden Tag berichte. Hoffentlich passiert auch entsprechend viel.

5

In der Waitrose-Filiale in Tunbridge Wells gibt es ein Café. Ian Ventham parkt seinen Range Rover in der letzten freien Behinderten-Parkbucht, nicht weil er behindert wäre, sondern weil er von dort aus den kürzesten Weg hat.

Bogdan sitzt am Fenster. Ian sieht ihn gleich beim Hereinkommen. Ian schuldet Bogdan viertausend Pfund. Bisher hat er auf Zeit gespielt, falls Bogdan doch noch abgeschoben wird, aber danach sieht es leider nicht aus. Egal, jetzt hat er einen echten Job für ihn, alles also im Lack. Ian winkt dem Polen zu und geht zum Tresen. Er überfliegt die Kaffeesorten auf der Tafel.

»Habt ihr nur Fair-Trade-Kaffee?«

»Ja, alles fair gehandelt«, lächelt die junge Bedienung.

»Saublöd«, sagt Ian. Warum soll er fünfzehn Pence mehr berappen, nur um jemandem zu helfen, den er nicht kennt, in einem Land, in das er nie fahren wird? »Dann nehm ich einen Tee. Mit Mandelmilch.«

Bogdan ist heute nicht Ians Hauptsorge. Wenn's nicht anders geht, zahlt er eben. Ians Hauptsorge ist Tony Curran, der ihn voraussichtlich umbringen wird.

Ian trägt seinen Tee rüber zum Tisch und taxiert auf dem Weg alle Kunden über sechzig. Über sechzig und genug Kohle, um bei Waitrose zu shoppen? Gib ihnen noch zehn Jahre, denkt er. Zu dumm, dass er keine Prospekte dabeihat.

Für Tony Curran muss Ian sich etwas einfallen lassen, aber erst mal ist Bogdan an der Reihe. Die gute Nachricht ist, dass Bogdan ihn nicht umbringen will. Ian setzt sich hin.

»Was ist das für ein Terz wegen zwei Riesen, Bogdan?«, fragt er.

Bogdan trinkt Limo aus einer Zwei-Liter-Flasche, die er mit hereingeschmuggelt hat. »Viertausend. Ist sehr billig für Fliesen von ganzen Pool. Das weißt du, ja?«

»Billig ist es nur dann, wenn die Arbeit gut ist, Bogdan«, sagt Ian. »Der Kitt ist verfärbt. Schau. Ich hatte Korallenweiß bestellt.«

Ian zückt sein Telefon, scrollt zu einem Foto seines neuen Pools und zeigt es Bogdan.

»Nein, das ist Filter, machen wir Filter weg.« Bogdan drückt eine Taste, und das Bild hellt sich schlagartig auf. »Korallenweiß. Und das weißt du.«

Ian nickt. Den Versuch war's wert. Manchmal muss man wissen, wann man verloren hat.

Er zieht einen Umschlag aus der Tasche. »Also gut, Bogdan, fair bleibt fair. Hier sind drei Mille. Okay so?«

Bogdan schaut müde. »Drei Mille, okay.«

Ian schiebt ihm den Umschlag hin. »Genau genommen sind es zweitausendachthundert, aber unter Freunden kommt das schon hin. So. Ich wollte dich nämlich was fragen.«

»'kay«, sagt Bogdan und steckt das Geld ein.

»Du bist doch ein kluger Junge, Bogdan?«

Bogdan zuckt die Achseln. »Ich kann fließend Polnisch.«

»Wenn ich dir einen Auftrag gebe, wird er erledigt, und er wird ziemlich gut erledigt und ziemlich billig«, sagt Ian.

»Danke«, sagt Bogdan.

»Deshalb hab ich mir gedacht … Wärst du auch für was Größeres zu haben?«

»'kay«, sagt Bogdan.

»Was sehr viel Größeres?«, sagt Ian.

»'kay«, sagt Bogdan. »Groß ist dasselbe wie klein. Nur mehr davon.«

»Braver Junge«, sagt Ian und trinkt seinen Tee aus. »Ich bin auf dem Weg zu Tony Curran. Ich feuere ihn. Und dann muss jemand seinen Job machen. Traust du dir das zu?«

Bogdan stößt einen leisen Pfiff aus.

»Nummer zu groß für dich?«, fragt Ian.

Bogdan schüttelt den Kopf. »Nicht zu groß, nein, der Job ist okay. Aber wenn du Tony feuerst, vielleicht bringt er dich um.«

Ian nickt. »Ich weiß. Aber lass das meine Sorge sein. Morgen hast du den Job.«

»Wenn du noch lebst, 'kay«, sagt Bogdan.

Zeit zu gehen. Ian schüttelt Bogdan die Hand und stellt sich darauf ein, Tony die schlechte Nachricht zu überbringen.

In Coopers Chase ist eine Baubesprechung angesetzt, bei der die Mumien ihre Einwände vorbringen dürfen. Höflich nicken, Krawatte umbinden, die Leutchen beim Vornamen nennen. Dann fressen sie dir aus der Hand. Er hat Tony zum Mitkommen eingeladen, dann kann er ihn gleich im Anschluss rausschmeißen. An der frischen Luft, mit Zeugen in Sichtweite.

Es gibt eine zehnprozentige Chance, dass Tony ihn an Ort und Stelle umbringt. Aber das bedeutet eine neunzigprozentige Chance, dass er davonkommt, und gemessen an den Summen, um die es geht, scheint ihm das Wagnis durchaus im Rahmen. *No risk, no fun.*

Als Ian ins Freie tritt, hört er wildes Piepsen, und eine

Frau auf einem Elektromobil fuchtelt mit ihrem Stock wütend in Richtung seines Range Rovers.

Steh nächstes Mal früher auf, Baby, denkt Ian beim Einsteigen. Dass manche Leute sich derart haben müssen!

Im Auto hört Ian ein Motivations-Hörbuch mit dem Titel *Töten oder getötet werden – Wie man die Lehren des Schlachtfelds auf die Chefetage überträgt*. Angeblich hat es ein Mitglied der israelischen Spezialeinheiten geschrieben, und empfohlen wurde es Ian von einem der Personal Trainer im Virgin Active Club in Tunbridge Wells. Ian ist sich nicht sicher, ob der Mann nicht vielleicht selbst Israeli ist. Vom Aussehen käme es jedenfalls hin.

Während die Strahlen der Mittagssonne an den illegal getönten Scheiben des Range Rovers abprallen, kehren Ians Gedanken zurück zu Tony Curran. Sie haben über die Jahre viel voneinander profitiert, Ian und Tony. Ian hat verfallende alte Häuser gekauft, große Häuser, Tony hat sie entkernt, aufgeteilt, Rampen und Handläufe eingebaut, und auf ging's zum nächsten. Das Geschäft mit den Pflegeheimen boomte, und entsprechend wuchs Ians Vermögen. Ein paar Heime hat er behalten, ein paar abgestoßen, ein paar neue dazugekauft.

Ian holt einen Smoothie aus dem Kühlschrank des Range Rovers. Der Kühlschrank gehört nicht zur Standardausstattung, sondern wurde von dem Mechaniker aus Faversham eingebaut, der auch das Handschuhfach mit Gold ausgekleidet hat. Der Smoothie dagegen ist Ians Stammrezeptur: eine Schale Himbeeren, eine Handvoll Spinat, isländischer Joghurt (oder finnischer, wenn der isländische aus ist), Spirulina, Weizengrassaft, Acerolapulver, Chlorella-Algen, Seetang, Acaifrucht-Extrakt, Kakaobohnensplitter, Zink, Rote-Bete-Essenz, Chiasamen, Mangozesten und Ingwer. Ian hat den Smoothie selbst kreiert, und er nennt ihn *Keep It Simple*.

Er schaut auf die Uhr. Noch etwa zehn Minuten bis Coopers Chase. Er wird die Besprechung hinter sich bringen und sich dann Tony vornehmen. Heute Morgen hat er »stichsichere Westen« gegoogelt, aber eine Lieferung noch am selben Tag war nicht drin.

Egal, es wird schon gut gehen. Und jetzt, wo Bogdan an Bord ist, umso besser. Ein nahtloser Übergang. Und billiger natürlich, was ja der Sinn des Ganzen ist.

Ian hat frühzeitig kapiert, dass das ganz große Geld nur mit dem oberen Preissegment zu holen ist. Das Schlimmste sind immer die Klienten, die sterben. Tote Klienten, das bedeutet Verwaltungsaufwand, Leerstand, bis ein neuer Bewohner gefunden ist, und viel nerviges Gedöns mit den Familien. Je reicher ein Klient ist, desto höher seine Lebenserwartung. Und desto seltener kommen die Angehörigen zu Besuch, da sie vorzugsweise in London, New York oder Santiago leben. Also orientierte Ian sich nach oben, wandelte seine Firma, die »Herbstsonne Pflege-Residenzen«, in »Daheim ohne Heim: Unabhängiges Wohnen« um und konzentrierte sich auf weniger und dafür größere Anlagen. Und nichts daran brachte Tony Curran je an seine Grenzen. Was er nicht wusste, das lernte er schnell, und keine Nasszelle, elektronische Schlüsselkarte oder Grillstation im Grünen konnte ihn schrecken. So gesehen ein Jammer, ihn abzusägen, aber was will man machen?

Ian passiert das hölzerne Bushäuschen zu seiner Rechten und biegt in die Zufahrt von Coopers Chase ein. Wie so oft rumpelt direkt vor ihm ein Lieferwagen über den Weiderost und sitzt ihm den ganzen langen Rest des Wegs vor der Nase. Ian betrachtet die Aussicht und schüttelt den Kopf. So viele Lamas. Man lernt nie aus.

Er parkt und vergewissert sich, dass sein Parkausweis korrekt und gut sichtbar auf dem Armaturenbrett ausgelegt ist, auf der linken Seite der Windschutzscheibe, sodass Ausweisnummer und Ablaufdatum klar zu erkennen sind. Ian ist im Lauf der Jahre mit allen möglichen Behörden aneinandergerasselt, und die einzigen beiden, bei denen er wirklich Federn lassen musste, waren die russische Zollbehörde und das Coopers-Chase-Parkraummanagement. Aber das Geld ist gut angelegt. So einträglich die Vorläufermodelle auch waren, Coopers Chase ist eine komplett andere Liga. Das war Ian wie Tony von der ersten Sekunde an klar. Ein wahrer Sturzbach von Geld. Worin das heutige Problem ja begründet liegt.

Coopers Chase. Fünf Hektar idyllischer Landschaft mit einer Baugenehmigung für bis zu vierhundert Wohneinheiten. Nichts da außer einem leeren Kloster und ein paar Schafen oben auf dem Hügel. Ein alter Freund von ihm hatte das Land einige Jahre zuvor einem Priester abgekauft, dann jedoch unerwartet Geld gebraucht, um ein Auslieferungsverfahren abzubiegen, an dem er selbstverständlich keinerlei Schuld trug. Ian überschlug die Summen und kam zu dem Schluss, dass dies ein Klimmzug war, der sich lohnte. Aber Tony hatte die Summen auch überschlagen und beschlossen, seinerseits etwas höher zu pokern. Weshalb Tony Curran jetzt fünfundzwanzig Prozent von allem gehören, was er in Coopers Chase aufgezogen hat. Ian blieb keine andere Wahl, als auf seine Forderung einzugehen, weil Tony immer erzloyal zu ihm war und außerdem klarstellte, dass er Ian im Fall einer Weigerung beide Arme brechen würde. Ian hat Tony schon andere Arme brechen sehen, und darum sind sie nun Partner.

Aber nicht mehr lange. Tony muss doch selbst wissen, dass er sich überhoben hat. Luxusapartments hinstellen, das kann praktisch jeder. Nackter Oberkörper, Magic

FM, ein paar Fundamente ausbuddeln, ein paar Maurer zusammenscheißen, mehr gehört nicht dazu. Aber den Weitblick, um denjenigen *anzuleiten*, der die Luxusapartments hinstellt, den haben die wenigsten. Jetzt, wo sie das neue Projekt planen, wird es höchste Zeit, dass Tony erkennt, wo sein Platz ist.

Ian Ventham fühlt sich bestärkt. Töten oder getötet werden.

Er steigt aus dem Auto, und während er in das grelle Sonnenlicht blinzelt, stößt ihm der Nachgeschmack der Rote-Bete-Essenz auf, der einer der Haupthinderungsgründe für eine kommerzielle Vermarktung von *Keep It Simple* war. Er könnte die Rote-Bete-Essenz natürlich weglassen, aber für eine gesunde Bauchspeicheldrüse ist sie unschlagbar.

Sonnenbrille aufgesetzt und auf in den Kampf. Ian hat nicht vor, heute zu sterben.

6

Ron Ritchie steigt auf die Barrikaden, wie so oft. Mit geübtem Finger klopft er auf seinen Mietvertrag. Er weiß, die Geste kommt gut, das tut sie immer, aber er fühlt seine Hand dabei zittern, und der Mietvertrag zittert auch. Er schwenkt ihn durch die Luft, um das Zittern zu überspielen. Seine Stimme jedoch hat nichts von ihrer Kraft eingebüßt.

»Darf ich zitieren! Und das sind Ihre Worte, Mr Ventham, nicht meine. ›Coopers Chase Holding Investments behält sich das Recht auf weiteren Ausbau der Anlage vor. Hierbei kommt den Bewohnern ein *Mitspracherecht* zu.‹«

Rons massige Gestalt lässt die Körperkraft ahnen, die er einmal besessen haben muss. Das Gestell ist noch da, wie bei einem Bulldog, der auf einem Feld vor sich hin rostet. Sein breites, offenes Gesicht kann in Sekundenschnelle von einem empörten Ausdruck zu einem der Ungläubigkeit wechseln, oder was immer sonst angezeigt ist. Was immer seine Sache voranbringt.

»Und genau das kriegt ihr jetzt«, sagt Ian Ventham, als würde er mit einem Kind reden. »Das hier ist die Baubesprechung. Ihr seid die Bewohner. Sprecht nach Herzenslust mit, ihr habt zwanzig Minuten.«

Ventham sitzt an einem langen Tisch, der am Kopfende des Gemeinschaftsraums aufgebaut ist. Er ist braun gebrannt, entspannt und hat die Sonnenbrille über seine gelackte Popperfrisur hochgeschoben. Er trägt ein teures Polohemd und eine Uhr fast von der Größe einer Wanduhr. Er sieht aus, als müsste er intensiv duften, aber nahe genug, um es auszutesten, möchte man ihm dann doch nicht kommen.

Flankiert wird Ventham von einer Frau, die mindestens fünfzehn Jahre jünger ist als er, und einem stark tätowierten Mann in einer ärmellosen Weste, der auf seinem Handy herumscrollt. Die Frau ist die Architektin des Bauprojekts, der Tätowierte ist Tony Curran. Ron hat ihn gelegentlich schon gesehen und auch dies und das über ihn gehört. Ibrahim protokolliert jedes Wort mit, das gesprochen wird, während Rons Finger weiter in die Luft sticht.

»Auf solche Sprüche fall ich nicht rein, Ventham. Das hier ist keine Besprechung, das ist ein Hinterhalt.«

Joyce beschließt, ihm Rückendeckung zu geben. »Du sagst es, Ron.«

Und Ron gedenkt, noch weit mehr zu sagen.

»Danke, Joyce. Sie nennen Ihr Projekt ›The Woodlands‹, dabei sollen alle Bäume weg. Was für eine Chuzpe! Und Sie kommen uns hier mit Ihren retuschierten kleinen Computerbildchen mit Sonnenschein und bauschigen Wolken und Entchen auf dem See. Mit Computern kann man alles hinbiegen, junger Mann; wir hatten ein echtes, maßstabsgetreues Modell angefordert, mit Bäumen und kleinen Figuren.«

Das bringt ihm einigen Beifall. Viele der hier Versammelten wollten ein richtiges Modell, aber laut Ian Ventham ist das nicht mehr zeitgemäß. Ron fährt fort.

»Und Sie haben bewusst, aus Kalkül, eine Architek*tin* beauftragt, damit ich nicht laut werden kann.«

»Du bist schon laut, Ron«, sagt Elizabeth, die zwei Sitze weiter in einer Zeitung liest.

»Sag du mir nicht, wann ich laut bin, Elizabeth«, donnert Ron. »Der Knabe wird noch merken, wie das ist, wenn ich laut werde. Schau ihn an, aufgebrezelt wie Tony Blair. Warum bombardieren Sie nicht gleich den Irak, wenn Sie schon dabei sind, Ventham?«

Guter Spruch, denkt Ron, während Ibrahim getreulich mitschreibt.

Früher, in den Tagen, als die Zeitungen noch über ihn zu berichten pflegten, hieß er bei allen nur »der Rote Ron«, wobei damals jeder der »rote« Irgendwas war. Kaum ein Foto von Ron, unter dem nicht der Satz stand: »Die Verhandlungen zwischen den Tarifpartnern wurden in den frühen Morgenstunden ergebnislos abgebrochen.« Ron ist der Veteran der Streiks und Arrestzellen, der Sit-ins und Walk-outs, der schwarzen Listen und roten Linien. Er stand überall an vorderster Front. Er hat sich mit den Werksarbeitern von British Leyland die Hände über den Kohlenbecken gewärmt, er hat mit den Dockern zusammen ihren letzten Kampf gekämpft und als Streikposten in Wapping hautnah den Sieg Rupert Murdochs und das Ende der Druckindustrie miterlebt. Ron hat die Kumpel von Kent bei ihrem Marsch auf der A1 angeführt und sich in Orgreave einsperren lassen, als dort die letzten Widerstände der Kohleindustrie gebrochen wurden. Ein weniger eisernes Naturell als das von Ron hätte eine solche Bilanz als desaströs werten können. Doch das ist das Schicksal des Underdogs, und Ron war Underdog mit Leib und Seele. Wenn er sich jemals in einer Situation fand, in der die Rollen anders verteilt waren, dann drehte und wendete und schüttelte er diese Situation so lange, bis er doch wieder der Underdog war. Aber Ron stand auch immer zu dem, was er predigte. Er half ohne viele Worte aus, wo es nötig war, ob mit ein paar Pfund extra an Weihnachten, einem Anzug oder einem Anwalt vor Gericht. Wer immer einen Beschützer brauchte, egal wovor, war in Rons tätowierten Armen sicher geborgen.

Die Tätowierungen verblassen jetzt, die Hände zittern, aber das Feuer brennt so heiß wie eh und je.

»Soll ich Ihnen sagen, wohin Sie sich Ihren Mietvertrag schieben können, Ventham?«

»Klären Sie mich gerne auf«, sagt Ian Ventham.

Ron beginnt daraufhin, sich über David Cameron und das EU-Referendum auszulassen, verliert aber den Faden. Ibrahim legt ihm die Hand an den Ellbogen. Ron nickt das Nicken eines Mannes, dessen Arbeit getan ist, und setzt sich mit einem dröhnenden Knacken in den Knien.

Er ist glücklich. Und das Zittern hat auch aufgehört, für den Moment zumindest. Das Adrenalin der Schlacht. Da geht nichts drüber.

7

Als Pater Matthew Mackie leise durch die hintere Tür der Lounge tritt, wettert ein großer Mann in einem West-Ham-Sweatshirt gerade gegen Tony Blair. Es sind viele gekommen, so wie er gehofft hat. Je mehr Widerstand gegen das Woodlands-Projekt, desto besser. Sein Zug von Bexhill hatte keinen Speisewagen, deshalb ist er froh, als er die Dose mit den Keksen sieht.

Er greift sich eine Handvoll, als niemand hinschaut, schleicht zu einem blauen Plastikstuhl in der letzten Reihe und nimmt Platz. Dem Mann in dem zu engen Fußballhemd geht jetzt die Luft aus, und als er sich hinsetzt, heben sich andere Hände. Mit etwas Glück hätte er sich die Reise sparen können, aber doppelt genäht hält besser. Pater Mackie merkt, dass er nervös ist. Er rückt sein Kollar zurecht, fährt sich durch den schlohweißen Haarschopf und fischt ein Stück Shortbread aus seiner Tasche. Wenn niemand das Thema Friedhof anspricht, wird er es selbst tun müssen. Furchtlos. Er ist schließlich in einer Mission hier.

Was für ein seltsames Gefühl, wieder in diesen Mauern zu sein. Er schaudert leicht. Sicher nur die Kälte.

8

Nach der Baubesprechung sitzt Ron mit Joyce am Rand des Bowling-Rasens, in der Hand ein kaltes Bier, das im Sonnenschein glitzert. Noch allerdings muss er mit einem einarmigen Juwelier aus dem Ruskin Court namens Dennis Edmond Small Talk machen.

Dennis, der mit Ron bisher noch nie ein Wort gewechselt hat, will ihm zu den äußerst wertvollen Argumenten gratulieren, die er bei der Baubesprechung vorgebracht hat. »Aufschlussreich, Ron, wirklich aufschlussreich. Ganz wichtige Denkanstöße.«

Ron dankt Dennis für das Lob und wartet auf den Schwenk, der als Nächstes kommen wird. Den Schwenk, der nie ausbleibt.

»Und das muss Ihr Sohn sein«, sagt Dennis und wendet sich Jason Ritchie zu, der ebenfalls ein Bier in der Hand hält. »Der große Champion!«

Jason, höflich wie immer, lächelt und nickt. Dennis streckt die Hand aus. »Dennis. Ich bin ein Freund Ihres Dads.«

Jason schüttelt die Hand. »Jason. Freut mich sehr, Dennis.«

Dennis schaut ihn einen Augenblick erwartungsvoll an, ob noch mehr kommt, und nickt dann enthusiastisch. »Wirklich toll, Sie kennenzulernen, ich bin ein großer Fan von Ihnen, ich hab nicht einen Ihrer Kämpfe verpasst. Dann sehen wir uns ja hoffentlich bald mal wieder?«

Jason nickt noch einmal höflich, und Dennis trottet davon, ohne auch nur so zu tun, als würde er sich von Ron verabschieden. Vater und Sohn, die solche Intermezzi schon kennen, nehmen ihre Unterhaltung mit Joyce wieder auf.

»Ja, also es nennt sich *Berühmte Stammbäume*«, sagt Jason. »Sie haben offenbar die Familiengeschichte erforscht, und sie wollen mit mir an verschiedene Orte fahren und mir da, ja, was über meine Familiengeschichte erzählen. Uroma war Prostituierte, solchen Kram.«

»Kenn ich nicht«, sagt Ron. »Wo läuft das, in der BBC?«

»Es läuft auf ITV, es ist wirklich fantastisch, Ron«, sagt Joyce. »Neulich kam eine Folge, haben Sie die zufällig gesehen, Jason, mit diesem Schauspieler? Er spielt den Arzt in *Holby City*, aber in einem *Poirot* habe ich ihn auch schon gesehen.«

»Nein, leider nicht, Joyce«, sagt Jason.

»Das war hochinteressant. Sein Großvater, stellte sich heraus, hat seinen Geliebten umgebracht. Geliеb*ten*, wohlgemerkt. Sein Gesicht hättet ihr sehen sollen. Doch, das müssen Sie unbedingt machen, Jason.« Joyce klatscht in die Hände. »Vielleicht kommt ja raus, dass Ron auch einen schwulen Großvater hatte? Das wäre zu lustig.«

Jason nickt. »Mit dir würden sie auch reden wollen, Dad. Vor der Kamera. Sie haben mich gefragt, ob du rüstig genug bist, und ich habe ihnen gesagt, das Problem wird eher sein, dich wieder zum Schweigen zu bringen.«

Ron lacht. »Aber bei diesem Promi-Eistanz-Zeug willst du ernsthaft auch mitmachen?«

»Ich dachte, das könnte ganz witzig sein.«

»Ich bin dafür«, sagt Joyce, trinkt ihr Bier aus und greift nach dem nächsten.

»Du scheinst zurzeit ja eine Menge zu machen, Junge«, sagt Ron. »Joyce sagt, sie hat dich bei *MasterChef* gesehen.«

Jason zuckt die Achseln. »Stimmt schon, Dad. Ich sollte zum Boxen zurückkehren.«

»Aber dass Sie vorher noch nie Makronen gebacken hatten, nehme ich Ihnen nicht ab, Jason«, sagt Joyce.

Ron nimmt einen kräftigen Schluck und zeigt dann mit der Bierflasche nach links.

»Da drüben bei dem BMW, Jase – schau jetzt nicht hin –, das ist Ventham, der Kerl, von dem ich dir erzählt habe. Dem hab ich ordentlich eingeheizt, stimmt's, Joyce?«

»Er wusste nicht mehr, wo oben und unten ist, Ron«, bestätigt Joyce.

Jason lehnt sich zurück, dehnt die Arme und wirft dabei einen beiläufigen Blick nach links. Joyce rückt mit ihrem Stuhl, um bessere Sicht zu haben.

»Sehr unauffällig, Joyce«, sagt Ron. »Der Mann bei ihm, Jase, das ist Curran, der Bauunternehmer. Ist der dir in der Stadt mal über den Weg gelaufen?«

»Ein-, zweimal«, sagt Jason.

Ron schaut wieder hinüber. Ein lockeres Gespräch sieht anders aus. Der Wortwechsel ist schnell und leise, die Körperhaltung der beiden aggressiv-defensiv, aber beherrscht.

»Sieht aus, als hätten sie Krach, oder?«, sagt er.

Jason nippt an seinem Bier und stiehlt einen neuerlichen Blick Richtung Parkplatz.

»Sie sehen aus wie ein Pärchen im Restaurant, bei dem niemand merken soll, dass sie streiten«, urteilt Joyce. »In einem Pizza-Express.«

»Stimmt«, sagt Jason, bevor er sich wieder zu seinem Vater umdreht und sein Bier austrinkt.

»Spielen wir noch eine Runde Snooker?«, fragt Ron. »Oder bist du in Eile?«

»Täte ich wahnsinnig gern, Dad, aber ich muss noch was erledigen.«

»Irgendwas, wobei ich dir helfen kann?«

Jason schüttelt den Kopf. »Völlig langweilig, dauert auch nicht lang.« Er steht auf und streckt sich. »Bei dir haben sich heute nicht zufällig irgendwelche Reporter gemeldet, oder?«

»Hätten sie das tun sollen?«, fragt Ron. »Ist irgendwas?«

»Nee, du weißt doch, wie Reporter sind. Also keine Anrufe, keine Mails, nichts?«

»Nur ein Katalog für barrierefreie Duschen«, sagt Ron. »Willst du mir verraten, warum du fragst?«

»Kennst mich doch, Dad. Irgendwas wittern die immer.«

»Wie aufregend!«, sagt Joyce.

»Macht's gut, ihr zwei«, sagt Jason. »Und sauft nicht so viel, dass ihr anfangt zu randalieren.«

Jason geht. Joyce wendet das Gesicht der Sonne zu und schließt die Augen. »Ist das nicht wunderbar, Ron? Ich wusste gar nicht, dass ich Bier mag. Stell dir vor, ich wäre mit siebzig gestorben. Dann hätte ich das nie herausgefunden.«

»Darauf trinken wir, Joyce.« Ron leert seine Flasche. »Was ist da bei Jason im Busch, meinst du?«

»Wahrscheinlich eine Frau«, sagt Joyce. »Du weißt doch, wie wir sind.«

Ron nickt. »Hmm, wahrscheinlich.«

Er sieht seinem Sohn nach, dessen Wagen in der Ferne verschwindet. Er macht sich Sorgen. Wobei es bei Jason nie einen Tag gab, ob im Ring oder außerhalb, an dem Ron sich seinetwegen nicht gesorgt hätte.

9

Die Baubesprechung ist bestens verlaufen.

Wegen Woodlands macht sich Ian Ventham keine Sorgen mehr. Die Sache ist eingetütet. Der Krakeeler aus der Versammlung? Solche Typen kennt er zur Genüge. Lass sie toben. Und einen Priester hat er ganz hinten im Saal bemerkt. Was führt den her? Der Friedhof, schätzt er, aber da ist alles im grünen Bereich, er hat sämtliche Genehmigungen. Sollen sie nur versuchen, ihn zu stoppen!

Und der Rausschmiss? Tja, glücklich war Tony Curran nicht gerade, aber umgebracht hat er ihn auch nicht. Eins zu null für Ian.

In Gedanken ist Ian Ventham sowieso längst einen Schritt weiter. Wenn Woodlands erst mal auf den Weg gebracht ist, dann kommt die nächste, finale Phase seines Projekts, Hillcrest. Er ist die fünf Minuten holprigen Feldweg von Coopers Chase hochgefahren und sitzt jetzt in der Landhausküche von Karen Playfair. Ihrem Vater Gordon gehört das Land auf der Kuppe des Hügels, das an Coopers Chase angrenzt, und er scheint nicht geneigt zu verkaufen. Macht nichts, Ian hat seine Methoden.

»Tut mir leid, aber ich bin nicht weitergekommen«, sagt Karen Playfair. »Mein Vater will nicht verkaufen, und dazu zwingen kann ich ihn ja schlecht.«

»Verstehe«, sagt Ian. »Mehr Knete.«

»Nein, ich glaube«, sagt Karen, »und das haben Sie ja wahrscheinlich auch gemerkt, ich glaube, er mag Sie einfach nicht.«

Gordon Playfair hat einen Blick auf Ian Ventham geworfen und ist die Treppe hinaufgepoltert. Ian kann ihn oben herumstampfen hören, als würde er damit etwas beweisen. Wen interessiert's? Es gibt immer wieder Leute, die Ian nicht mögen. Warum, weiß er bis heute nicht, aber er hat gelernt, damit zu leben. Nicht sein Problem. Gordon Playfair ist einfach einer mehr in der langen Reihe von Menschen, die es eben nicht raffen.

»Aber hören Sie, überlassen Sie das nur mir«, sagt Karen. »Ich finde schon einen Weg, dass am Schluss jeder bekommt, was er will.«

Karen Playfair rafft es. Er hat ihr klargemacht, was für Summen auf sie warten, wenn sie ihren Vater zum Verkauf überreden kann. Ihre Schwester und ihr Schwager haben ihr eigenes Unternehmen, Bio-Rosinen in Brighton, und Ian hat erst bei ihnen zu landen versucht, ohne Erfolg. Bei Karen wird er leichteres Spiel haben. Sie lebt allein in einem Häuschen auf dem Land ihres Vaters und ist in der IT-Branche, und so sieht sie auch aus. Sie trägt Make-up, aber ein so dezentes, unaufdringliches, dass sie es sich ehrlich gesagt auch schenken könnte.

Ian fragt sich, wann genau Karen jeden Ehrgeiz aufgegeben und angefangen hat, in Turnschuhen und langen sackartigen Pullovern herumzulaufen. Und als Informatikerin, sollte man meinen, hätte sie ja wohl irgendwann »Botox« googeln können. Sie muss um die fünfzig sein, so alt wie Ian. Aber bei Frauen ist das natürlich was anderes.

Ian ist auf x verschiedenen Dating-Portalen, und sein

striktes Alterslimit ist fünfundzwanzig. Er findet Dating-Portale nützlich, weil es heutzutage schwierig sein kann, die richtigen Frauen kennenzulernen. Sie müssen begreifen, dass seine Zeit begrenzt, seine Arbeit anspruchsvoll und Bindung für ihn keine Option ist. Frauen über fünfundzwanzig tun sich nach seiner Erfahrung oft schwer, das zu kapieren. Was passiert da in ihrem Kopf, fragt er sich. Er sucht nach Gründen, warum irgendwer Karen Playfair daten sollte, findet aber keine. Gute Gespräche? So was läuft sich schnell tot, oder? Wenigstens wird sie reich sein, wenn Ian das Land gekauft hat. Das dürfte ihre Chancen steigern.

Aber auch ihm eröffnen sich mit Hillcrest noch mal ganz neue Chancen. Auf lange Sicht wird es die Größe von Coopers Chase verdoppeln, wodurch sich auch Ians Gewinne verdoppeln werden. Gewinne, von denen ab jetzt nichts mehr an Tony Curran fließt. Wenn er dafür ein, zwei Wochen mit einer Fünfzigjährigen flirten muss – geschenkt.

Bei Dates hat Ian praxiserprobte Hilfsmittel. Junge Frauen beeindruckt er mit Fotos seines Pools und mit dem Interview, das er *Kent Tonight* einmal gegeben hat. Ein Bild von seinem Pool hat er Karen schon gezeigt, man kann ja nie wissen, aber sie hat nur höflich gelächelt und genickt. Kein Wunder, dass sie keinen abkriegt.

Aber Geschäfte machen kann man mit ihr. Sie erkennt die Vorteile wie auch die Hindernisse, und Ian und sie beschließen ihr Gespräch mit einem Handschlag und einem Schlachtplan. Ein bisschen Handcreme ab und zu würde sie auch nicht umbringen, denkt Ian, als er Karens Hand schüttelt. Fünfzig! Das wünscht er wirklich keinem.

Flüchtig macht er sich bewusst, dass die einzige Frau

über fünfundzwanzig, mit der er sich in irgendeiner Weise abgibt, seine Ehefrau ist.

Egal, er muss weiter. Auf ihn wartet schließlich Arbeit.

10

Tony Currans Entschluss steht. Er parkt den BMW X7 auf dem aufgeheizten Pflaster der Einfahrt. Unter dem Bergahorn hinten im Garten hat er einen Revolver vergraben. Oder war es die Buche? Eins von beiden, aber darüber kann er bei einer Tasse Tee nachdenken. Und sich bei der Gelegenheit auch gleich überlegen, wo er den Spaten hingetan hat.

Tony Curran wird Ian Ventham umbringen, so viel ist klar. Auch Ian muss das eigentlich klar sein. Irgendwann ist Schluss. Dann sieht selbst der gutmütigste, besonnenste Mensch rot.

Eine Melodie aus einer Werbung pfeifend, schlendert Tony zum Haus.

Er hat es vor achtzehn Monaten bezogen, finanziert mit den ersten echten Gewinnen aus Coopers Chase. Es ist exakt das Haus, von dem er immer geträumt hat. Die Belohnung für viel harte Arbeit, die richtigen Entscheidungen zum richtigen Zeitpunkt, ein paar clevere Abkürzungen und Vertrauen in das eigene Können. Ein Monument seiner Lebensleistung aus Ziegeln, Glas und gehärtetem Nussbaumholz.

Tony schließt die Tür auf und beeilt sich, die Alarmanlage auszuschalten. Ein paar von Venthams Leuten haben sie erst letzte Woche eingebaut. Alles Polen, aber wer ist heutzutage kein Pole? Tony bekommt den vierstelligen Code schon im dritten Anlauf hin, ein neuer Rekord.

Sicherheit stand bei Tony Curran schon immer an erster Stelle. Jahrelang hatte sein Bauunternehmen nur als Fassade für seinen Drogenhandel gedient. Als Erklärung für sein Einkommen. Zur Geldwäsche. Aber im Lauf der Zeit ist es gewachsen, hat ihn immer mehr in Anspruch genommen, ihm immer mehr Profit eingebracht. Wenn man dem jungen Tony prophezeit hätte, dass er einmal in einem Haus wie diesem wohnen würde, hätte ihn das nicht weiter gewundert. Wenn man ihm gesagt hätte, dass er es mit legal verdientem Geld bauen würde, hätte ihn auf der Stelle der Schlag getroffen.

Debbie, seine Frau, ist noch nicht da, aber das ist ihm ganz recht so. Gibt ihm Zeit, sich zu konzentrieren, die Sache in Ruhe zu durchdenken.

Tony spult zurück zu dem Streit mit Ian Ventham, und ihm kommt wieder die Galle hoch.

Ian drängt ihn aus dem Woodlands-Projekt raus? Einfach so? Auf dem Weg zu seinem Auto? Im Freien, für den Fall, dass Tony die Hand ausrutscht? Er hätte ihm liebend gern eine verpasst, aber das war der alte Tony. Also haben sie sich nur ein bisschen angegiftet, ganz ruhig und zivilisiert. Niemand kann etwas davon mitgekriegt haben, klarer Vorteil für Tony. Wenn Ventham tot aufgefunden wird, kann keiner sagen, er hätte gesehen, wie Tony Curran und Ian Ventham sich gezofft haben. Sauberer so.

Tony setzt sich auf einen Barhocker, zieht ihn an die Insel in der Mitte seiner riesigen Küche heran und öffnet eine Schublade. Er muss sich einen schriftlichen Plan machen.

Tony glaubt nicht an Glück, er glaubt an vorausschauendes Planen. Mangelnde Vorbereitung ist der erste Schritt zum Scheitern. Ein alter Englischlehrer von Tony hat ihm das einmal gesagt, und Tony hat es nie vergessen. Ein Jahr später hat er demselben Lehrer das Auto abgefackelt, nach einer Meinungsverschiedenheit über einen Fußball, aber wo der alte Knabe recht hatte, hatte er recht. Mangelnde Vorbereitung ist der erste Schritt zum Scheitern.

Wie sich zeigt, gibt es in der Schublade kein Papier, also beschließt Tony, den Plan stattdessen im Kopf auszuarbeiten.

Kein Grund, etwas zu überstürzen. Soll sich die Welt ruhig ein paar Tage weiterdrehen, sollen die Vögel im Garten singen, soll Ventham glauben, er hätte gewonnen. Und dann, zack. Warum machen die Leute immer wieder den Fehler, sich mit Tony Curran anzulegen? Wem ist das je gut bekommen?

Tony hört das Geräusch einen Sekundenbruchteil zu spät. Als er herumfährt, sieht er gerade noch den Schraubenschlüssel herabsausen. Ein Mordstrumm, der Klassiker. Ihm auszuweichen ist unmöglich, und in dem kurzen Moment der Klarheit, der ihm noch bleibt, begreift Tony Curran. Du kannst nicht immer Sieger sein, Tony. Das ist nur fair so, denkt er. Das ist nur fair.

Der Hieb erwischt Tony an der linken Schläfe, und er sackt auf den Marmorboden. Die Vögel im Garten hören einen Herzschlag lang zu singen auf, bevor sie fröhlich weiterzwitschern. Hoch oben im Bergahorn. Oder ist es die Buche?

Der Mörder legt noch ein Foto auf die Arbeitsplatte, während sich Tony Currans Blut seinen Weg um den Nussbaumsockel der Kücheninsel sucht.

11

In Coopers Chase beginnt der Tag früh. Während noch die Füchse ihre nächtlichen Runden beschließen und die Vögel ihren Appell anstimmen, pfeifen schon erste Kessel, und durch vorhangverhängte Fenster scheint schwaches Lampenlicht. Steife Gelenke knarzen den Morgen herbei.

Niemand hier muss den Frühzug ins Büro erwischen oder Brotzeitdosen packen, bevor er die Kinder weckt, aber es ist trotzdem eine geschäftige Zeit. In ihrem früheren Leben standen die Bewohner von Coopers Chase früh auf, weil viel zu tun war und der Tag nur begrenzt lang. Jetzt stehen sie früh auf, weil viel zu tun ist und ihr Leben nur noch begrenzt lang.

Ibrahim wird nie später als sechs Uhr wach. Der Swimmingpool öffnet erst um sieben, aus Sicherheitsgründen. Ibrahim hat damit zu argumentieren versucht, dass die Gefahr, beim unbeaufsichtigten Schwimmen zu ertrinken, vernachlässigbar sei gegenüber der Gefahr eines Herztods oder einer tödlichen Atemwegserkrankung infolge mangelnder körperlicher Betätigung. Er hat sogar einen Algorithmus entwickelt, der beweist, dass das Leben der Bewohner bei einer Vierundzwanzig-Stunden-Öffnung des Schwimmbads um 31,7 Prozent sicherer wäre als bei nächtlicher Schließung. Der Ausschuss Freizeit- und Sporteinrichtungen ließ sich dadurch jedoch nicht erweichen. Ibrahim versteht, dass

Auflagen aller Art ihm die Hände binden, und trägt es ihm nicht nach. Den Algorithmus hat er sorgsam gespeichert, falls er ihn noch einmal brauchen sollte. So vieles will erledigt sein.

»Ich habe einen Auftrag für dich, Ibrahim«, sagt Elizabeth und trinkt ein Schlückchen Pfefferminztee. »Beziehungsweise für dich und Ron, aber ich lege die Sache in deine Hände.«

»Sehr klug«, sagt Ibrahim nickend. »Wenn ich das so sagen darf.«

Elizabeth hat schon gestern Abend angerufen und ihm von Tony Curran erzählt. Sie wusste es von Ron, der es von Jason wusste, der es wiederum aus einer bislang unbelegten Quelle erfahren hatte. Der Mann lag tot in seiner Küche, Kopfwunde durch stumpfe Gewalt; gefunden hat ihn seine Frau.

Für gewöhnlich bringt Ibrahim diese Stunde gern damit zu, alte Patientenakten zu studieren, vereinzelt auch neue. Er hat nach wie vor eine Handvoll Patienten, und wenn sie Hilfe brauchen, nehmen sie den Weg nach Coopers Chase auf sich und sitzen in dem abgewetzten Sessel unter dem Gemälde mit dem Segelboot, beides Gegenstände, die Ibrahim seit nunmehr vierzig Jahren begleiten. Gestern Morgen hat er in seinen Aufzeichnungen zu einem ehemaligen Patienten geblättert, einem Filialleiter der Midland Bank in Godalming, der herrenlose Hunde zu adoptieren pflegte und sich eines Weihnachtstags das Leben nahm. Diese Muße wird ihm heute nicht vergönnt sein, denkt Ibrahim. Elizabeth stand pünktlich mit dem ersten Sonnenstrahl auf der Matte. Er findet solche Störungen seines gewohnten Ablaufs schwierig.

»Du musst nichts weiter tun, als einen Kriminalkommissar zu belügen«, sagt Elizabeth. »Kann ich mich da auf dich verlassen?«

»Wann hättest du das je nicht gekonnt, Elizabeth?«, fragt Ibrahim. »Wann habe ich dein Vertrauen jemals enttäuscht?«

»Noch nie«, gibt Elizabeth zu. »Deshalb weiß ich dich ja auch so gern in meiner Nähe. Außerdem machst du hervorragenden Tee.«

Ja, denkt Ibrahim, verlassen kann man sich auf ihn. Im Lauf der Jahre hat er Leben gerettet, und er hat Seelen gerettet. Er war gut in seinem Beruf, weshalb es bis heute Menschen gibt, die meilenweit fahren, vorbei an der alten Telefonzelle und dem Hofladen, nach der Brücke rechts und bei dem hölzernen Bushäuschen links, um bei einem achtzigjährigen Psychiater Rat zu suchen, der längst im Ruhestand ist.

Manchmal scheitern seine Bemühungen – wem auf dieser Welt ginge das nicht so? –, und das sind die Akten, die Ibrahim frühmorgens hervorholt. Der Filialleiter, der in dem abgewetzten Sessel saß und weinte und weinte und sich nicht retten ließ.

Aber heute Morgen gelten andere Prioritäten, das sieht er ein. Heute Morgen hat der Donnerstagsmordclub einen brandaktuellen Fall. Nicht nur vergilbte Seiten von anno dazumal, bei denen die Druckerschwärze schon verwischt. Einen echten Fall, einen echten Leichnam und, irgendwo da draußen, einen echten Mörder.

Heute Morgen wird Ibrahim gebraucht. Und dafür lebt er.

12

PC Donna De Freitas trägt ein Tablett mit Teebechern in den Besprechungsraum. Ein Bauunternehmer ist ermordet worden, Tony Soundso, und nach der Stärke des versammelten Teams zu urteilen, ist es eine große Sache. Donna fragt sich, warum. Wenn sie mit dem Tee etwas trödelt, erfährt sie vielleicht mehr.

Detective Chief Inspector Chris Hudson weist das Team ein. Bisher macht er einen recht netten Eindruck auf Donna. Er hat ihr sogar einmal eine Doppeltür aufgehalten, ohne dabei ein Gesicht zu machen, als erwartete er mindestens einen Orden dafür.

»Auf dem Grundstück sind Kameras installiert, und zwar nicht zu knapp. Stellt die Aufzeichnungen sicher. Tony Curran ist um 14 Uhr von Coopers Chase weggefahren, und gestorben ist er seinem Fitnesstracker zufolge um 15:32. Das Zeitfenster ist damit relativ klein.«

Donna hat das Teebrett auf einem Schreibtisch abgestellt und bückt sich, um ihre Schuhe zu binden. Sie hat den Namen Coopers Chase aufgeschnappt, was interessant ist.

»Weitere Kameras gibt es auf der A214, circa vierhundert Meter südlich von Currans Haus sowie eine halbe Meile nördlich, dieses Material brauchen wir also auch. Den Zeitrahmen wisst ihr.« Chris hält einen Moment lang inne und blickt zu der kauernden Donna De Freitas hinüber.

»Alles in Ordnung, Constable?«, fragt er.

Donna richtet sich auf. »Ja, Sir, ich hab mir nur die Schuhe gebunden. Nicht dass ich mit dem Teebrett noch stolpere.«

»Sehr umsichtig«, sagt Chris. »Danke für den Tee. Dann können Sie jetzt gehen.«

»Danke, Sir«, sagt Donna und nimmt Kurs auf die Tür.

Seinem Ermittlerblick ist bestimmt aufgefallen, dass ihre Schuhe keine Schnürbänder haben. Aber eine Portion gesunde Wissbegierde wird er einer jungen Polizistin ja wohl nicht verübeln?

Als sie die Klinke herunterdrückt, hört sie Chris Hudson fortfahren:

»Bis wir das alles beisammenhaben, ist unser Hauptanhaltspunkt das Foto, das der Mörder bei der Leiche zurückgelassen hat. Sehen wir es uns an.«

Donna kann nicht anders, sie dreht sich um und sieht an die Wand projiziert ein altes Foto, drei Männer im Pub, lachend und trinkend. Der Tisch vor ihnen ist mit Geldscheinen bedeckt. Ihr bleibt nur eine Sekunde, trotzdem erkennt sie einen der Männer auf Anhieb.

Die Welt wird anders aussehen, wenn Donna erst Teil eines Ermittlungsteams ist, sehr anders. Dann muss sie in keiner Grundschule mehr antanzen, um mit unsichtbarer Tinte Seriennummern auf Fahrradrahmen zu kritzeln, muss keine Ladenbesitzer mehr höflich darauf hinweisen, dass überquellende Mülltonnen streng genommen ein Verstoß gegen die …

»Constable?«, unterbricht Chris Donnas Gedankenfluss. Sie wendet den Blick von dem Foto und richtet ihn auf Chris, der ihr fest, aber freundlich bedeutet, dass sie hier nicht mehr gebraucht wird. Donna lächelt Chris an und nickt. »Diese Tagträumerei. Entschuldigung, Sir.«

Sie öffnet die Tür, geht hindurch, zurück in die Langeweile. Sie lauscht angestrengt, um auch ja nichts zu verpassen, bevor die Tür endgültig ins Schloss fällt.

»Also. Drei Männer, die uns allen natürlich bestens bekannt sind. Gehen wir sie der Reihe nach durch?«

Das Schloss rastet ein. Donna seufzt.

13

Joyce

Tut mir leid, dass ich so frühmorgens schon schreibe, aber Tony Curran ist tot.

Tony Curran ist der Bauunternehmer, der Coopers Chase gebaut hat. Vielleicht hat er sogar meinen offenen Kamin gemauert, wer weiß? Auch wenn das eher unwahrscheinlich ist. Er hatte ja bestimmt Leute, die so etwas für ihn machen. Und das Mörteln und alles andere auch. Er wird das Ganze nur beaufsichtigt haben. Aber irgendwo sind sicher noch Fingerabdrücke von ihm. Was doch ziemlich spannend ist.

Elizabeth rief gestern Abend noch an, um es mir zu erzählen. Ich würde Elizabeth niemals als atemlos beschreiben, aber ich muss doch sagen, sehr viel hat nicht gefehlt.

Tony Curran wurde totgeschlagen, ausgerechnet. Erschlagen von unbekannt. Ich habe ihr erzählt, was ich mit Ron und Jason beobachtet hatte, den Streit zwischen Curran und Ian Ventham. Sie sagte, das wüsste sie schon, sie muss Ron also vor mir gesprochen haben, aber sie war so höflich, sich auch meine Version anzuhören. Ich wollte wissen, ob sie sich Notizen machte, und sie sagte, sie hätte alles im Kopf.

Irgendetwas führt sie ganz eindeutig im Schilde. Heute früh ist sie bei Ibrahim, hat sie gesagt.

Ich fragte sie, ob ich auch irgendwie helfen könnte, und sie sagte, auf jeden Fall. Also wollte ich wissen, auf welche Weise, und sie sagte, wenn ich noch ein bisschen Geduld hätte, würde ich es bald genug erfahren.

Was wohl heißt, ich muss warten, bis ich etwas höre. Wenn ich nachher den Minibus nach Fairhaven nehme, lasse ich zur Sicherheit mein Handy an.

Jetzt bin ich schon jemand, der sein Handy anlassen muss!

14

»Wer hat Tony Curran getötet, und wie überführen wir ihn?«, fragt Elizabeth. »›Ihn oder sie‹, sollte ich korrekterweise sagen, ich weiß, aber aller Wahrscheinlichkeit nach ist es ja ein Er. Welche Frau würde jemanden mit einem Schraubenschlüssel erschlagen? Gut, eine Russin natürlich, aber sonst doch niemand.«

Elizabeth hat Ibrahim seine Anweisungen erteilt und ist von ihm direkt hierhergekommen. Sie sitzt auf ihrem üblichen Stuhl.

»Er ist der Typ Mann, der sicherlich reihenweise Feinde hatte. Ärmellose Weste, protzige Villa, noch tätowierter als Ron, und und und. Die Polizei ist sicher schon dabei, ihre Verdächtigenliste zusammenzustellen, und wir müssen zusehen, dass wir sie in die Finger bekommen. Aber bis dahin lass uns doch überlegen, ob es Ian Ventham gewesen sein könnte. Du erinnerst dich an Ian Ventham? Mit dem Aftershave? Zwischen Ventham und Tony Curran gab es Streit. Ron hat sie gesehen, so typisch – was entgeht Ron schon? Und Joyce sagte, sie hätten gewirkt wie bei PizzaExpress, aber ich weiß, was sie meint.«

Elizabeth erwähnt Joyce ganz bewusst ab und zu, denn was bringt es schon, es zu verschweigen?

»Sollen wir einfach ein bisschen schlussfolgern? Nehmen wir an, Ventham hat ein Hühnchen mit Curran zu rupfen, oder Curran mit Ventham. Wer mit wem, ist vielleicht auch egal. Sie haben etwas zu besprechen und sie tun es vor aller Augen, was auffallend ist.«

Elizabeth wirft einen Blick auf die Uhr. Einen verdeckten Blick, trotz allem.

»Nehmen wir also an, gleich nach der Baubesprechung hat Ventham Tony Curran eine unangenehme Mitteilung zu machen. Er fürchtet Currans Reaktion so sehr, dass er dafür einen öffentlichen Ort wählt. Er versucht ihn zu beschwichtigen. Aber nach Rons Meinung misslingt ihm das gründlich. Ich paraphrasiere Rons Wortwahl hier nur.«

Neben dem Bett liegt ein Stock mit einem Schwämmchen daran. Elizabeth taucht es in einen Krug mit Wasser und benetzt Pennys trockene Lippen. Durch die Stille tönt das metallische Fiepen des Herzmonitors.

»Was täte Ventham in so einer Lage, Penny? Überlässt er Curran seinem Groll? Weicht er auf Plan B aus? Fährt er Curran zu seinem Haus nach? ›Lass mich rein, reden wir noch mal über die Sache, vielleicht war ich ja doch zu voreilig‹? Und dann der Schlag? Er bringt Curran um, bevor Curran ihn umbringen kann?«

Elizabeth sieht sich nach ihrer Tasche um. Die Hände hat sie schon auf den Armlehnen.

»Aber warum? Das wäre deine nächste Frage, ich weiß. Ich dachte, ich nehme mal ihre finanzielle Beziehung unter die Lupe. Immer dem Geld folgen. Ich kenne in Genf jemanden, der mir noch einen Gefallen schuldet, insofern sollten wir bis heute Abend Einblick in Venthams Geschäftsbücher haben. Aber so oder so klingt es vielversprechend, meinst du nicht? Ein Abenteuer. Und ich denke, wir haben ein paar Tricks auf Lager, die die Polizei nicht hat. Ein bisschen Hilfe können sie sicher gebrauchen, und da muss ich jetzt Vorarbeit leisten.«

Elizabeth stemmt sich aus ihrem Stuhl hoch und tritt ans Bett.

»Ein echter Mordfall, in dem wir ermitteln, Penny. Ich werde dir alles haarklein berichten, versprochen.«

Sie küsst ihre beste Freundin auf die Stirn. Dann sieht sie hinüber zu dem Stuhl auf der anderen Seite des Betts und lächelt kurz.

»Wie geht es dir, John?«

Pennys Mann lässt sein Buch sinken und blickt auf.

»Ach, du weißt ja, wie es ist.«

»Allerdings, ja. Und du weißt, dass du mich immer erreichen kannst, John.«

Die Schwestern sagen, dass Penny Gray nichts mehr hört, aber wer weiß das schon sicher? John spricht nie mit Penny, solange Elizabeth im Zimmer ist. Er kommt morgens um sieben und verlässt Willows abends um neun wieder, kehrt zurück in die Wohnung, die Penny mit ihm zusammen bewohnt hat, zurück zu den Urlaubssouvenirs und den alten Fotos und all den Erinnerungen, die ihn und Penny seit fünfzig Jahren verbinden. Sie weiß, dass er mit Penny redet, wenn sie nicht da ist. Und sooft sie ins Zimmer kommt, nie ohne anzuklopfen natürlich, bemerkt sie den verblassenden weißen Abdruck von Johns Hand auf der von Penny. Die seine hält wieder das Buch, wobei die Seite immer dieselbe zu sein scheint.

Elizabeth lässt die Liebenden allein.

15

Joyce

Jeden Mittwoch fährt unser kleiner Coopers-Chase-Bus nach Fairhaven, und ich fahre mit und kaufe ein bisschen ein. Montags fährt er nach Tunbridge Wells, eine halbe Stunde in die andere Richtung, aber Tunbridge Wells hat so etwas Alte-Leute-Mäßiges, finde ich immer. Ich schaue mir gern an, was man heutzutage so trägt, und ich höre gern den Möwen zu. Unser Fahrer heißt Carlito und gilt bei allen als Spanier, aber ich habe ein paarmal mit ihm geplaudert, und wie sich herausstellt, kommt er aus Portugal. Er nimmt es aber sehr gelassen.

Vor ein paar Monaten habe ich ein veganes Café gleich beim Hafen entdeckt, wo ich mir auch heute wieder eine schöne Tasse Pfefferminztee und einen Mandelmehl-Brownie gönnen werde. Ich bin keine Veganerin und habe auch nicht vor, es zu werden, aber als Idee finde ich es unterstützenswert. In der Zeitung hieß es, wenn wir nicht aufhören, Fleisch zu essen, werden die Menschen spätestens 2050 massenweise verhungern. Ich bin fast achtzig, mich trifft es also nicht mehr, aber ich hoffe doch sehr, dass wir die Kurve noch kriegen. Meine Tochter Joanna ist Vegetarierin, und irgendwann komme ich mit ihr hierher – spaziere einfach rein, als wäre es das Normalste von der Welt für mich, in ein veganes Café zu gehen.

Es ist immer die gleiche Truppe hier im Bus. Da sind

Peter und Carol, ein nettes Ehepaar aus dem Ruskin Court, die ihre Tochter besuchen fahren, die am Hafen wohnt. Enkelkinder gibt es keine, das weiß ich, aber sie scheint tagsüber zu Hause zu sein. Auch dahinter wird eine Geschichte stecken. Ein anderer Regelmäßiger ist Sir Nicholas, der rein aus Langeweile mitfährt, seit er nicht mehr Auto fahren darf. Dann sind da Naomi mit ihren Hüftschmerzen, die den Ärzten Rätsel aufgeben, und eine Frau aus dem Wordsworth Court, deren Namen ich die ersten Male nie ganz verstanden habe, und jetzt traue ich mich nicht mehr zu fragen. Dabei wirkt sie ziemlich nett. (Elaine?)

Und auch Bernard wird da sein, auf seinem Stammplatz ganz hinten. Es juckt mich immer, mich zu ihm zu setzen, er kann richtig gesellig sein, wenn er will. Aber ich weiß, dass er seiner verstorbenen Frau wegen nach Fairhaven fährt, deshalb lasse ich ihn in Ruhe. In Fairhaven haben sie sich kennengelernt und in Fairhaven haben sie gelebt, bis sie hierherkamen. Sie war im Adelphi-Hotel angestellt, und nach ihrem Tod saß er dort gern bei einem Glas Wein oder zweien und schaute aufs Meer. Das hat er mir erzählt, und so habe ich ehrlich gesagt überhaupt erst von dem Minibus erfahren, insofern hat wirklich jedes Böse sein Gutes. Das Adelphi ist seit letztem Jahr ein Travelodge, und jetzt sitzt Bernard am Kai. Das ist weniger trostlos, als es sich anhört, denn der Hafen wurde vor Kurzem neu gestaltet und hat sogar mehrere Preise gewonnen.

Vielleicht setze ich mich eines Tages auf der Rückfahrt ja doch neben ihn, worauf warten?

Ich freue mich auf meinen Brownie und den Tee, aber auch auf ein bisschen Ruhe und Frieden. Ganz Coopers Chase redet von nichts anderem als dem armen Tony Curran. Mit dem Tod stehen wir hier zwar quasi auf Du und Du, aber dennoch. Nicht jeder wird schließlich mit einem Schraubenschlüssel erschlagen.

So viel also fürs Erste. Sobald etwas Neues passiert, melde ich mich.

16

Der Minibus ist schon am Losfahren, als die Tür sich ein letztes Mal öffnet und Elizabeth einsteigt. Sie setzt sich auf den Platz neben Joyce.

»Guten Morgen, Joyce«, sagt sie lächelnd.

»Du im Bus!«, sagt Joyce. »Was für eine nette Überraschung.«

»Ich habe ein Buch dabei, falls du auf der Fahrt nicht reden willst«, sagt Elizabeth.

»Nein, wieso«, sagt Joyce.

Carlito fährt an, behutsam wie immer.

»Sehr gut«, sagt Elizabeth. »Das mit dem Buch war gelogen.«

Elizabeth und Joyce nehmen die Unterhaltung auf. Sie hüten sich, über die Tony-Curran-Geschichte zu sprechen. Eines lernt man in Coopers Chase schnell: Manche Leute können tatsächlich noch hören. Also erzählt Elizabeth Joyce stattdessen von ihrem letzten Besuch in Fairhaven, der irgendwann in den Sechzigern stattfand und die Bergung einer Gerätschaft zum Ziel hatte, die am Strand angespült worden war. Elizabeth weigert sich, Einzelheiten zu enthüllen, lässt aber durchblicken, dass die Sache mit einiger Sicherheit in die Geschichtsbücher eingegangen ist und dass Joyce sie wahrscheinlich irgendwo nachschlagen kann, wenn sie möchte. Die Fahrt vergeht aufs annehmlichste. Die Sonne scheint, der Himmel ist blau, und Mord liegt in der Luft.

Carlito parkt den Bus vor Ryman's Schreibwarenhandlung, wie immer, und wie immer trifft man sich hier in drei Stunden zur Rückfahrt. Carlito macht diese Fahrten jetzt seit zwei Jahren, und in der ganzen Zeit hat sich nie jemand verspätet. Bis auf Malcolm Weekes, der, wie sich herausstellte, in der Glühbirnenabteilung des Baumarkts tot umgefallen war.

Joyce und Elizabeth lassen die anderen vorgehen und warten, bis sich der Stau von Gehhilfen aller Art aufgelöst hat. Bernard lüftet den Hut vor den Damen, ehe er aussteigt, und sie schauen ihm nach, als er Richtung Kai davonschlurft, seinen *Daily Express* unterm Arm.

Als sie aus dem Bus klettern und Elizabeth Carlito in geschliffenem Portugiesisch für seine rücksichtsvolle Fahrweise dankt, kommt Joyce erstmals auf die Idee, Elizabeth zu fragen, was sie in Fairhaven eigentlich vorhat.

»Das Gleiche wie du, meine Liebe. Wollen wir?« Elizabeth lenkt ihre Schritte weg vom Hafen, und Joyce folgt ihr gespannt, auch wenn sie heimlich hofft, dass ihr noch Zeit für ihren Tee und den Brownie bleiben wird.

Nicht lange und sie stehen in der Western Road und erklimmen die breite Steintreppe zum Polizeirevier Fairhaven. Als die Automatiktür vor ihnen aufgleitet, dreht sich Elizabeth zu Joyce um.

»Also ich sehe das so, Joyce. Wenn wir in diesem Mordfall ermitteln wollen …«

»Wir wollen in diesem Mordfall ermitteln?«, fragt Joyce.

»Aber selbstredend, Joyce«, sagt Elizabeth. »Wer ist dafür geeigneter als wir? Aber momentan haben wir keinen Zugang zu irgendwelchen Akten, Zeugenaussagen oder Tatortbeschreibungen, und das müssen wir ändern. Dafür sind wir hier. Ich weiß, dass ich dir das nicht eigens sagen muss, Joyce, aber gib mir Rückendeckung, egal was passiert.«

Joyce nickt, selbstverständlich wird sie das. Sie gehen hinein.

Eine Sicherheitstür öffnet sich summend und lässt die beiden Damen in den Vorraum ein. Joyce war noch nie in einem Polizeirevier, aber sie hat sämtliche verfügbaren ITV-Dokus gesehen, weshalb sie enttäuscht ist, dass hier niemand zu Boden gerungen und unter einem Schwall von Obszönitäten, die der Piepton diskret überblendet, in eine Arrestzelle geschleift wird. Stattdessen sitzt nur ein junger Polizist hinter dem Schalter, der so zu tun versucht, als würde er auf seinem Computer nicht *Solitaire* spielen.

»Was kann ich für Sie tun, meine Damen?«, fragt er.

Elizabeth bricht in Tränen aus. Joyce schafft es mit knapper Not, sie nicht verblüfft anzustarren.

»Meine Handtasche ist mir gestohlen worden. Als ich aus dem Drogeriemarkt kam«, schluchzt Elizabeth.

Also deshalb hatte sie keine Handtasche dabei, denkt Joyce. Das hat sie schon im Bus irritiert. Joyce legt ihrer Freundin den Arm um die Schultern. »Es war furchtbar.«

»Ich hole gleich einen Kollegen, der Ihre Aussage aufnimmt, und dann sehen wir weiter.« Der Mann drückt einen Summer an der Wand links neben ihm, und innerhalb von Sekunden tritt durch eine weitere Sicherheitstür hinter ihm ein zweiter junger Polizist.

»Mark, dieser Dame ist auf der Queens Road die Handtasche gestohlen worden. Kannst du ihre Aussage aufnehmen? Dann mache ich uns allen Tee.«

»Natürlich. Wenn Sie mir bitte folgen würden, Ma'am?«

Elizabeth rührt sich nicht von der Stelle. Sie schüttelt den Kopf, das Gesicht mittlerweile tränenüberströmt.

»Ich rede nur mit einer Frau.«

»Keine Angst, bei Mark sind Sie in guten Händen«, sagt der erste Polizist.

»Bitte!«, wimmert Elizabeth.

Joyce scheint es geboten, ihrer Freundin beizuspringen.

»Meine Freundin ist Nonne, Sergeant.«

»Sie ist Nonne?«

»Ja, Nonne«, sagt Joyce. »Und ich muss Ihnen wohl nicht erst erklären, was das heißt.«

Der Mann erkennt, dass er bei dieser Diskussion nur verlieren kann, und entscheidet sich für den Weg des geringsten Widerstands.

»Wenn Sie sich einen Augenblick gedulden würden, Ma'am. Ich schaue, was ich tun kann.«

Er folgt Mark durch die Sicherheitstür, und Elizabeth und Joyce bleiben vorerst allein. Elizabeth dreht die Schleusen zu und dreht sich zu Joyce um.

»Eine Nonne? Was für eine schlaue Idee.«

»Ich hatte nicht viel Zeit zum Nachdenken«, sagt Joyce.

»Zur Not hätte ich behauptet, ich wäre schon mal sexuell belästigt worden«, sagt Elizabeth. »Das zieht heutzutage immer. Aber Nonne ist lustiger.«

»Wozu brauchst du unbedingt eine Frau?« Joyce hat noch eine ganze Latte von Fragen, aber die hier brennt ihr am meisten auf den Nägeln. »Und du hast es geschafft, nicht WPC zu sagen. Ich bin stolz auf dich.«

»Danke, Joyce. Ich dachte einfach, da der Bus sowieso nach Fairhaven fährt, könnten wir PC De Freitas Hallo sagen.«

Joyce nickt. Von Elizabeths Warte aus gesehen ist das nur logisch. »Aber wenn sie gar keinen Dienst hat? Oder wenn es außer ihr noch andere Polizistinnen gibt?«

»Hätte ich dich hierhergeschleppt, wenn ich das nicht vorher abgeklärt hätte, Joyce?«

»Wie kann man so etwas vorher ab …«

Die Sicherheitstür geht auf, und Donna De Freitas erscheint. »So, die Damen, was kann ich …« Dann erst realisiert sie, wer da vor ihr steht. Sie schaut von Elizabeth zu Joyce und wieder zurück. »… für Sie tun?«

17

Die Akte zu Tony Curran ist so dick, dass sie mit einem satten Plumps aufschlägt, wenn man sie auf den Tisch wirft. Was DCI Chris Hudson gerade eben getan hat.

Chris trinkt ein paar Schlucke Cola light. Manchmal fürchtet er, er ist vielleicht schon süchtig nach dem Zeug. Er hat einmal eine Schlagzeile über Cola light gelesen, die so verstörend klang, dass er den Artikel dazu lieber nicht angeschaut hat.

Er klappt die Akte auf. Die meisten Einträge in Tony Currans Strafregister stammen aus der Zeit, bevor Chris nach Fairhaven kam. Anzeigen wegen Körperverletzung, als der Mann in den Zwanzigern war, kleinere Drogendelikte, Verkehrsrowdytum, Haltung eines Kampfhunds, illegaler Waffenbesitz. Fahren ohne Zulassungsplakette. Urinieren in der Öffentlichkeit.

Dann erst geht es richtig zur Sache. Chris packt ein undefinierbares Sandwich von der Tankstelle aus. Über die Jahre wurde Tony Curran etliche Male vernommen, letztmalig nach einer Schießerei in einem Pub, dem Black Bridge, bei der ein junger Drogendealer ums Leben kam. Einem Zeugen zufolge war der tödliche Schuss von Tony Curran abgegeben worden, und die Kripo Fairhaven hatte Curran zum Verhör einbestellt.

Damals hatte Tony Curran überall seine Finger mit drin. Praktisch jeder hätte das bestätigen können. Sämtliche Drogengeschäfte in Fairhaven liefen über Tony, und noch so einiges mehr. Alles enorm lukrativ.

Chris liest sich das Black-Bridge-Protokoll durch, so deprimierend vertraut in seiner Unergiebigkeit: »Kein Kommentar«, »Kein Kommentar«, »Kein Kommentar«. Er liest, dass der Zeuge, ein Taxifahrer aus der Gegend, wenig später verschwunden ist. Aus der Stadt vertrieben, wenn nicht Schlimmeres. Tony Curran, ortsansässiger Bauunternehmer, ging straffrei aus.

Womit haben sie es also zu tun? Einem Mord? Zweien? An dem Drogendealer, der im Black Bridge erschossen wurde, und vielleicht auch an dem armen Taxifahrer, der die Tat beobachtet hat?

Aber ab 2000 dann: nichts mehr. Ein Bußgeld wegen zu schnellen Fahrens, prompt bezahlt, im Jahr 2009.

Er studiert das Foto, das der Mörder bei der Leiche zurückgelassen hat. Drei Männer. Tony Curran, jetzt tot. Neben ihm, den Arm um seine Schulter gelegt, ein Dealer aus der Gegend, Bobby Tanner. Seinerzeit angeheuert als Bodyguard. Derzeitiger Aufenthaltsort unbekannt, aber das wird sich sicher bald ändern. Und der dritte Mann, dessen Aufenthaltsort mehr als bekannt ist: Ex-Boxer Jason Ritchie. Was die Zeitungen wohl für dieses Foto zahlen würden, überlegt Chris. Es soll Beamte geben, die so etwas machen. Für Chris der Abschaum vom Abschaum. Er betrachtet die lachenden Gesichter, die Geldscheine, die Biere. Schätzungsweise um 2000 herum, denkt er, zur gleichen Zeit wie der Mord im Black Bridge. Verrückt, wie weit das Jahr 2000 in der Vergangenheit zu liegen scheint.

Den Blick auf das Foto gerichtet, reißt Chris ein Twix auf. In zwei Monaten steht sein jährlicher Gesundheitscheck an, und jeden Montag predigt er sich, dass dies die Woche sein wird, in der er endlich wieder in Form kommt, die Woche, in der er anfängt, die fünf, sechs Kilo wegzutrainieren, die ihm das Leben schwer machen. Die fünf, sechs Kilo, die an ihm hängen wie ein Mühlstein. Die fünf, sechs Kilo, die ihn davon abhalten, sich neue Kleidung zu kaufen, und deretwegen er sich mit keiner Frau treffen mag, denn wer kann ihn so schon wollen? Die fünf, sechs Kilo, die zwischen ihm und der ganzen Welt stehen und die wahrscheinlich eher zehn oder zwölf sind.

Die Montage laufen meistens gut. Montags pfeift Chris auf den Lift. Er bringt sich seine Brotzeit von daheim mit. Er macht im Bett Sit-ups. Aber schon am Dienstag, oder bestenfalls Mittwoch, gewinnt der innere Schweinehund wieder die Oberhand, die Treppe ragt ihm zu steil auf, und Chris verliert den Glauben an sein Projekt. Ihm ist klar, dass das Projekt letztlich er selbst ist, und das zieht ihn noch mehr runter. Sodass es eben doch wieder die Süßigkeiten und Chips sein müssen, das Sandwich von der Tanke, der Absacker auf dem Heimweg von der Arbeit, der Take-away auf dem Heimweg vom Absacker, der Schokoriegel auf dem Heimweg vom Take-Away. Das Fressen, das Abschlaffen, die Erleichterung, die Scham, und dann das Ganze wieder von vorn.

Aber es gibt immer den nächsten Montag, und einer dieser Montage wird die Rettung bringen. Die fünf, sechs Kilo werden von ihm abfallen, gefolgt von den Kilos, die er nicht zählt. Beim Gesundheitscheck wird er kaum ins Schwitzen kommen, er wird der Athlet sein, der schon immer in ihm schlummerte, und seiner neuen Freundin, die er bis dahin übers Internet kennengelernt haben wird, einen hochgereckten Daumen simsen.

Er vertilgt das Twix und sieht sich nach seinen Chips um.

Die Schießerei im Black Bridge, vermutet Chris Hudson, wird der Weckruf gewesen sein, den Tony Curran gebraucht hat. Dafür spricht jedenfalls einiges. Etwa um die Zeit hat er sich mit einem örtlichen Bauträger zusammengetan, Ian Ventham, und vielleicht ist er zu dem Schluss gekommen, dass es das Leben einfacher macht, wenn er ab jetzt sauber wird. Geld ließ sich auch so verdienen, selbst wenn es sich dafür von ein paar Gewohnheiten zu trennen galt. Tony muss gewusst haben, dass man das Glück nicht immer weiter herausfordern darf.

Chris reißt die Chipstüte auf und schaut auf die Uhr. Er hat einen Termin, zu dem er langsam aufbrechen sollte. Jemand will beobachtet haben, dass Tony Curran kurz vor seinem Tod in einen Streit verwickelt war, und dieser Jemand besteht darauf, Chris persönlich zu sprechen. Weit muss er dafür nicht fahren. Nur bis zu der Seniorensiedlung, für die Curran tätig war.

Chris sieht wieder auf das Foto. Auf die drei Männer, diese fröhliche Gang. Tony Curran und Bobby Tanner, Arme umeinandergelegt. Und ein Stückchen abseits, Bierflasche in der Hand, mit der gebrochenen Nase, die ihm solchen Charme verleiht, Jason Ritchie, vielleicht ein, zwei Jährchen über seinen Zenit hinweg.

Drei Freunde beim Bier, an einem Tisch voller Geld. Wozu dieses Bild bei der Leiche zurücklassen? Ist das eine Warnung von Bobby Tanner oder Jason Ritchie? Eine Warnung *an* die beiden? Ihr seid als Nächste dran? Eher ein Ablenkungsmanöver, eine falsche Fährte. Niemand wäre ernsthaft so dumm.

So oder so wird Chris sich Jason Ritchie vorknöpfen müssen. Und sein Team findet derweil hoffentlich den Mann, der noch fehlt, Bobby Tanner.

Beziehungsweise die zwei, die noch fehlen, denkt

Chris und schüttet sich die letzten Chipskrümel in den Mund.

Denn irgendwer muss das Foto ja geknipst haben.

18

Donna fordert ihre beiden Besucherinnen auf, Platz zu nehmen. Sie sind in Vernehmungsraum B, einem fensterlosen Kabuff mit einem fest am Boden verschraubten Holztisch. Joyce betrachtet ihre Umgebung aufgeregt wie eine Touristin. Elizabeth wirkt ganz wie zu Hause. Donna beobachtet die schwere Tür, die langsam zufällt. Kaum ist das Schloss eingerastet, richtet sie den Blick auf Elizabeth.

»Und Sie sind neuerdings Nonne, Elizabeth?«

Elizabeth hebt mit raschem Nicken den Zeigefinger, wie um der Frage stattzugeben. »Donna, wie jede moderne Frau bin ich eine ganze Anzahl von Dingen, je nachdem, was die Umstände von mir verlangen. Wir müssen Chamäleons sein, so ist es nun mal.« Aus einer Innentasche ihrer Jacke zieht sie Block und Stift heraus und legt sie vor sich auf den Tisch. »Aber die Nonne geht auf das Konto von Joyce.«

Joyce schaut noch immer mit großen Augen um sich. »Das ist genauso, wie man es immer im Fernsehen sieht, PC De Freitas. Wie wunderbar! Es muss so viel Spaß machen, hier zu arbeiten.«

Donna kann die Ehrfurcht nicht teilen. »Also, Elizabeth. Wurde Ihnen eine Handtasche gestohlen?«

»Guter Gott, nein«, sagt Elizabeth. »Das soll sich mal einer trauen, mir die Handtasche zu stehlen. Er müsste lebensmüde sein.«

»Darf ich dann fragen, was Sie beide hier machen? Auf mich wartet nämlich Arbeit.«

Elizabeth nickt. »Natürlich, fragen Sie nur. Also ich bin hier, weil ich etwas mit Ihnen besprechen möchte. Und Joyce wollte eigentlich Einkäufe machen, glaube ich. Joyce? Ich habe dich gar nicht gefragt, merke ich gerade.«

»Ich wollte gern noch ins No Milk Today, dieses vegane Café, kennt ihr das?«

Donna schaut auf die Uhr, dann beugt sie sich vor. »Hier bin ich. Wenn Sie etwas besprechen wollen, schießen Sie los. Sie haben zwei Minuten, dann muss ich wieder Verbrecher fangen.«

Elizabeth klatscht leicht in die Hände. »Hervorragend. Gut, dann lassen Sie mich Folgendes vorausschicken. Hören Sie auf, so zu tun, als würden Sie sich nicht freuen, uns wiederzusehen, Sie freuen sich nämlich. Und wir freuen uns auch. Wir tun uns alle leichter, wenn wir das einfach zugeben.«

Donna erwidert nichts. Joyce beugt sich zu dem Tonbandgerät vor, das auf dem Tisch steht. »Für Aufnahmezwecke: PC De Freitas verweigert die Antwort, muss aber den Anflug eines Lächelns unterdrücken.«

»Zweitens, aber ebenfalls zum Thema«, fährt Elizabeth fort, »wovon auch immer wir Sie gerade abhalten, es ist nicht Verbrecherfangen. Es ist etwas Langweiliges.«

»Kein Kommentar«, sagte Donna mit Pokerface.

»Wo kommen Sie her, Donna? Ich darf doch Donna sagen?«

»Dürfen Sie. Ich bin aus dem Süden von London.«

»Und von der London Metropolitan Police hierher versetzt?«

Donna nickt. Elizabeth notiert sich etwas.

»Schreiben Sie das mit?«, fragt Donna.

Elizabeth nickt. »Darf man fragen, weshalb? Und warum nach Fairhaven.«

»Das erzähle ich Ihnen ein andermal. Sie haben noch eine Frage, bevor ich gehe. So nett das hier mit Ihnen ist.«

»Natürlich«, sagt Elizabeth. Sie klappt ihren Block zu und rückt die Brille zurecht. »Wobei es eher eine Beobachtung ist, aber ich verspreche Ihnen, sie mündet in eine Frage.«

Donna wendet ergeben die Handflächen nach oben.

»Was ich hier sehe, ist Folgendes, und ich weiß, Sie unterbrechen mich, wenn ich falschliege. Sie sind Mitte zwanzig, Sie wirken auf mich, als hätten Sie Köpfchen und ein gutes Gespür. Sie wirken auf mich außerdem wie ein sehr lieber Mensch, der aber hart durchgreifen kann, wenn die Situation es erfordert. Aus Gründen, die wir noch klären werden, höchstwahrscheinlich eine gescheiterte Liebesgeschichte, sind Sie aus London weggegangen, wo Sie vermutlich zu hundert Prozent in Ihrem Element waren. Jetzt sitzen Sie hier in Fairhaven, wo es nur Bagatelldelikte und Kleinkriminelle gibt. Und man schickt Sie auf Streife. Vielleicht stiehlt mal ein Rauschgiftsüchtiger ein Fahrrad, Donna, vielleicht fährt an der Tankstelle ein Kunde weg, ohne zu bezahlen, oder in einem Pub prügeln sich zwei um ein Mädchen. Mein Gott, wie öde. Aus Gründen, die hier nichts zur Sache tun, habe ich einmal drei Monate lang in einer Bar im ehemaligen Jugoslawien gearbeitet, und mein Hirn lechzte förmlich nach Abwechslung, Anregung, irgendeiner Unterbrechung der Monotonie. Klingt das bekannt? Sie sind Single, Sie wohnen irgendwo zur Miete, Sie tun sich schwer, hier in der Stadt Anschluss zu finden. Ihre Kollegen im Revier sind Ihnen zum Großteil einfach zu alt. Ich könnte wetten, dieser junge

Polizist, Mark, wollte mit Ihnen ausgehen, aber eine Südlondonerin ist nun mal eine andere Liga, deshalb mussten Sie ihm einen Korb geben. Das ist Ihnen beiden immer noch peinlich. Der arme Junge. Ihr Stolz wird Sie noch eine ganze Weile daran hindern, zur Met zurückzugehen, also sitzen Sie vorerst hier fest. Sie sind nach wie vor die Neue, insofern steht eine Beförderung erst mal nicht an, und allzu beliebt sind Sie auch nicht, weil letztlich allen klar ist, dass Sie einen Fehler gemacht haben und viel lieber anderswo wären. Und Hinschmeißen ist für Sie auch keine Option. Weil es einfach zu dumm wäre, diese ganzen Jahre, die Sie schon bei der Polizei sind, die harten Jahre, wegen einer einzigen Fehlentscheidung wegzuwerfen. Also ziehen Sie Ihre Uniform an und erscheinen zum Dienst, Schicht für Schicht – beißen die Zähne zusammen und warten auf etwas, irgendetwas, das Sie herausholt aus dem Alltagstrott. Wie zum Beispiel eine Frau, die keine Nonne ist und so tut, als wäre ihr die Handtasche gestohlen worden.«

Elizabeth sieht Donna an, eine Braue hochgezogen. Donna erwidert den Blick unbewegt, völlig unbeeindruckt. »Ich warte immer noch auf die Frage, Elizabeth.«

Elizabeth nickt und klappt ihren Block wieder auf. »Meine Frage ist die: Würden Sie nicht gern im Mordfall Tony Curran ermitteln?«

Schweigen. Donna verschränkt bedächtig die Finger ineinander und stützt das Kinn darauf. Sie betrachtet Elizabeth nachdenklich, bevor sie spricht.

»Es gibt bereits ein Einsatzteam, das im Mordfall Tony Curran ermittelt, Elizabeth. Eine hochqualifizierte Mordkommission. Ich durfte ihnen erst kürzlich den Tee bringen. Da ist kein Platz frei für die Neue, die jedes Mal seufzt, wenn sie was fotokopieren soll. Haben Sie schon mal überlegt, ob es vielleicht sein kann, dass Sie nicht ganz verstehen, wie es bei der Polizei zugeht?«

Elizabeth macht sich Notizen und redet dabei. »Hmm, das kann natürlich sein. Es ist sicher alles furchtbar kompliziert. Aber ungeheuer spannend, stelle ich mir vor.«

»Das stelle ich mir auch vor«, stimmt Donna zu.

»Er soll ja erschlagen worden sein«, sagt Elizabeth. »Mit einem Schraubenschlüssel. Können Sie das bestätigen?«

»Kein Kommentar, Elizabeth«, sagt Donna.

Elizabeth hört auf zu schreiben und blickt wieder auf. »Hätten Sie nicht Lust, dabei zu sein, Donna?«

Donna beginnt, mit den Fingern auf dem Tisch zu trommeln. »Also gut. Einfach mal angenommen, ich hätte Lust, bei den Ermittlungen mitmachen zu dürfen …«

»Genau, nehmen wir das doch einfach mal an. Und schauen dann, wo uns das hinführt.«

»Nur funktioniert das bei der Kriminalarbeit leider nicht so, Elizabeth. Ich kann nicht einfach darum bitten, auf einen bestimmten Fall angesetzt zu werden.«

Elizabeth lächelt. »Du liebe Güte, machen Sie sich deshalb keine Sorgen, Donna, darum kümmern wir uns.«

»Darum kümmern *Sie* sich?«

»Das würde ich doch meinen, ja.«

»Und wie?«, fragt Donna.

»Nun, Mittel und Wege gibt es immer. Aber Sie hätten Interesse? Wenn wir es in die Wege leiten würden?«

Donna wirft einen Blick zur Tür, die fest zu ist. »Bis wann könnten Sie es denn in die Wege leiten, Elizabeth?«

Elizabeth sieht auf die Uhr und hebt leicht die Schultern. »Eine Stunde vielleicht?«

»Und von diesem Gespräch gelangt nichts nach draußen?«

Elizabeth drückt einen Finger an die Lippen.

»Ja, dann hätte ich Interesse. Doch, bitte.« Donna hält die Hände hoch, offen und aufrichtig. »Ich würde schrecklich gern Mörder jagen.«

Elizabeth lächelt und schiebt ihren Block wieder in die Tasche. »Fantastisch. Ich dachte mir doch, dass ich die Zeichen richtig deute.«

»Was springt dabei für Sie raus?«, fragt Donna.

»Nichts, außer der Freude, einer neuen Freundin einen Gefallen zu tun. Und ganz gelegentlich könnten wir eine kleine Frage zu den Ermittlungen haben. Aus purer Neugierde.«

»Sie wissen aber, dass ich Ihnen nichts Vertrauliches sagen könnte. Auf so einen Deal kann ich mich nicht einlassen.«

»Nichts, was gegen Ihr Berufsethos verstoßen würde, das verspreche ich Ihnen.« Elizabeth bekreuzigt sich. »Als eine Frau Gottes.«

»Und in einer Stunde, sagen Sie?«

Elizabeth konsultiert ihre Uhr. »Schätzungsweise, ja. Je nach Verkehr.«

Donna nickt, als ergäbe das wunderbar Sinn. »Aber was Ihren kleinen Vortrag angeht, Elizabeth – ich weiß ja nicht, ob Sie mir damit imponieren oder bei Joyce Eindruck schinden wollten, aber das waren doch ziemliche Versatzstücke.«

Das streitet Elizabeth nicht ab. »Auch mit Versatzstücken kann man ins Schwarze treffen.«

»Aber nicht mit allen, Miss Marple. Oder was meinen Sie, Joyce?«

Das ist Joyces Stichwort. »O ja, dieser Junge, Mark, ist schwul, Elizabeth. Das ist fast ein Kunststück, das nicht zu sehen.«

Donna grinst. »Gut, dass Sie Ihre Freundin dabeihaben, Schwester Elizabeth.« Es gefällt ihr, dass sich Elizabeth ihrerseits ein Grinsen verbeißen muss.

»Ich bräuchte dann noch Ihre Handynummer, Donna«, sagt Elizabeth. »Ich möchte nicht jedes Mal ein Verbrechen vortäuschen müssen, wenn ich Sie sprechen will.«

Donna schiebt eine Visitenkarte über den Tisch.

»Das ist hoffentlich Ihr privates Handy, kein dienstliches«, sagt Elizabeth. »Ein bisschen Privatsphäre schadet nie.«

Donna sieht Elizabeth an, schüttelt den Kopf und seufzt. Sie schreibt noch eine Nummer auf die Karte.

»Perfekt«, sagt Elizabeth. »Mit vereinten Kräften werden wir Tony Currans Mörder schon finden. Frauenpower nennt man das heute ja wohl.«

Donna steht auf. »Sollte ich fragen, was für Strippen Sie jetzt ziehen, Elizabeth, oder will ich das lieber nicht wissen?«

Elizabeth sieht wieder auf die Uhr. »Zerbrechen Sie sich darüber nicht den Kopf. Ron und Ibrahim sind wahrscheinlich gerade schon am Werk.«

Joyce wartet, bis auch Elizabeth steht, und beugt sich dann noch einmal zum Tonbandgerät vor. »Vernehmung beendet um 12:47.«

19

DCI Chris Hudson biegt mit seinem Ford Focus in die lange breite Auffahrt von Coopers Chase ein. Der Verkehr war harmlos, und er hofft, das hier halbwegs flott hinter sich bringen zu können.

Wozu braucht ein Altenheim solche Mengen an Lamas? Da auf dem Besucherparkplatz nichts frei ist, stellt er sich schräg aufs Bankett und steigt aus in die kentische Sonne.

Chris hat schon einige Seniorensiedlungen besucht, und das, was er hier sieht, entspricht in keiner Weise seiner Erwartung. Es erinnert eher an eine Ferienanlage. Auf dem Rasen ist eine Bowling-Partie im Gange, in Eiskübeln sind Weinflaschen kalt gestellt. Eine der Spielerinnen ist eine hochbetagte Dame, die Pfeife raucht. Chris folgt einem sich schlängelnden Pfad durch einen picobello gepflegten Park, der von dreistöckigen Apartmenthäusern gesäumt wird. Auf Veranden und Balkonen plaudern Nachbarn miteinander und genießen die Sonne. Grüppchen von Freunden sitzen auf Bänken, Bienen umsummen die Sträucher, eine kleine Brise lässt die Eiswürfel melodisch aneinanderklimpern. Chris geht das alles gründlich auf den Wecker. Er ist mehr der Wind-und-Regen-Typ, der Mann in dem Parka mit dem hochgestellten Kragen. Wenn man ihn ließe, würde er sich den Sommer über in einer Höhle verkriechen. Shorts hatte er seit 1987 keine mehr an.

Chris stapft über einen Anwohnerparkplatz, vorbei an einem roten Briefkasten, der aussieht wie aus dem Bilderbuch und ihn noch mehr ergrimmt, und steht endlich vor dem Wordsworth Court.

Er drückt auf den Klingelknopf von Wohnung 11: *Mr Ibrahim Arif.*

Der Summer wird betätigt, durch eine mit üppigem Teppich belegte Eingangshalle geht es ebenso üppig ausgelegte Stufen empor, Chris klopft an eine Tür aus schwerer Eiche und findet sich nicht nur Ibrahim Arif gegenüber, sondern auch Ron Ritchie.

Ron Ritchie. Das ist ja mal interessant. Ein klein wenig bringt dieser Umstand Chris aus dem Tritt. Der Vater eines Mannes, gegen den er ermittelt – was hat das zu bedeuten? Ein Zufallstreffer? Oder steckt mehr dahinter? Chris beschließt, die Sache erst mal laufen zu lassen. Wenn etwas daran faul ist, wird es ihm schon nicht entgehen, hofft er.

Aber dass der »Rote Ron« ausgerechnet hier gelandet ist! Die Geißel der Industriebosse, der Rächer von British Leyland, British Steel und British was auch immer, inmitten der Azaleen und Audis von Coopers Chase? Chris hätte ihn kaum erkannt, um ehrlich zu sein. Ron Ritchie trägt einen Schlafanzug, bei dem das Oberteil nicht zur Hose passt, und darüber eine offene Trainingsjacke. Seine Füße stecken in Abendschuhen. Er starrt mit leerem Blick und hängendem Mund um sich. Er ist ein Wrack, und Chris hat das beklommene Gefühl, einer Szene beizuwohnen, die nicht für seine Augen bestimmt ist.

Ibrahim erklärt DCI Chris Hudson die Situation.

»Es kann für ältere Menschen eine sehr belastende Erfahrung sein, mit Polizeibeamten zu reden. Nicht dass Sie denken, es läge an Ihnen. Deshalb hatte ich auch vorgeschlagen, dass wir das Gespräch hier führen.«

Chris nickt einfühlsam, er hat die entsprechenden Schulungen mitgemacht. »Ich kann Ihnen versichern, Mr Ritchie hat nicht das Mindeste zu befürchten, aber wenn er, wie Sie sagen, etwas beobachtet hat, werde ich ihm ein paar Fragen stellen müssen.«

Ibrahim wendet sich an Ron.

»Ron, er will dich nur etwas zu dem Streit fragen, den du gesehen hast. Wir haben darüber gesprochen, weißt du noch?« Ibrahim sieht zurück zu Chris. »Er vergisst viel. Er ist sehr alt, Detective Chief Inspector. Ein sehr, sehr alter Mann.«

»Ich hab Angst, Ibrahim«, sagt Ron.

Ibrahim tätschelt Rons Hand und redet sehr langsam.

»Du musst dir gar keine Sorgen machen, Ron. Wir haben den Dienstausweis von dem Herrn gesehen. Ich habe die Telefonnummer darauf angerufen, und gegoogelt habe ich ihn auch. Erinnerst du dich?«

»Ich … nein, ich kann's nicht«, sagt Ron. »Ich will keinen Ärger.«

»Sie bekommen keinen Ärger, Mr Ritchie«, sagt Chris. »Dafür verbürge ich mich. Es könnte nur sein, dass Sie Informationen haben, die wichtig für uns sind.« Der »Rote Ron« ist ein Schatten seiner selbst, und Chris ist sich darüber im Klaren, dass er behutsam vorgehen muss. Jason lässt er vorerst wohl besser ganz aus dem Spiel. Und die Chancen auf ein Mittagessen im Pub schwinden auch rasant. »Mr Arif hat recht, Sie können unbesorgt mit mir sprechen.«

Ron sieht Chris an, dann, bestätigungsheischend, wieder zu Ibrahim. Der drückt den Arm seines Freundes, worauf Ron wieder zu Chris schaut und sich vorbeugt.

»Ich glaube, ich würde lieber mit der Dame reden.«

Chris trinkt den ersten Schluck Pfefferminztee, den

Ibrahim ihm gemacht hat. »Der Dame?« Er blickt von Ron zu Ibrahim, der ihm zur Hilfe kommt.

»Welche Dame, Ron?«

»Die Dame, Ib. Die immer kommt und uns Sachen erzählt. Die Polizistin.«

»Ach, natürlich!«, sagt Ibrahim. »PC De Freitas! Sie kommt oft und hält Vorträge bei uns. Fensterschlösser etc. pp. Kennen Sie sie?«

»Aber sicher. Ja, sie gehört zu meinem Team.« PC De Freitas? Kann das die junge Polizistin mit den nicht existenten Schnürsenkeln sein? Chris denkt, ja. Sie ist von der Met zu ihnen gekommen, und niemand weiß, warum. »Wir arbeiten sehr eng zusammen.«

»Dann ermittelt sie auch in diesem Fall? Was für eine fabelhafte Nachricht.« Ibrahim strahlt. »Wir sind große Fans von PC De Freitas.«

»Äh, sie ist nicht offiziell Teil des Ermittlungsteams, Mr Arif«, sagt Chris. »Sie kümmert sich um andere wichtige Angelegenheiten. Verbrecher fangen und ... und so weiter.«

Ron und Ibrahim sagen kein Wort, sondern sehen Chris nur erwartungsvoll an.

»Aber das ist eine ausgezeichnete Idee. Sie wäre eine wunderbare Ergänzung für das Team«, sagt Chris. An wen muss er sich wenden, um das zu erreichen? Irgendwer schuldet ihm doch bestimmt einen Gefallen?

»Sie ist eine herausragende Beamtin«, sagt Ibrahim. »Sie macht der Polizei alle Ehre.«

Dann dreht er sich Ron zu und kommt wieder zur Sache.

»So, wenn der nette Kommissar hier und unsere liebe PC De Freitas zusammen zu dir kämen, um mit dir zu reden? Wäre dir das recht, Ron?«

Ron nippt zum ersten Mal an seinem Tee.

»Das wäre gut, Ib. Ja, das fände ich schön. Dann sag ich auch Jason Bescheid.«

»Jason?«, fragt Chris, alarmbereit.

»Interessieren Sie sich fürs Boxen, junger Mann?«, fragt Ron.

Chris nickt. »Sehr sogar, Mr Ritchie.«

»Mein Sohn ist nämlich Boxer. Jason.«

»Ich weiß, Sir«, sagt Chris. »Sie sind sicher sehr stolz auf ihn.«

»Er war dabei, wissen Sie, also sollte er auch kommen. Er hat den Streit auch gesehen.«

Chris nickt. Das wird immer interessanter. Dann hat sich der Weg hierher also gelohnt. »Sicher, dann schaue ich, dass ich noch mal komme und mit Ihnen beiden spreche.«

»Und Sie bringen PC De Freitas mit? Wie wundervoll«, sagt Ibrahim.

»Selbstverständlich«, sagt Chris. »Wenn's der Wahrheitsfindung dient.«

20

Joyce

Jetzt sieht es also so aus, als würden wir in einem Mordfall ermitteln. Und ich war sage und schreibe in einem Vernehmungsraum. Dieses Tagebuch bringt mir Glück.

Es war hochinteressant, Elizabeth in Aktion zu sehen. Sie ist sehr eindrucksvoll. So klar und kühl. Ob wir uns wohl verstanden hätten, wenn wir uns vor dreißig Jahren begegnet wären? Vermutlich nicht, wir kommen aus zu unterschiedlichen Welten. Aber Coopers Chase bringt die Menschen zusammen.

Ich hoffe bloß, dass ich etwas zu den Ermittlungen beisteuern kann. Dazu, Tony Currans Mörder zu finden. Vielleicht ja doch, auf meine Art.

Meine Stärke besteht, glaube ich, darin, dass man mich gern übersieht. Ist das das richtige Wort? Oder trifft es »unterschätzt« eher?

Coopers Chase ist voll von bedeutenden Leuten, Menschen, die in ihrem Leben Nennenswertes geleistet haben. Es ist höchst spannend. Eine Frau hier hat den Eurotunnel mit geplant, nach einem Mann wurde eine Krankheit benannt, und einen ehemaligen Botschafter in Paraguay oder Uruguay haben wir auch. Sie kennen die Sorte.

Und ich? Joyce Meadowcroft? Wie stufen sie mich wohl ein? Auf jeden Fall als harmlos, denke ich. Als schwatzhaft? Sicher auch. Aber ich glaube, letztlich wissen sie, dass ich keine von ihnen bin. Nicht Ärztin, sondern nur Krankenschwester – ohne dass mir das jemand ins Gesicht sagen würde. Sie wissen, dass Joanna mir die Wohnung gekauft hat. Joanna ist eine von ihnen. Ich – nein.

Trotzdem, wenn es im Catering-Ausschuss Streit gibt, wenn bei unserem Teich die Pumpen ausfallen oder wenn, wie neulich erst, der Rüde einer Bewohnerin die Hündin einer anderen deckt und das Geschrei groß ist, wer glättet die Wogen dann wieder? Joyce Meadowcroft.

Mir macht es nichts, wenn die Leute sich aufplustern, wenn sie große Reden schwingen und einander mit gerichtlichen Schritten drohen. Ich warte, bis sie sich ausgetobt haben, und weise dann bescheiden darauf hin, dass es vielleicht ja doch einen Ausweg gibt, dass sich möglicherweise ein Kompromiss finden lässt und Hunde eben Hunde sind. Niemand fühlt sich durch mich bedroht, niemand sieht mich als Konkurrenz, ich bin einfach Joyce, die freundliche, plapperfreudige Joyce, die ihre Nase in alles steckt.

Das heißt, ich habe einen besänftigenden Einfluss reihum. Die stille, pragmatische Joyce. Die Streithähne regen sich ab, und das Problem wird gelöst, nicht selten auf eine Weise, die auch mir zugutekommt. Was aber nie jemandem aufzufallen scheint.

Sodass es mich nicht stört und noch nie gestört hat, übersehen zu werden. Und vielleicht spielt mir das ja auch bei den Ermittlungen in die Hände. Alle werden auf Elizabeth schauen, und ich segle in ihrem Windschatten mit.

Das »Meadowcroft« kommt übrigens von meinem verstorbenen Mann Gerry, und ich fand es schon immer hübsch. Ich hatte eine Reihe sehr guter Gründe, Gerry zu heiraten, und sein Nachname war noch einer mehr. Eine Freundin von mir, auch eine Krankenschwester, hat einen Bumstead geheiratet. Barbara Bumstead. Ich an ihrer Stelle hätte mir irgendeine Ausrede gesucht, glaube ich, und mich aus der Sache rausgewunden.

Was für ein Tag. Vielleicht schaue ich mir einfach noch eine alte Folge von *Heißer Verdacht* an und gehe dann schlafen.

Was immer Elizabeth als Nächstes mit mir vorhat, ich bin bereit.

21

Wieder ein strahlender Morgen.

Bogdan Jankowski sitzt in einem Hängesessel auf Ian Venthams Terrasse und nutzt die Zeit zum Nachdenken.

Tony Curran ist ermordet worden. Verdächtige gibt es viele, und Bogdan geht im Geist ein paar von ihnen durch. Wer könnte welchen Grund gehabt haben, Tony Curran aus dem Weg räumen zu wollen?

Alle scheinen schockiert über Tonys Tod, aber Bogdan schockiert nichts mehr. Es wird ständig gestorben, an allem Möglichen. Sein Vater ist von einem Staudamm in der Nähe von Krakau gestürzt, als Bogdan noch ein Kind war. Oder vielleicht auch gesprungen oder heruntergestoßen worden, was für einen Unterschied macht das schon. Hinaus lief es auf das Gleiche: Er war tot. An irgendwas stirbt man immer.

Ians Garten ist nicht nach Bogdans Geschmack. Der Rasen, der sich bis zu einer fernen Baumreihe erstreckt, ist ein typisch englischer Rasen, raspelkurz und zu einem sauberen Streifenmuster gemäht. Bei den Bäumen, ein Stück zur Linken, liegt ein Teich. Ian Ventham bezeichnet ihn als See, aber Bogdan kennt Seen. Eine kleine Holzbrücke führt über den schmalen Ausfluss am hinteren Ende. Kindern würde so etwas Spaß machen, aber Bogdan hat hier im Garten noch nie Kinder gesehen.

Ian hatte eine Entenfamilie gekauft, doch die haben

die Füchse geholt, und dann hat ein Typ, den Bogdan aus dem Pub kennt, die Füchse abgeschossen. Ian hat trotzdem keine neuen Enten gekauft, wozu auch? Es wird immer wieder Füchse geben. Manchmal wagen sich Wildenten her. Bogdan wünscht ihnen viel Glück.

Der Swimmingpool ist gleich rechts von Bogdan. Nur die paar Stufen von der Terrasse runter, und er könnte hineinspringen. Bogdan hat den Swimmingpool gefliest. Bogdan hat auch die kleine Brücke blasstürkis gestrichen und die Terrasse verlegt, auf der er sitzt.

Ian hat Wort gehalten und ihm die Aufsicht über das Woodlands-Bauprojekt übertragen. Damit ist er Tonys Nachfolger, was manche als ein belastetes Erbe ansehen würden, als schlechtes Omen möglicherweise. Aber für Bogdan ist es einfach ein Ereignis wie jedes andere auch, und er wird seine Sache so gut machen, wie er kann. Der Job wirft viel ab. Das Geld interessiert Bogdan dabei gar nicht so sehr, ihn reizt die Herausforderung. Und er ist gern in Coopers Chase, er mag die Leute dort.

Die Pläne hat er inzwischen alle gesichtet, alle Details studiert. Am Anfang war es kompliziert, aber wenn man das Prinzip einmal durchschaut hat, eigentlich ganz logisch. Bogdan waren die kleineren Aufträge, die Ian Ventham für ihn hatte, immer sehr recht; das Überschaubare daran lag ihm, aber er versteht, dass die Zeiten sich ändern und er die Leiter hinaufsteigen muss.

Bogdans Mutter ist gestorben, als Bogdan neunzehn war. Irgendwo war nach dem Tod seines Vaters Geld hergekommen. Von woher, weiß er nicht, es war damals keine Zeit für Details. Das Geld hat Bogdan einen Studienplatz an der Technischen Universität Krakau finanziert, Maschinenbau. Und so war er in Krakau, als seine Mutter ihren Schlaganfall hatte. Wenn er noch daheim gewesen wäre, hätte er sie retten können, aber er war nicht daheim, und so starb sie.

Bogdan kehrte nach Hause zurück, begrub seine Mutter und reiste einen Tag später nach England ab. Knapp zwanzig Jahre später sitzt er hier und glotzt auf einen blödsinnigen Rasen.

Vielleicht könnte er kurz die Augen zumachen, denkt Bogdan gerade, da ertönt von der Vorderseite des Hauses das tiefe Glockenspiel der Türklingel. Besuch: ein seltener Anlass in diesem riesigen, stillen Haus und der Grund, warum Ian Bogdan heute herbestellt hat. Ian schiebt die Terrassentür seines Arbeitszimmers zurück.

»Bogdan. Tür.«

»Ich geh schon.« Bogdan hievt sich aus dem Sessel. Er geht über den von ihm entworfenen Wintergarten durch das Musikzimmer, das er schalldicht gemacht hat, in die Eingangsdiele, deren Boden er am heißesten Tag des Jahres in Unterhosen abgeschliffen hat.

Was immer anfällt, Bogdan erledigt es.

Pater Matthew Mackie bereut, dass er sich von dem Taxifahrer am Fuß der Einfahrt hat absetzen lassen. Der Weg vom Tor bis zur Haustür zieht sich ziemlich. Er fächelt sich mit dem Aktendeckel in seiner Hand Kühlung zu und überprüft vor dem Klingeln mittels der Handykamera noch rasch den Sitz seines Kollars. Im Haus werden Geräusche laut, was ihn erleichtert, denn so ganz weiß man nie, selbst nach vorheriger Anmeldung nicht. Dass das Treffen hier stattfindet, ist ihm sehr recht, es vereinfacht die Sache für alle Beteiligten.

Über einen Holzboden hört er Schritte herankommen, dann öffnet ihm ein breitschultriger Mann mit rasiertem Schädel. Er trägt ein enges weißes T-Shirt und hat auf dem einen Unterarm ein Kreuz tätowiert und auf dem anderen drei Namen.

»Pater«, sagt der Mann. Wie gut, ein Katholik. Und dem Akzent nach ein Pole.

»Dzień dobry«, sagt Pater Mackie.

Der Mann lächelt zurück. *»Dzień dobry, dzień dobry.«*

»Mr Ventham erwartet mich. Matthew Mackie.«

Der Mann nimmt seine Hand und schüttelt sie. »Bogdan Jankowski. Kommen Sie bitte rein, Pater.«

»Bitte glauben Sie mir, uns ist völlig klar, dass Sie gesetzlich nicht verpflichtet sind, uns zu helfen«, sagt Pater Matthew Mackie. »Wir sind mit der Entscheidung des Gemeinderats natürlich nicht einverstanden, aber wir müssen sie akzeptieren.«

Mike Griffin vom Bauausschuss hat gute Arbeit geleistet, denkt Ian. Buddel den Friedhof ruhig aus, Ian, hat er zu ihm gesagt, tu dir keinen Zwang an. Mike Griffin ist ein passionierter Online-Glücksspieler, möge diese Sucht noch lange währen.

»Ich halte es jedoch für ein Gebot der Moral, dass Sie den Garten der ewigen Ruhe, unseren Friedhof, exakt dort lassen, wo er ist«, fährt Pater Mackie fort. »Darum wollte ich mich gern persönlich mit Ihnen treffen, von Mann zu Mann, um zu schauen, ob wir nicht einen Kompromiss erzielen können.«

Ian Ventham lauscht ihm konzentriert, denkt dabei aber, wenn er ehrlich sein soll, vor allem, wie schlau er doch ist. Er ist der schlauste Mensch, den er kennt, das ist schon mal sicher. Deshalb bekommt er auch immer das, was er will. Es kommt ihm zum Teil fast schon unfair vor. Er ist den anderen nicht einfach nur einen Schritt voraus, es sind Galaxien.

Karen Playfair war eine leichte Übung. Bei Ian mag

Gordon Playfair auf stur schalten, aber bei ihr wird er es nicht ewig tun. Väter und Töchter. Wobei ja auch für sie ein hübscher Batzen rausspringen wird. Ein alter Mann kann zu einer siebenstelligen Summe für ein bloßes Stück Hügel nicht dauerhaft Nein sagen. Ian kommt immer an sein Ziel.

Aber Pater Mackie ist eine härtere Nuss als Karen Playfair, das sieht er. Ein Priester, das erfordert einen anderen Ansatz als eine aus dem Leim gehende Geschiedene Anfang fünfzig. Bei Priestern muss man ein bisschen respektvoll tun oder es vielleicht sogar *sein*. Denn was ist, wenn sie doch recht haben? Man muss alle Eventualitäten in Betracht ziehen. Auch da zahlt es sich wieder aus, wenn man schlau ist.

Deshalb hat Ian vorgebaut und Bogdan zu dem Treffen dazugebeten. Er weiß, diese Typen halten zusammen, Gleich und Gleich, bla, bla, bla. Ihm wird klar, dass er langsam mal antworten sollte.

»Wir verlegen lediglich die Gebeine, Pater«, sagt Ian. »Das wird alles mit der größten Sorgfalt und Pietät gehandhabt werden.«

Das stimmt so nicht, und Ian weiß es. Das Gesetz sieht eine öffentliche Ausschreibung vor. Drei Angebote sind eingegangen. Eins kam von der Abteilung für forensische Anthropologie der Universität Kent, die sich der Aufgabe sicherlich mit einem Maximum an Sorgfalt und Pietät gewidmet hätte. Ein weiteres stammte von einer Spezialfirma für »Umbettungen« in Rye, die kürzlich dreißig Gräber vom geplanten Standort eines neuen Heimtierbedarfsladens verlegt und Bilder feierlich dreinschauender Männer und Frauen in dunkelblauen Overalls mitgeschickt hat, die von Hand Gräber aufgruben. Das letzte kam von einer Firma, die Ian vor zwei Monaten selbst gegründet hat, zusammen mit einem Bestatter aus Brighton, den er vom Golfplatz kennt, und Sue Banbury aus Ians Dorf, die Baumaschinen vermietet. Dieses letzte Angebot war extrem konkurrenzfähig und hat den Zuschlag erhalten. Ian hat sich im Internet über das Ausgraben von Friedhöfen kundig gemacht, und es ist nicht gerade Astrophysik.

»Einige dieser Gräber sind bis zu hundertfünzig Jahre alt, Mr Ventham«, sagt Pater Mackie.

»Nennen Sie mich doch Ian«, sagt Ian.

Ian hätte sich auf dieses Treffen streng genommen gar nicht einlassen müssen, aber er will lieber auf Nummer sicher gehen. Einige der Senioren können ziemlich frömmlerisch sein, wenn ihnen danach ist, da darf er nicht riskieren, dass Pater Mackie sie aufwiegelt. Bei Leichen reagieren die Leute empfindlich. Also besser den Mann anhören, ihn beschwichtigen und ihn zufrieden seiner Wege schicken. Vielleicht durch eine Spende? Das ist ein Gedanke, den sich im Hinterkopf zu behalten lohnt.

»Die Firma, die Sie mit der Verlegung des Friedhofs beauftragt haben«, Mackie wirft einen Blick in seine Akte, »›Engel im Transit‹ – ich hoffe, die wissen, was sie erwartet? Sie werden nicht viele intakte Särge finden, Ian, nur Knochen. Und ich spreche nicht von Skeletten: lose Knochen, zerbrochen, verstreut, halb verwest, in die Erde eingesunken. Und jeder einzelne Splitter jedes Knochens muss geborgen werden, muss dokumentiert werden und würdig behandelt werden. Das verlangt der menschliche Anstand, aber vergessen Sie nicht, das Gesetz verlangt es ebenfalls.«

Ian nickt, während er gleichzeitig darüber nachdenkt, ob man einen Bagger wohl schwarz anmalen kann. Sue wird es wissen.

»Ich komme heute zu Ihnen«, fährt Pater Mackie fort,

»um Sie zu bitten, von Mann zu Mann, Ihre Entscheidung zu überdenken und diese Damen zu lassen, wo sie sind. Sie in Frieden ruhen zu lassen. Ich weiß nicht, was es Sie kosten würde, das zu tun, das ist Ihre Angelegenheit. Aber Sie müssen verstehen, dass es, als ein Mann Gottes, auch die meinige ist. Ich will nicht, dass diese Frauen wegbewegt werden.«

»Matthew, ich weiß es zu schätzen, dass Sie hergekommen sind«, sagt Ian. »Und ich versteh schon, was Sie mit dem Frieden meinen. Seelen im Fegefeuer und so. Aber Sie sagen ja selbst, alles, was noch zu finden sein wird, sind Knochen. Mehr ist da nicht. Und man kann das abergläubisch sehen oder in Ihrem Fall religiös, völlig klar, aber *ich* muss das nicht so sehen. Wir kümmern uns um die Knochen, und ich bin gern bereit, persönlich dabei zu sein und mit aufzupassen, wenn Sie das glücklich macht. Aber ich will den Friedhof verlegen, ich darf ihn verlegen und ich werde ihn verlegen. Und wenn mich das zu dem Unmenschen macht, der ich für Sie sicher eh schon bin, kann ich's nicht ändern. Den Knochen ist es egal, wo sie sind.«

»Wenn ich Sie von Ihrer Haltung nicht abbringen kann, dann werde ich Ihnen so viele Steine in den Weg legen wie nur möglich. Das sollten Sie wissen«, sagt Pater Mackie.

»Da müssen Sie sich hinten anstellen, Pater«, sagt Ian. »Bei mir läuft schon der Tierschutzverein Sturm wegen den Dachsen. Die Forst-irgendwas-Behörde jault rum wegen geschützten Bäumen. Sie wegen den Nonnen. Ich muss die EU-Richtlinien bei der Wärmeemission einhalten, bei Lichtverschmutzung, Badezimmerarmaturen und hundert anderen Sachen, obwohl ich mich dunkel erinnere, dass wir die EU verlassen haben. Den Bewohnern passt irgendwas mit den Bänken nicht, der Denkmalschutz erzählt mir, meine Ziegel haben kein Nachhaltigkeitssiegel, und den billigsten Zementhändler in ganz Südengland haben sie wegen Steuerhinterziehung eingebuchtet. Sie sind nicht mein größtes Problem, Pater, nicht mal annähernd.«

Ian holt endlich Atem.

»Und Tony ist tot, das ist für alle eine schwierige Zeit«, fügt Bogdan hinzu und bekreuzigt sich.

»Äh, ja. Tony ist tot. Schwierige Zeit«, bestätigt Ian.

Da Bogdan nun sein Schweigen gebrochen hat, appelliert Pater Mackie an ihn.

»Und wie stehen Sie dazu, mein Sohn? Dass der Garten der ewigen Ruhe verlegt werden soll? Glauben Sie nicht, hier werden Seelen aus ihrem Frieden gerissen? Glauben Sie nicht, Gott wird dafür Buße verlangen?«

»Pater, ich glaube, dass Gott über alles wacht und über alles richtet«, sagt Bogdan. »Aber Knochen, das sind für mich Knochen.«

22

Joyce bekommt die Haare geschnitten.

Anthony kommt immer donnerstags und freitags, und die Termine in seinem mobilen Frisiersalon sind heiß umkämpft. Joyce reserviert nach Möglichkeit gleich den allerersten, denn da plaudert es sich am besten.

Das weiß Elizabeth, weshalb sie draußen in der Nähe der offenen Tür sitzt. Wartend und lauschend. Sie könnte auch einfach hineingehen, aber Warten und Lauschen sind alte Gewohnheiten, die sie nicht ablegen kann. Man erfährt allerhand, wenn man sein Leben lang lauscht. Sie schaut auf die Uhr. Wenn die zwei in den nächsten fünf Minuten nicht zum Ende kommen, wird sie sich bemerkbar machen.

»Irgendwann färbe ich Ihnen diese Mähne einfach, Joyce«, sagt Anthony. »Dann kommen Sie neonpink hier raus.«

Joyce kichert.

»Sie würden wie Nicki Minaj aussehen. Sagt Ihnen Nicki Minaj was?«

»Nein, aber sie klingt interessant«, sagt Joyce.

»Was halten wir von diesem Burschen, der umgebracht wurde?«, fragt Anthony. »Diesem Curran? Der ist mir hier schon begegnet.«

»Ja, das ist eine sehr traurige Geschichte«, sagt Joyce.

»Erschossen, habe ich gehört«, sagt Anthony. »Womit er das wohl verdient hat?«

»Soweit ich weiß, wurde er erschlagen, Anthony«, sagt Joyce.

»Erschlagen, so. Sie haben wirklich tolles Haar, Joyce. Versprechen Sie mir, dass Sie es mir in Ihrem Testament vermachen?«

Elizabeth vor der Tür verdreht die Augen.

»Ich habe gehört, er wäre unten am Hafen niedergeschossen worden«, sagt Anthony. »Drei Killer auf Motorrädern.«

»Nein, einfach nur in seiner Küche erschlagen«, sagt Joyce. »Ganz ohne Motorrad.«

»Wer macht so was?«, fragt Anthony. »Einen Mann in seiner Küche erschlagen?«

Ja, wer? denkt Elizabeth mit einem neuerlichen Blick auf die Uhr.

»Und seine Küche war ja sicher todschick«, sagt Anthony. »Was für ein Jammer. Irgendwie hatte ich immer so ein kleines Faible für ihn. Gutgetan hätte er einem bestimmt nicht, aber man hätte trotzdem nicht Nein gesagt.«

»Ich weiß genau, was Sie meinen, Anthony«, sagt Joyce.

»Na, hoffentlich kriegen sie den Mörder.«

»Da bin ich mir sicher«, sagt Joyce und trinkt ein Schlückchen von ihrem Tee.

Jetzt ist es gut, beschließt Elizabeth, steht auf und tritt durch die Tür. Anthony dreht sich um.

»Oh, là, là, welche Ehre! Dusty Springfield persönlich.«

»Guten Morgen, Anthony. Ich fürchte, Sie müssen Joyce aus Ihren Klauen lassen. Ich brauche sie.«

Joyce klatscht in die Hände.

23

Joyce

Ganz so hatte ich mir den Tag bei meinem Müsli heute Morgen ja nicht vorgestellt. Gestern die Nonne und jetzt das.

Nicht, dass Sie glauben, ich frühstücke immer Müsli, aber heute war mir danach, und im Nachhinein war ich heilfroh um die Energie. Es ist jetzt zehn Uhr vorbei, und ich komme grade erst zur Tür rein. Wenigstens konnte ich auf der Rückfahrt ein bisschen dösen.

Ich hatte heute früh meinen Friseurtermin bei Anthony. Wir waren fast fertig und nur noch ein bisschen am Plauschen, als plötzlich Elizabeth zur Tür hereinkam. Bewaffnet mit Schultertasche und Thermoskanne, beides völlig untypisch für sie. Sie sagte mir, das Taxi sei schon unterwegs, ich solle mich für einen Ausflug bereit machen. Seit ich hier in Coopers Chase wohne, habe ich gelernt, spontan zu sein, deshalb zuckte ich nicht mit der Wimper. Ich wollte nur wissen, wo es hingehen würde, wegen Wetter etc., und sie sagte, nach London, was mich überraschte, aber die Thermoskanne erklärte. Ich kann ein Lied davon singen, wie kalt es in London sein kann, also lief ich zu mir und zog meine gute Jacke über, was mein Glück war.

Wir nutzen nach wie vor den Taxidienst in Robertsbridge, obwohl sie Rons Enkelin einmal zum falschen Bahnhof gebracht haben, aber ich muss sagen, sie haben sich gebessert. Der Fahrer hieß Hamed, ein Somali, und Somalia muss wunderschön sein. Elizabeth, wer hätte das gedacht, kennt Somalia, und die beiden schwatzten gleich los. Hamed hat sechs Kinder, und seine Älteste ist Allgemeinärztin in Chislehurst, falls Ihnen das etwas sagt. Ich war einmal zu einem Flohmarkt dort, sodass ich wenigstens ein bisschen mitreden konnte.

Und die ganze Zeit wartete Elizabeth darauf, dass ich fragte, wo wir denn hinfuhren, aber ich verkniff es mir. Sie gibt gern den Ton an, und verstehen Sie mich nicht falsch, mir ist es sehr recht, wenn sie den Ton angibt, aber es schadet nichts, manchmal ein klein wenig dagegenzuhalten. Ich glaube, sie färbt auf mich ab, und zwar positiv. Ich habe mich eigentlich nie für besonders gefügig gehalten, aber je mehr Zeit ich mit Elizabeth verbringe, desto mehr kommt mir der Verdacht, ich bin es doch. Wenn ich mehr von Elizabeth hätte, wer weiß, vielleicht wäre ich dann auch in Somalia gewesen. Das nur als Beispiel.

Wir nahmen den Zug in Robertsbridge (den Regionalzug um 9:51), und in Tunbridge Wells knickte sie ein und verriet mir den Plan. Sie wollte mit mir zu Joanna.

Joanna! Mein kleines Mädchen! Meine Fragen können Sie sich denken. Damit hatte sie mich genau wieder da, wo sie mich haben wollte.

Warum fuhren wir also zu Joanna? Die Antwort war ein bisschen verzwickt.

Elizabeth erklärte, auf diese typische selbstverständliche Art, die sie hat, dass wir über viele Aspekte des Falls genauso viel wüssten wie die Polizei, was für alle nur gut sei. Noch besser wäre es freilich, wenn es Punkte gäbe, in denen wir der Polizei etwas voraushätten. Falls wir irgendwann »Manövriermasse« bräuchten. Die wäre nützlich, so Elizabeth, weil Donna leider ein bisschen zu gewieft sei, um uns alles zu sagen. Ich meine, warum sollte sie auch?

Die derzeit größte Unbekannte, sagte Elizabeth, seien die Finanzen von Ian Venthams Firmen. Geben sie vielleicht eine neue Verbindung zwischen Ventham und Tony Curran her? Einen Grund für ihren Streit? Ein Motiv für den Mord? Das sollten wir dringend in Erfahrung bringen.

Zu diesem Zweck hatte sich Elizabeth bereits detaillierte Auszüge aus Ian Venthams Geschäftsbüchern beschafft. Wie, wollte ich gar nicht erst wissen. Sie hatte sie alle in einem großen blauen Ordner, daher die Schultertasche, die sie auf dem freien Sitz neben sich deponierte. Denn das habe ich noch gar nicht erwähnt: Wir reisten erster Klasse! Ich wünschte mir den ganzen Weg, jemand würde meine Fahrkarte sehen wollen, aber niemand kam.

Elizabeth hatte selbst einen Blick auf die Zahlen geworfen, aber sehr schnell die Waffen gestreckt. Sie brauchte also jemanden, der sich auskennt und ihr sagen kann, was was ist. Ob es irgendwelche Unregelmäßigkeiten gibt. Etwas, das wir ein bisschen ausschnüffeln können, wenn wir gerade nichts Besseres vorhaben. Irgendwo in diesen Aufzeichnungen verstecken sich Hinweise, da war Elizabeth sicher. Aber wo genau?

Ich fragte, ob nicht der Mensch, der ihr die Unterlagen verschafft hatte, der richtige Mann dafür sei. Sie sagte, besagter Mensch schulde ihr leider nur einen Gefallen, nicht zwei. Sie sagte auch, bei meiner feministischen Einstellung überrasche es sie, dass ich von »Mann« sprach. Da hatte sie recht, politisch korrekt war das nicht von mir, aber ich sagte, ich sei trotzdem sicher, dass es ein Mann war, und sie gab es zu.

In der Nähe von Orpington knickte dann ich ein:

Warum ausgerechnet Joanna? Worauf Elizabeth ihre Gründe nannte. Wir bräuchten jemanden, der auf Zack in moderner Geschäftsbuchhaltung und zudem in der Lage ist, Firmen zu bewerten, und beides trifft auf Joanna offenbar zu. Steckt Ventham in finanziellen Schwierigkeiten? Zahlt er Schulden ab? Sind weitere Bauprojekte in Planung? Hat er die Mittel dafür? Wir bräuchten außerdem jemanden, dem wir unumschränkt vertrauen können, und da lag Elizabeth bei Joanna goldrichtig. Joanna mag vieles sein, aber keine Petze. Und drittens bräuchten wir jemanden, an den wir herankommen und der uns einen Gefallen schuldet. Ich fragte Elizabeth, warum Joanna uns einen Gefallen schulden soll, und sie sagte, aus dem universellen Schuldbewusstsein aller Kinder, die ihre Mütter nicht oft genug besuchen. Auch da traf sie bei Joanna den Nagel auf den Kopf.

Kurz gesagt, so Elizabeth, brauchten wir jemand »Sattelfestes, Loyales und Nahes«.

Sie hatte also Joanna angemailt und keine Ausreden gelten lassen. Ich dürfte nichts davon erfahren, hatte sie Joanna gesagt, damit es für mich eine Überraschung würde, und hier waren wir nun.

So auf dem Papier wirkt das alles sehr überzeugend, aber bei Elizabeth wirkt natürlich alles überzeugend. Trotzdem nahm ich es ihr keine Sekunde lang ab. Sie hätte Dutzende von mindestens so geeigneten Leuten finden können. Wollen Sie wissen, was ich glaube? Ich glaube, Elizabeth wollte Joanna einfach gern kennenlernen.

Was mir aber nur recht sein konnte. Immerhin sah ich auf diesem Weg meine Tochter, *und* ich konnte vor Elizabeth mit ihr angeben. Und all das, ohne es selber einfädeln zu müssen. Wenn ich es selbst in die Hand nehme, trete ich immer in irgendein Fettnäpfchen, und Joanna regt sich über mich auf.

Und noch ein Plus: Das Thema würde ausnahmsweise nicht Joannas Beruf sein oder Joannas neuer Freund oder das neue Haus (in Putney; ich war noch nicht dort, aber sie hat mir Fotos geschickt, und vielleicht wird es ja Weihnachten was). Das Thema würde Mord sein. Und bei Mord den genervten Teenager geben, das ist gar nicht so leicht. Viel Glück, Baby, wie es immer heißt.

Wir erreichten Charing Cross mit vierzehnminütiger Verspätung, ausgelöst durch »Verzögerungen im Betriebsablauf«, über die Elizabeth kräftig murrte. Ich hatte im Zug nicht zur Toilette gemusst, Gott sei Dank. Ich war nicht mehr in London gewesen, seit ich in *Jersey Boys* war, mit meinen Mädels, und das ist jetzt ein Weilchen her. Wir machten pro Jahr drei, vier solche Ausflüge, wenn's ging. Immer wir vier. Wir suchten uns eine Nachmittagsvorstellung aus und saßen noch vor der Stoßzeit wieder im Zug. Bei Marks & Spencer gibt es Gin Tonic in der Dose, falls Sie das kennen. Die zwitscherten wir dann auf der Rückfahrt und hatten es so richtig lustig. Außer mir sind jetzt alle tot. Zweimal Krebs, ein Schlaganfall. Keine von uns hat geahnt, dass die *Jersey Boys* unser letztes Mal sein würden. Wann man etwas zum ersten Mal macht, weiß man immer, nicht wahr? Aber fast nie, wann es das letzte Mal ist. Jedenfalls wünschte ich jetzt, ich hätte das Programmheft aufgehoben.

Wir nahmen ein Taxi nach Mayfair, ein schwarzes, was sonst? Als wir die Curzon Street entlangfuhren, zeigte mir Elizabeth das Bürogebäude, in dem sie gearbeitet hatte, bis es im Zuge der Sparmaßnahmen geschlossen wurde. Ende der Siebziger war das.

Ich war schon einmal in Joannas Büro, ganz zu Anfang, als sie es gerade bezogen hatte, aber jetzt ist alles neu gestaltet. Auf einem Pingpongtisch stehen Getränke, an denen man sich selbst bedienen darf. Und im Lift drückt man keinen Knopf mehr, sondern sagt nur noch das Stockwerk. Nicht so ganz meine Welt, aber wirklich sehr nobel.

Ich weiß, ich rede manchmal etwas arg viel von ihr, aber es war einfach zu schön, Joanna zu sehen. Sie umarmte mich sogar richtig, weil jemand Fremdes dabei war. Elizabeth entschuldigte sich dann, um zur Toilette zu gehen (ich war in Charing Cross gegangen, nicht dass Sie denken, ich besäße übermenschliche Kräfte). Kaum war sie außer Hörweite, ging über Joannas Gesicht ein Strahlen.

»Ein *Mord*, Mum?«, sagte sie. Oder so etwas Ähnliches. Sie sah aus wie das kleine Mädchen von früher.

»Er ist erschlagen worden, JoJo. Mit einem Schraubenschlüssel«, erwiderte ich. Das waren meine exakten Worte, und die Tatsache, dass sie nicht sofort ein böses Gesicht machte und mir verbot, sie JoJo zu nennen, spricht schon Bände. (Obwohl ich doch sagen muss, dass sie zu dünn ist, das konnte ich sehen und auch spüren, deshalb weiß ich nicht, ob ihr der neue Mann guttut. Ich hätte die Chance fast genutzt und etwas gesagt, aber ich dachte, werd nicht übermütig, Joyce.)

Wir gingen in einen Sitzungssaal, wo der Tisch aus der Tragfläche eines Flugzeugs gearbeitet war. Ich schaffte es, mir vor Joanna nichts anmerken zu lassen, aber das war schon ein Ding. Ich saß da, als würde ich jeden Tag an Flugzeugtragflächen sitzen.

Elizabeth hatte sämtliche Unterlagen vorab gemailt, und Joanna hatte sie alle ihrem Mitarbeiter gegeben, Cornelius. Falls Sie sich über den Namen wundern: Cornelius ist Amerikaner. Er fragte Elizabeth, woher sie diese ganzen Dokumente habe, und sie sagte, von der Handelsregisterbehörde, und er meinte, dies seien keine Dokumente, die man bei der Handelsregisterbehörde bekommt, worauf sie sagte, davon verstehe sie nichts, sie sei nur eine sechsundsiebzigjährige alte Frau.

Aber ich verzettle mich. Der langen Rede kurzer Sinn ist, dass Venthams Firmen außerordentlich gut dastehen. Der Mann weiß, was er tut. Wobei Cornelius zwei sehr interessante Dinge herausgefunden hat, die wir der Polizei erzählen werden, wenn sie uns einen Besuch abstattet. Auch die stehen jetzt in Elizabeths dickem blauem Ordner.

Joanna sprühte nur so vor Witz und Geist und Charme, all den Eigenschaften, die ich bei ihr schon verloren geglaubt hatte. Sie waren allesamt wieder da. Vielleicht hatte sie sie nur bei mir verloren?

Ich habe mit Elizabeth schon öfter über Joanna geredet. Ihr von diesem Gefühl erzählt, dass wir uns nicht so nahe sind, wie wir sollten, so wie andere Mütter und ihre Töchter. Irgendwie bringt einen Elizabeth dazu, die Dinge beim Namen zu nennen. Sie wusste, dass ich ein bisschen traurig war. Der Gedanke kommt mir erst jetzt, aber ich frage mich, ob diese ganze Veranstaltung nicht womöglich mir zuliebe stattgefunden hat. Denn das, was wir von Cornelius erfahren haben, hätten uns wahrscheinlich alle möglichen anderen Leute auch sagen können. Insofern …? Ich weiß es nicht.

Als wir aufbrachen, sagte Joanna, dass sie mich nächstes Wochenende für einen richtigen Schwatz besuchen kommt. Ich habe ihr gesagt, dass das sehr schön wäre und dass wir vielleicht zusammen nach Fairhaven fahren könnten, was sie eine prima Idee fand. Ich wollte wissen, ob der neue Mann eventuell auch mitkommt, und sie lachte ein bisschen und sagte Nein. Das gute Kind.

Wir hätten mit dem Taxi direkt zurück zum Bahnhof fahren können, aber Elizabeth wollte sich noch ein wenig die Beine vertreten, also bummelten wir ein Stück. Ich weiß nicht, ob Sie Mayfair kennen – es gibt keine Läden, in die man wirklich hineingeht und etwas kauft, aber es war nett, so zu schlendern. Wir tranken Kaffee in einem Costa, in einem sehr schönen Gebäude, das laut Elizabeth früher ein Pub war, wo sie und viele ihrer Kollegen zum Trinken hinzugehen pflegten. Wir blieben eine ganze Zeit dort und redeten über alles, was wir herausbekommen hatten.

Wenn der Ausflug heute ein Maßstab ist, dann wird diese ganze Mordermittlung höchst vergnüglich. Es war ein langer Tag, und ob er uns geholfen hat, Tony Currans Mörder zu finden, das dürfen Sie entscheiden.

Ich glaube, heute hat mich Joanna von einer neuen Seite kennengelernt. Oder ich habe mich durch ihre Augen von einer neuen Seite gesehen. Auf jeden Fall war es ein gutes Gefühl. Und nächstes Mal erzähle ich mehr von Cornelius, der uns sehr sympathisch war.

Fast alle Fenster sind inzwischen dunkel. Im Leben lernt man, dass es die guten Tage sind, die man zählen muss – sie in seinen Bau tragen und von ihnen zehren. Also trage ich diesen Tag jetzt in meinen Bau und lege mich schlafen.

Nur das noch: Am Bahnhof in Charing Cross war ich noch rasch bei Marks & Spencer, zwei Gin Tonic in der Dose kaufen, die ich auf der Heimfahrt mit Elizabeth getrunken habe.

24

Während in den Fenstern ringsum die Lichter ausgehen, klappt Elizabeth ihren Taschenkalender auf und nimmt sich die heutige Frage vor.

»WELCHES KENNZEICHEN HAT DAS NEUE AUTO VON GWEN TALBOTS SCHWIEGERTOCHTER?«

Eine Frage ganz nach ihrem Herzen. Nicht die Automarke, das wäre zu leicht. Nicht die Farbe, da könnte man raten, und Raten beweist nichts. Sondern das Kennzeichen. Etwas, das eine echte Gedächtnisleistung erfordert.

Wie früher so oft, in einem anderen Leben, was meistens auch ein anderes Land und ein anderes Jahrhundert hieß, schließt Elizabeth die Augen und stellt den inneren Blick scharf. Sie sieht es sofort, oder hört sie es? Es ist beides, ihr Gehirn sagt ihr, was sie sieht.

JL17 BCH.

Sie fährt mit dem Finger die Seite hinab, wo sie die Auflösung notiert hat. Korrekt. Elizabeth schlägt den Kalender zu. Die neue Frage wird sie nachher aufschreiben, sie hat schon eine Idee.

Nur der Vollständigkeit halber: Das Auto war ein blauer Lexus, denn Gwen Talbots Schwiegertochter versichert maßgefertigte Jachten, was offenbar sehr lukrativ ist. Einzig mit dem Namen der Schwiegertochter kann sie nicht dienen. Elizabeth ist ihr nur einmal begegnet und hat ihn nicht richtig verstanden. Sie geht aber fest davon aus, dass das ein Hörproblem war, kein Gedächtnisproblem.

Gedächtnisprobleme, das ist das Schreckgespenst, das in Coopers Chase umgeht. Vergesslichkeit, Zerstreutheit, das Verwechseln von Namen.

Was wollte ich hier drin gleich wieder? Die Enkelkinder kichern dann. Die Söhne und Töchter gehen mit einem Scherz darüber hinweg, aber ihre Blicke sind wachsam. Immer wieder einmal lässt einen nackte Panik nachts aus dem Schlaf schrecken. Man muss so vieles drangeben im Alter – aber den Verstand? Ein Bein, na gut, einen Lungenflügel zur Not, gib alles dran, ehe du den Verstand drangibst. Ehe du zu der »armen Rosemary« oder dem »armen Frank« wirst und dein Gesicht in die Abendsonne hältst, ohne noch zu wissen, was Abendsonne ist. Ehe es keine Ausflüge mehr gibt, keine Spiele, keinen Donnerstagsmordclub. Ehe es dich nicht mehr gibt.

Fast sicher hast du deine Enkelin nur deshalb mit dem Namen deiner Tochter angesprochen, weil du an die Kartoffeln gedacht hast, aber wer weiß? Das ist der Drahtseilakt.

Darum blättert Elizabeth in ihrem Kalender jeden Tag zwei Wochen vor und schreibt eine Frage nieder. Und darum beantwortet sie jeden Tag eine Frage, die sie sich zwei Wochen zuvor selbst gestellt hat. Das ist ihr Frühwarnsystem. Das ist ihr Team von Seismologen, die Laufzeitdiagramme auswerten. Wenn sich ein Erdbeben ankündigt, wird Elizabeth es als Erste merken.

Elizabeth geht hinüber ins Wohnzimmer. Ein Autokennzeichen von vor zwei Wochen, das ist ein echter Test, und sie ist zufrieden mit sich. Stephen sitzt auf dem Sofa, in seine Gedanken vertieft. Heute Morgen, bevor sie mit Joyce nach London aufgebrochen ist, haben sie sich über Stephens Tochter unterhalten, Emily.

Stephen macht sich Sorgen um sie, er findet, sie ist zu dünn. Das sieht Elizabeth nicht so, aber Stephen wünscht sich trotzdem, Emily käme sie öfter besuchen, einfach, damit sie ein Auge auf sie haben können. Das fand Elizabeth auch vernünftig und hat versprochen, mit Emily zu reden.

Nur ist Emily nicht Stephens Tochter. Stephen hat keine Kinder. Emily war Stephens erste Frau, die jetzt bald fünfundzwanzig Jahre tot ist.

Stephen ist Experte für die Kunst des Nahen Ostens. Vielleicht *der* Experte englandweit. Er hat in den Sechzigern und Siebzigern in Teheran und in Beirut gelebt und war auch Jahre später öfter dort, um im Auftrag ehemals reicher Exilanten in Westlondon verschleppten Meisterwerken nachzuspüren. Auch Elizabeth war in den frühen Siebzigern kurz in Beirut, aber ihre Pfade haben sich erst 2004 gekreuzt, als Stephen ihr vor einer Buchhandlung in Chipping Norton ihren heruntergefallenen Handschuh aufhob. Sechs Monate später waren sie verheiratet.

Elizabeth setzt den Kessel auf. Stephen schreibt nach wie vor jeden Tag, manchmal stundenlang. Er hat einen Agenten in London und spricht regelmäßig davon, dass er sich bald mit ihm treffen muss. Stephen hält seine Schriften strikt unter Verschluss, doch Schlösser sind für Elizabeth kein ernsthaftes Hindernis, und von Zeit zu Zeit liest sie, was er schreibt. Manchmal hat er nur einen Artikel aus seiner Zeitung kopiert, aber das meiste sind Geschichten über Emily oder für Emily. Alle in wunderbarster Schönschrift.

Es wird für Stephen keine Zugfahrten nach London mehr geben, um mit seinem Agenten zu Mittag zu essen, in ein Museum zu gehen oder auch nur etwas in der British Library nachzuschlagen. Stephen steht auf der

Kippe. Oder schon nicht mehr, wenn Elizabeth ehrlich ist. Sie hat die Dinge in die Hand genommen. Sie verarztet ihn nach bestem Wissen und Gewissen. Sediert ihn, um genau zu sein. Ihre und seine Pillen sorgen gemeinsam dafür, dass Stephen die Nächte durchschläft.

Das Wasser kocht. Elizabeth macht zwei Tassen Tee. Bald werden sie Besuch von PC De Freitas und ihrem Chef bekommen. Bis jetzt hat alles vorzüglich geklappt, aber ein paar Winkelzüge wollen noch ausgetüftelt sein. Nach dem heutigen Ausflug mit Joyce ist sie im Besitz von Erkenntnissen, die sie der Polizei anbieten kann, und als Gegenleistung will sie ihrerseits Informationen. Aber dafür werden sie Donna und den DCI erst ein bisschen austricksen müssen. Ihr schwebt schon etwas vor.

Stephen kocht nie, insofern muss Elizabeth keine Angst haben, dass er die Wohnung abfackelt, während sie weg ist. Er geht nicht zum Einkaufen, nicht ins Restaurant oder ins Schwimmbad, also droht auch da keine Gefahr. Manchmal findet sie bei der Rückkehr Spuren einer notdürftig beseitigten Überschwemmung vor, und manchmal hat er etwas auszuwaschen versucht, aber was soll's.

Elizabeth will Stephen behalten, solange sie kann. Irgendwann wird er stürzen, oder er wird Blut spucken, und dann wird er einem Arzt vorgeführt werden, dem sie nichts mehr vormachen kann, und das war's, sie nehmen ihn mit.

Elizabeth bröselt das Temazepam in Stephens Tasse. Dann gießt sie Milch dazu. Bei ihrer Mutter hätte es vermutlich auch dafür eine klare Etikette gegeben. Erst die Milch oder erst das Temazepam? Sie lächelt, das ist ein Witz, der Stephen gefallen hätte. Ob Ibrahim damit etwas anfangen könnte? Joyce? Eher nicht.

Manchmal spielen sie noch Schach miteinander. Vor

vielen Jahren saß Elizabeth einmal einen Monat mit dem russischen Schachgroßmeister und späteren Überläufer Juri Tsetowitsch in einer konspirativen Wohnung an der deutsch-deutschen Grenze fest. Der Mann weinte fast vor Freude, als er entdeckte, wie gut sie spielte. Elizabeth hat seitdem nichts verlernt, aber Stephen besiegt sie jedes Mal mit einer Eleganz, dass sie niederknien könnte. Wobei sie in letzter Zeit immer weniger spielen, wird ihr klar. Vielleicht haben sie ihr letztes Spiel schon gespielt? Hat Stephen seinen letzten König geschlagen? Bitte nicht!

Elizabeth bringt Stephen seinen Tee und küsst ihn auf die Stirn. Er dankt ihr.

Elizabeth kehrt zu ihrem Kalender zurück und blättert zwei Wochen vor, um die neue Frage zu notieren, etwas, das sie von Joanna und Cornelius erfahren haben.

»WELCHE SUMME HAT TONY CURRANS TOD IAN VENTHAM EINGEBRACHT?«

Sie schreibt die Lösung an den unteren Seitenrand, 12,25 Millionen Pfund, und klappt das Büchlein zu bis zum nächsten Tag.

25

Der Bescheid für PC Donna De Freitas kam gleich gestern Morgen: Abordnung zur Kriminalpolizei. Elizabeth liefert prompt.

Sie ist dem Ermittlungsteam im Mordfall Tony Curran als Chris Hudsons »Schatten« zugeteilt worden. Eine neue Initiative der Kripo Kent. Irgendetwas mit Inklusion oder Mentoring oder Diversität, genau weiß sie nicht mehr, welches Wort der Typ von der Personalabteilung in Maidstone bei seinem Anruf benutzt hat. Was immer es war, die Folge ist, dass sie jetzt auf einer Bank sitzt, vor sich den Ärmelkanal und neben sich DCI Chris Hudson, der ein Eis isst.

Chris hat ihr Tony Currans Akte gegeben, damit sie sich einlesen kann. Sie konnte ihr Glück kaum fassen. Im ersten Moment war es wie ein Rausch. Endlich wieder echte Polizeiarbeit! Die Akte brachte all das zurück, was sie an Südlondon so geliebt hat. Mord, Drogen, ein Verdächtiger, der die Aussageverweigerung mit ein bisschen Stil rüberbringt. Beim ersten Lesen war sie sich ganz sicher, dass sie auf etwas stoßen wird, irgendeinen versteckten Hinweis, anhand dessen sich der jahrzehntealte Fall neu aufrollen lässt. Im Kopf hat sie die Szene schon durchgespielt: »Sir, ich habe ein bisschen recherchiert, und wissen Sie was? Der 29. Mai 1977 war ein Feiertag. Damit ist Tony Currans Alibi hinfällig, meinen Sie nicht?« Chris Hudson schaut skeptisch, es kann ja wohl nicht sein, dass dieser Frischling den Fall knackt, und sie zieht eine Braue hoch und sagt: »Ich hab seine Handschrift rüber in die Kriminaltechnik gebracht, Sir, und raten Sie, was die festgestellt haben?« Chris gibt sich desinteressiert, aber sie weiß, sie hat ihn am Haken. »Tony Curran war Linkshänder!« Chris bläst die Backen auf. Die Kleine hat was drauf, das muss ihr der Neid lassen.

Schön wär's gewesen. Aber Donna hat exakt das gelesen, was auch Chris gelesen hat, die stichpunktartige Geschichte eines Mannes, der mit einem Mord durchgekommen ist und dann selbst ermordet wurde. Keine heiße Fährte, keine Unstimmigkeiten, nichts, wo sich einhaken ließe. Ein Glücksgefühl war es trotzdem.

»So was haben Sie in Südlondon nicht, hmm?«, sagt Chris und zeigt mit seiner Eiswaffel Richtung Meer.

»Das Meer?«, vergewissert sich Donna.

»Das Meer«, bestätigt Chris.

»Äh, stimmt, Sir. Wir haben die Fischteiche in Streatham, aber das ist nicht ganz dasselbe.«

Chris Hudson behandelt sie mit einer Freundlichkeit, die sich echt anfühlt, und mit einer Achtung, die nur daher kommen kann, dass er gut in seinem Job ist. Sollte sie je dauerhaft mit Chris arbeiten dürfen, müsste sie ein Machtwort bei seinem Kleiderstil sprechen, aber alles zu seiner Zeit. Bei ihm ist Zivil eher Räuberzivil. Wo kriegt man solche Schuhe her? Gibt es einen Katalog für so was?

»Lust auf einen Besuch bei Ian Ventham?«, fragt Chris jetzt. »Zu einem kleinen Plausch über seinen Streit mit Tony Curran?«

Auch wieder das Verdienst von Elizabeth. Sie hat Donna angerufen und ihr ein, zwei Einzelheiten über den Streit erzählt, den Ron, Joyce und Jason beobachtet haben. Sie werden immer noch hinfahren und mit den dreien sprechen müssen, aber ein paar Kostproben gibt es schon.

»Ja, bitte«, sagt Donna. »Ist es uncool, bei der Kripo bitte zu sagen?«

Chris zuckt die Achseln. »Für Coolness-Fragen bin ich die falsche Adresse, PC De Freitas.«

»Können wir vielleicht vorspulen zu der Stelle, ab der Sie mich Donna nennen?«, sagt Donna.

Chris schaut sie an, nickt dann. »In Ordnung, ich versuch's, aber ich kann nichts versprechen.«

»Was suchen wir bei Ventham?«, fragt Donna. »Ein Motiv?«

»Ganz genau. Auf dem Silbertablett präsentiert er es uns sicherlich nicht, aber wenn wir unsere Augen und Ohren aufsperren, kriegen wir schon das eine oder andere mit. Überlassen Sie das Fragen aber mir, ja?«

»Natürlich«, sagt Donna.

Chris verspeist den letzten Rest seiner Eiswaffel. »Außer, Sie haben eine ganz besonders dringende Frage.«

»In Ordnung«, sagt Donna mit einem Nicken. »Eine werde ich wahrscheinlich haben, so wie ich mich kenne. Nur dass Sie gewarnt sind.«

»Na gut.« Chris nickt und steht auf. »Wollen wir?«

26

Joyce

Wer nicht wagt, der nicht gewinnt. So heißt es doch immer, nicht? Also habe ich Bernard zu mir zum Mittagessen eingeladen.

Es gab Lammbraten mit Reis. Das Lamm hatte ich bei Waitrose gekauft, aber der Reis war von Lidl. So mache ich das immer, denn ganz ehrlich, bei den Grundnahrungsmitteln schmeckt man keinen Unterschied. Langsam kommen die anderen auch drauf, deshalb sieht man immer mehr Lidl-Lieferanten bei uns oben.

Bernard ist sowieso nicht der Typ, der solche Dinge bemerkt. Ich weiß, dass er jeden Tag hier im Restaurant isst. Was er frühstückt, weiß ich nicht, aber von wem weiß man das schon verlässlich? Ich frühstücke normalerweise Tee und Toast und höre dabei den Lokalsender. Manche Leute essen morgens ja Obst. Ich weiß nicht, wann das in Mode kam, für mich ist es jedenfalls nichts.

Es war kein Rendezvous in dem Sinn, ganz und gar nicht, aber ich hatte Elizabeth trotzdem gebeten, nichts zu Ron und Ibrahim zu sagen, denn für die zwei wäre es ein gefundenes Fressen gewesen. Aber wenn es ein Rendezvous hätte sein sollen, was nicht der Fall war, dann muss ich sagen, der Mann redet schon enorm viel über seine verstorbene Frau. Das macht mir nichts aus, und ich kann es verstehen, aber ich hatte mir doch recht viel Mühe gegeben. Egal, über so etwas beschwert man sich nicht, ich weiß.

Vielleicht habe ich ein schlechtes Gewissen, weil ich so selten über Gerry spreche. Das ist einfach nicht meine Art, mit dem Thema umzugehen. Ich halte Gerry als kompakten kleinen Ball in mir verschlossen. Ich denke immer, wenn ich ihn heraushole, dann übermannt mich die Erinnerung, und am Ende stehe ich mit leeren Händen da. Das ist albern, ich weiß. Coopers Chase wäre genau das Richtige für Gerry gewesen. Diese ganzen Ausschüsse. Dass er das nicht mehr erleben durfte!

Sehen Sie, jetzt fängt es schon an, meine Kehle schnürt sich zu, und dafür ist jetzt nicht die Zeit und der Ort. Ich muss schreiben, nicht heulen.

Bernards Frau war Inderin, was für die damalige Zeit unerhört gewesen sein muss, und sie waren siebenundvierzig Jahre verheiratet. Sie sind zusammen hierhergezogen, aber nach nicht mal sechs Monaten hatte sie einen Schlaganfall und kam nach Willows. Sie starb vor gut anderthalb Jahren, kurz vor meiner Ankunft. So, wie er sie schildert, hätte ich sie sehr gern kennengelernt.

Sie haben eine Tochter, die Sufi heißt. Nicht Sophie, Sufi. Sie lebt zusammen mit ihrem Freund in Vancouver, und sie kommen ein-, zweimal im Jahr zu Besuch. Wie es wohl wäre, wenn Joanna nach Vancouver zöge? Zutrauen würde ich es ihr.

Wir hatten schon auch andere Themen, verstehen Sie mich nicht falsch. Den armen Tony Curran zum Beispiel. Ich sagte zu Bernard, wie aufregend ich es fände, dass Tony Curran ermordet worden ist. Er runzelte befremdet die Stirn, was mir wieder klarmachte, dass ich nicht mit allen Menschen so reden kann wie mit Elizabeth, Ibrahim und Ron. Aber ganz unter uns, Bernard steht dieses Stirnrunzeln ziemlich gut.

Er erzählte ein bisschen von seinem Beruf, aber so richtig erhellend, muss ich gestehen, war das für mich nicht. Wenn Sie begreifen, was ein Chemieingenieur macht, dann sind Sie klüger als ich. Ich meine, ich weiß natürlich, was ein Ingenieur ist, und ich weiß, was Chemie ist, aber ich bringe die zwei nicht zusammen. Ich redete ein wenig von meiner Arbeit und erzählte ein paar lustige Patientengeschichten. Er lachte, sogar bei der Geschichte von dem Assistenzarzt, der sein bestes Stück im Staubsaugerrüssel eingeklemmt hatte. Es war nett, weiter würde ich nicht gehen, aber ich hatte das Gefühl, dass es über Bernard mehr zu erfahren gibt, dass da ein Abgrund klafft, der überbrückt werden muss. Ich kenne den Unterschied zwischen allein und einsam, und Bernard ist einsam. Nun, dagegen lässt sich etwas unternehmen.

Mich zieht es zu einsamen Seelen. Gerry war auch eine, das spürte ich vom ersten Moment an. Immer witzig, immer einen flotten Spruch auf den Lippen, aber trotzdem eine unbehauste Seele, die ein Zuhause brauchte. Das bekam er von mir, und ich habe dafür so viel mehr von ihm zurückbekommen. O Joyce, wie hätte es diesem lieben, wunderbaren Mann hier gefallen!

Und da beklage ich mich über Bernard. Willst du wohl aufhören, Joyce. Mein Gott, jetzt kommen mir ernstlich die Tränen. Besser, ich lasse sie laufen. Wenn man nicht manchmal ein bisschen weint, weint man irgendwann nur noch.

Für heute Nachmittag hat Elizabeth Donna und ihren Kommissar zu uns bestellt. Sie plant, ihnen die Informationen zu geben, die wir von Joanna und Cornelius erhalten haben, und will sehen, was wir im Gegenzug bekommen.

Da wir nicht Donnerstag haben, hat sie gefragt, ob wir uns in meinem Wohnzimmer treffen können. Ich wandte ein, dass es bei so vielen Leuten etwas eng werden könnte, und sie meinte, das sei ideal für ihre Zwecke. Wenn sich der Kommissar so richtig unwohl fühlt, verrät er uns vielleicht eher etwas. Das ist ihr Plan. Sie sagt, diesen Trick hätte sie früher sehr oft angewandt, wobei sie früher natürlich auf alle möglichen technischen Hilfsmittel zurückgreifen konnte. Ihre ausdrückliche Anweisung lautete: »Niemand verlässt den Raum, ehe uns DCI Hudson nicht eine brauchbare Information geliefert hat.«

Und ich soll etwas backen. Ich mache einen Zitronenkuchen und zur Sicherheit auch noch eine Kaffee-Walnuss-Torte, man weiß ja nie. Ich habe dafür Mandelmehl genommen, damit backen sie im No Milk Today so leckere Sachen, und ich wollte es schon längst mal ausprobieren. Außerdem scheint mir Ibrahim mit einer Gluten-Unverträglichkeit zu liebäugeln, da kann er gleich einen Vorgeschmack kriegen.

Ich überlege, ob ich noch ein Nickerchen mache. Es ist Viertel nach drei, und normalerweise sollte ich es nicht später als drei werden lassen, sonst schlafe ich nachts nicht mehr. Aber die letzten Tage waren anstrengend, insofern darf ich das vielleicht auch mal etwas lockerer sehen.

Bernards Lieblingskuchen ist übrigens Kaffee-Walnuss-Torte – aber deuten Sie da jetzt bloß nichts hinein.

27

Donna schaut aus dem Fenster des Ford Focus. Was finden die Leute nur an Bäumen? Es gibt einfach zu viele davon. Stamm, Äste, Blätter, Stamm, Äste, Blätter, okay, wir haben's kapiert. Ihre Gedanken wandern.

Chris hat ihr das Foto gezeigt, das sie bei der Leiche gefunden haben. Eine falsche Fährte, was sonst. Oder? Wenn es Jason Ritchie oder Bobby Tanner war oder auch der Mann, der das Foto geknipst hat, wozu sich dann unnötig Ärger aufhalsen? Sie müssten Vollidioten sein, um das Bild bei dem Leichnam zurückzulassen. Zig Leute kommen als Täter infrage; warum der Polizei Arbeit abnehmen, indem man den Kreis auf drei einengt?

Also muss jemand anderes das Bild in die Finger bekommen haben. Aber auf welchem Weg?

Vielleicht hatte Tony Curran selbst einen Abzug? Das würde Sinn ergeben. Und Ian Ventham hat ihn irgendwann bei ihm gesehen? Weil Tony Curran damit angeben wollte. Und Ian hat das Bild an sich gebracht und zur späteren Verwendung aufbewahrt. Als Ablenkungsmanöver, um die stümpernden Bullen zu verwirren. Nach dem, was Donna über ihn gelesen hat, wäre ihm das durchaus zuzutrauen.

Sie fahren durch ein Dorf, was schon besser ist als nur Bäume, auch wenn es etwas mehr Beton vertragen könnte. Aber vielleicht wird sie es ja irgendwann lieben lernen? Vielleicht besteht das Leben aus mehr als nur Südlondon?

»An was denken Sie gerade?«, fragt Chris, der nach links schaut, um die richtige Abzweigung zu finden.

»An das Atlanta Fried Chicken in der Balham High Road. Und ich denke, wir sollten Ian Ventham das Foto zeigen«, sagt Donna. »Ihn fragen, ob er es schon mal gesehen hat.«

»Und sein Mienenspiel beobachten, wenn er mit Nein antwortet?« Chris setzt den Blinker und biegt auf eine schmale Landstraße ab.

»Und ich habe mich gefragt, warum Sie Ihre Hemden nie bügeln«, ergänzt Donna.

»Ach, so ist das, wenn man einen Schatten hat?«, sagt Chris. »Früher habe ich sie einfach vorne gebügelt, weil der Rest ja vom Jackett verdeckt ist. Und dann dachte ich mir, vorn ist ja die Krawatte drüber, wozu also die Mühe? Fällt das wirklich so auf?«

»Natürlich fällt es auf«, sagt Donna. »Mir fällt es auf.«

»Gut, aber Sie sind ja auch Polizistin«, sagt Chris. »Wenn ich wieder eine Freundin habe, fange ich auch wieder an, meine Hemden zu bügeln.«

»Solange Sie Ihre Hemden nicht bügeln, wird das auch mit der Freundin nichts werden«, sagt Donna.

»Ein Teufelskreis, wie er im Buche steht.« Chris biegt in eine lange Einfahrt ein. »Allerdings habe ich die Erfahrung gemacht, dass die Hemden sich durchs Tragen mehr oder weniger selbst glätten.«

»Was Sie nicht sagen«, sagt Donna, und sie halten vor Ian Venthams Haus.

28

»Mit der richtigen Zwerchfellkontrolle können Sie den Atem bis zu drei Minuten anhalten«, sagt Ian Ventham. »Alles eine Frage der Willenskraft. Der Körper kommt mit viel weniger Sauerstoff aus, als die meisten annehmen. Schauen Sie die Schneeziegen an, wenn Sie einen Beweis brauchen.«

»Sehr einleuchtend, Mr Ventham«, sagt Chris. »Aber könnten wir vielleicht auf das Foto zurückkommen?«

Ian Ventham betrachtet nochmals das Foto und schüttelt den Kopf. »Nein, das habe ich nie gesehen, hundertpro. Ich erkenne natürlich Tony, Friede seiner Asche, und das da ist dieser Boxer, richtig?«

»Jason Ritchie«, sagt Chris.

»Mein Boxtrainer meint ja, ich hätte das Zeug zum Profi gehabt«, sagt Ian. »Richtiger Körperbau, richtige Mentalität. Es gibt Sachen, die sind nicht lehrbar.«

Chris nickt wieder. Donna sieht sich derweil in Ian Venthams Wohnzimmer um, das eher von der extravaganten Sorte ist. Vor der einen Wand steht ein grellroter Flügel mit goldenen Tasten. Der Klavierhocker ist aus Ebenholz, mit Zebrafellpolster.

»Sie und Tony hatten nicht zufällig eine Auseinandersetzung, Mr Ventham?«, sagt Chris. »Kurz vor seinem Tod?«

»Eine Auseinandersetzung?«, fragt Ian.

»Mmm«, sagt Chris.

»Ich und Tony?«, fragt Ian.

»Mmm«, macht Chris wieder.

»Wir haben nie gestritten«, sagt Ian. »Streiten schadet der inneren Balance. Das ist wissenschaftlich belegt, es macht das Blut dünner. Dünneres Blut, weniger Energie. Weniger Energie, zack, der Absturz.«

Donna lauscht dem Gespräch, hört auf jedes Wort, aber ihre Augen wandern weiter durch den Raum. Über dem offenen Kamin hängt ein großes Ölgemälde mit überladenem Goldrahmen. Es zeigt Ian, schwertumgürtet. Vor dem Gemälde ein ausgestopfter Adler mit ausgebreiteten Schwingen.

»Das wollen wir alles gar nicht infrage stellen«, sagt Chris. »Aber wenn ich Ihnen nun sage, dass ich drei Zeugen habe, die einen Streit zwischen Ihnen beiden beobachtet haben, bevor er getötet wurde?«

Donna schaut Ian zu, wie er sich langsam vorbeugt, wie er die Ellbogen auf die Oberschenkel stützt und das Kinn auf den gefalteten Händen ruhen lässt, die Nachdenklichkeit in Person.

»Okay, sagen wir so«, sagt Ian, nimmt die Ellbogen wieder von den Knien und wendet die Handflächen nach oben. »Wir hatten eine Diskussion, ab und zu braucht man das einfach, kennen Sie ja sicher auch. Abbau von Toxinen. Ich schätze, das war es, was Ihre Zeugen beobachtet haben.«

»Doch, ja, das wäre eine Erklärung«, stimmt Chris zu. »Aber dürfte ich vielleicht fragen, worum es bei der Diskussion ging?«

»Natürlich, klar«, sagt Ian. »Das ist eine berechtigte Frage, und ich finde es sogar gut, dass Sie sie stellen, denn, machen wir uns nichts vor, Tony ist tot.«

»Tony wurde ermordet, um genau zu sein. Kurz nach Ihrem Streit.« Donna, den Blick auf einen smaragdbesetzten Totenschädel gerichtet, findet, dass sie lange genug geschwiegen hat.

Ian nickt in ihre Richtung. »Glasklar erkannt. Sie haben eine große Zukunft vor sich. Also, hören Sie zu, wie viel verstehen Sie von automatischen Sprinkleranlagen?«

»So viel wie von Intarsien-Strickerei«, sagt Chris.

»Ich will in sämtlichen neuen Wohnungen welche einbauen; Tony fand sie zu teuer. Für mich – und ich spreche jetzt nur von mir persönlich, das ist nun mal meine Geschäftsphilosophie – ist die Sicherheit meiner Kunden das oberste Gebot. Absolut das oberste Gebot. Also habe ich Tony das gesagt, und er sieht die Sache um einiges lockerer, nicht mein Stil, also haben wir, ich würde jetzt nicht sagen gestritten, ich würde eher sagen ›gekabbelt‹.«

»Und mehr war nicht?«, fragt Chris.

»Mehr war nicht«, sagt Ian. »Nur die Sprinkleranlagen. Wenn Sie mir etwas vorwerfen wollen, werfen Sie mir vor, dass ich es mit den Sicherheitsauflagen beim Bau eine Spur zu genau nehme.«

Chris nickt und sieht dann Donna an. »Ich denke, dann hätten wir's fürs Erste, Mr Ventham. Es sei denn, meine Kollegin hat noch Fragen?«

Donna würde am liebsten fragen, warum Ventham sie über den Streit anlügt, aber das wäre vermutlich etwas übers Ziel hinausgeschossen. Was soll sie fragen? Welche Frage möchte Chris gern von ihr hören?

»Nur eine Sache, Ian«, sagt Donna. Sie hat keine Lust, ihn Mr Ventham zu nennen. »Wo sind Sie hingefahren, nachdem Sie in Coopers Chase fertig waren? Nach Hause? Oder haben Sie eventuell bei Tony Curran vorbeigeschaut? Um die Diskussion über die Sprinkleranlagen fortzusetzen?«

»Weder noch«, sagt Ian und klingt sehr glaubwürdig dabei. »Ich bin den Hügel hochgefahren und habe mich mit Karen und Gordon Playfair getroffen, denen das Land da oben gehört. Die beiden können Ihnen das sicher bezeugen. Jedenfalls Karen.«

Chris sieht sie an und nickt. Die Frage war in Ordnung.

»Sie sehen übrigens verdammt hübsch aus«, sagt Ian zu Donna. »Für eine Polizistin.«

»Sie werden sich wundern, wie hübsch ich aussehe, wenn ich Sie irgendwann mal festnehmen muss«, sagt Donna und macht sich einen Sekundenbruchteil zu spät klar, dass Augenverdrehen wahrscheinlich kein Zeichen von Professionalität ist.

»Na ja, hübsch ist vielleicht übertrieben«, schränkt Ian ein. »Aber für Kent reicht's allemal.«

»Danke, dass Sie sich Zeit für uns genommen haben«, sagt Chris und erhebt sich. »Wenn wir noch Fragen haben, melden wir uns. Und falls es Sie mal drängt, *mir* Komplimente über mein Aussehen zu machen, meine Nummer haben Sie ja.«

Im Aufstehen lässt Donna einen letzten Blick durchs Zimmer wandern und bemerkt Ian Venthams Aquarium. Auf dem Grund des Beckens steht eine maßstabsgetreue Replik von Ian Venthams Haus. Ein Clownfisch windet sich aus einem der oberen Fenster, während Donna und Chris zum Ausgang gehen.

Als sie ins Auto steigen, plingt Donnas Handy.

Eine SMS von Elizabeth. Was Donna höchst uncharakteristisch erscheint. Nachrichten von Elizabeth sollten in Morsezeichen übermittelt werden oder durch eine ausgeklügelte Reihe von Flaggensignalen.

Mit einem unterdrückten Lächeln öffnet sie die SMS. »Das ist der Donnerstagsmordclub. Sie fragen, ob wir nach Coopers Chase kommen können, Sir. Sie haben Informationen für uns.«

»Der Donnerstagsmordclub?«, wiederholt Chris.

»So nennen sie sich. Sie sind zu viert, eine richtige kleine Gang.«

Chris nickt. »Ich habe Ibrahim und den armen alten Ron Ritchie getroffen. Gehören die auch zu der Gang?«

Donna nickt. Warum Ron Ritchie arm sein soll, erschließt sich ihr nicht, aber im Zweifelsfall steckt auch dahinter Elizabeth. »Sollen wir hinfahren? Elizabeth sagt, dass Jason Ritchie da sein wird.«

»Elizabeth?«

»Sie ist der …« Donna überlegt. »Ich weiß nicht genau, wie ich es nennen soll. Das, was Marlon Brando in *Der Pate* ist.«

»Nach meinem letzten Besuch in Coopers Chase hatte ich Parkkrallen an meinem Wagen«, sagt Chris. »Ich musste einem Rentner in einer Warnweste hundertfünfzig Pfund fürs Aufschrauben zahlen. Schreiben Sie Elizabeth, dass wir zu ihnen kommen, wenn wir es sagen, nicht, wenn sie es sagen. Wir sind die Polizei.«

»Ich bin mir nicht sicher, ob das bei Elizabeth zieht«, sagt Donna.

»Das wird es wohl müssen, Donna«, sagt Chris. »Ich mach diesen Job jetzt seit bald dreißig Jahren, da lasse ich mir doch nicht von vier Rentnern auf der Nase herumtanzen.«

»Ist gut«, sagt Donna. »Ich sag's ihr.«

29

Wie sich zeigt, hat Donna die Lage realistischer eingeschätzt als Chris.

Weshalb Chris Hudson nun auf einem Sofa sitzt, eingepfercht zwischen Ibrahim, den er ja schon kennt, und der winzigen, putzmunteren, weißhaarigen Joyce. Das Sofa bietet höchstens zweieinhalb Leuten Platz, und als Chris dort hinkomplimentiert wurde, ist er davon ausgegangen, dass er es mit nur einer Person teilen wird. Doch mit einer Wendigkeit und Anmut, die er zwei so hochbetagten Menschen nie zugetraut hätte, haben sich Ibrahim und Joyce links und rechts von ihm postiert, und da sind sie nun. Wenn er das geahnt hätte, dann hätte er dankend abgelehnt und einen der beiden Sessel gewählt. Dort sitzen nun Ron Ritchie, der heute deutlich rüstiger wirkt als bei ihrem letzten Treffen, und die furchtgebietende Elizabeth. Bei der sein Nein in keiner Weise gezogen hat.

Am besten untergebracht wäre er natürlich in diesem äußerst bequem aussehenden IKEA-Lehnstuhl, in den sich Donna förmlich hineinkuschelt, die Füße hochgezogen, frei von allen Sorgen.

Könnte er sich umsetzen? Einen Stuhl gibt es noch, einen harten Holzstuhl, aber das wäre ein Affront gegen Joyce und Ibrahim. Sie merken gar nicht, wie sie ihn in die Zange nehmen, und er will um Gottes willen nicht undankbar wirken. Schließlich haben sie ihm ja den

Ehrenplatz zugedacht, ihn in den Mittelpunkt der Aufmerksamkeit gerückt. Er versteht das und weiß es zu würdigen. Sitzordnungen haben eine psychologische Komponente, die jeder gute Polizeibeamte über die Jahre einzuberechnen lernt. Sie haben ganz klar ihr Bestes getan, um ihm ihre Wertschätzung zu zeigen, und wären am Boden zerstört, wenn sie wüssten, dass sie das genaue Gegenteil erreicht haben.

Chris ist eine Teetasse mitsamt Untertasse in die Hand gedrückt worden, aber er sitzt so beengt, dass jeder Versuch, daraus zu trinken, zum Scheitern verurteilt wäre. Sodass er praktisch bewegungsunfähig ist, aber als echter Profi wird er sich nichts anmerken lassen. Donna dagegen hat sogar ein Beistelltischchen für ihren Tee! Unglaublich. Als hätten sie es darauf angelegt, es ihm so unbequem wie nur möglich zu machen. Trotzdem, ruhig Blut.

»Wollen wir anfangen?«, sagt Chris. Er versucht, sich vorzubeugen, aber Ibrahim hat ihm, ohne es zu merken, den Ellbogen in die Hüfte geschoben, sodass Chris sich wieder zurücklehnen muss. Seine Teetasse ist zu voll, um sich mit einer Hand halten zu lassen, und zu heiß, als dass er auch nur nippen könnte. Fast steigt Ärger in ihm auf, aber der eifrige, aufmerksame Blick seiner vier Gastgeber macht echten Groll unmöglich.

»Wie Sie wissen, ermitteln PC De Freitas, die da so gemütlich in ihrem Sessel sitzt, und ich im Mordfall Tony Curran. Er ist ein Mann, der Ihnen, wenn ich recht informiert bin, allen ein Begriff ist, ein hiesiger Bauunternehmer und Projektentwickler. Wie Sie ebenfalls wissen, ist Mr Curran diese Woche auf tragische Weise aus dem Leben geschieden, und wir haben diesbezüglich einige Fragen an Sie.«

Chris sieht seine Zuhörer an. Sie nicken alle so arglos,

hängen an seinen Lippen. Er ist froh, dass er sich einer etwas förmlicheren Sprechweise bedient hat. »Diesbezüglich« macht sich immer gut. Wieder versucht er, etwas Tee abzutrinken, doch der ist immer noch siedend heiß, und jegliches Pusten ließe ihn sofort überschwappen. Außerdem würde Pusten implizieren, dass er etwas an der Temperatur auszusetzen hat, was als kränkend aufgefasst werden könnte.

Joyce führt gleich den nächsten Schlag gegen ihn. »Oje, Herr Hauptkommissar, wo haben wir nur unsere Manieren gelassen? Wir haben Ihnen ja noch gar keinen Kuchen angeboten.« Sie bringt einen Zitronenkuchen zum Vorschein, schon in Scheiben geschnitten, und hält ihn ihm hin.

Chris, außerstande, auch nur eine abwehrende Hand zu heben, sagt: »Für mich nicht, ich habe ziemlich ausgiebig zu Mittag gegessen.« Es hilft ihm nichts.

»Ein Stück müssen Sie probieren. Ich habe ihn extra gebacken«, sagt Joyce mit einem solchen Stolz in der Stimme, dass Chris machtlos ist.

»Aber nur ein ganz kleines«, sagt er, und Joyce lädt eine Scheibe auf seine Untertasse ab.

»Haben Sie denn mittlerweile schon einen Verdächtigen?«, erkundigt sich Elizabeth. »Oder konzentrieren Sie sich nur auf Ventham?«

»Ibrahim findet meinen Zitronenkuchen besser als den von Marks & Spencer«, merkt Joyce an.

»Er wird eine ganze Reihe von Verdächtigen haben«, sagt Ibrahim. »So wie ich DCI Hudson kenne. Er ist sehr gründlich.«

»Wenn er ein bisschen ungewohnt schmeckt, das ist Mandelmehl«, steuert Joyce bei.

»Tatsächlich, junger Mann? Sie haben Verdächtige?«, fragt Ron Chris.

»Na ja, ich fürchte, ich …«

»Und jetzt engen Sie den Kreis ein? Das machen die Kriminaltechniker, oder?«, fragt Ron Ritchie weiter. »Jason und ich sind große Fans von *CSI: Vegas*. Er wird das alles großartig finden. Was für Spuren haben Sie? Fingerabdrücke? DNA?«

Chris hatte Ron deutlich verwirrter in Erinnerung. »Nun ja, deshalb bin ich hier, wie Sie wissen. Ich weiß, dass Sie und Joyce mit Ihrem Sohn zusammensaßen, Mr Ritchie, und wenn ich das richtig verstehe, wird er ebenfalls zu uns stoßen? Es wäre gut, wenn ich ihn auch sprechen könnte.«

»Er hat gerade gesimst«, sagt Ron. »In zehn Minuten ist er hier.«

»Er wäre bestimmt extrem interessiert an den Einzelheiten«, sagt Elizabeth.

»O ja, extrem interessiert«, bestätigt Ron.

»Noch einmal, das liegt nicht in meinem …«, setzt Chris erneut an.

»Der Zitronenkuchen von Marks & Spencer hat zu viel Zucker, Herr Hauptkommissar, das ist meine Meinung«, schaltet sich Ibrahim ein. »Und nicht nur die meinige, wenn Sie sich in den Diskussionsforen umsehen.«

Chris hat jetzt noch mehr zu kämpfen, weil das Stück Kuchen zu groß für den Platz zwischen Tasse und Tellerrand ist, sodass das Ganze immer kippeliger wird. Aber schließlich hatte er es schon mit Mördern, Psychopathen und Gaunern aller Art zu tun, also bleibt er tapfer am Ball.

»Letzten Endes muss ich nur Mr Ritchie und seinen Sohn sprechen – ach ja, und Joyce, Sie hatten ja wohl auch …«

»Mir ist *CSI* ja zu amerikanisch«, unterbricht ihn Joyce. »Meine Lieblingsserie sind diese Oxford-Krimis auf

ITV3. Da hab ich alle Folgen bei mir auf Sky Plus. Ich glaube, ich bin die Einzige in Coopers Chase, die Sky Plus bedienen kann.«

»Ich mag die Inspector-Rebus-Reihe«, fügt Ibrahim hinzu. »Haben Sie die zufällig gelesen? Rebus ist aus Schottland und, mein Gott, hat der Mann Probleme.«

»Also, ich schwöre nach wie vor auf die Highsmith«, sagt Elizabeth.

»Aber an *Die Füchse* reicht nichts heran. Und ich habe sämtliche Mark Billinghams gelesen«, sagt Ron Ritchie, auch jetzt wieder um einiges stringenter, als Chris ihn in Erinnerung hat.

Elizabeth hat derweil eine Flasche Wein entkorkt und schenkt die Gläser voll, die unversehens in den Händen ihrer Freunde erschienen sind.

Chris, durch den Kuchen vollends lahmgelegt, spürt Schweißtröpfchen seinen Nacken entlangkriechen, wie damals bei der Vernehmung des Drei-Zentner-Hells-Angels mit dem TOD-DEN-BULLENSCHWEINEN-Tattoo am Hals.

Zum Glück erbarmt sich Elizabeth seiner. »Sie wirken ein bisschen eingezwängt auf diesem Sofa, Detective Chief Inspector.«

»Sonst treffen wir uns nämlich immer im Puzzle-Stübchen«, sagt Joyce. »Aber heute ist nicht Donnerstag, und im Moment ist das Puzzlestübchen von Plaudern-und-Häkeln belegt.«

»Plaudern-und-Häkeln ist eine relativ neue Gruppe, Detective Chief Inspector«, erklärt Ibrahim. »Ins Leben gerufen von enttäuschten Mitgliedern von Schnacken-und-Stricken, denen dort offenbar zu viel geschnackt und zu wenig gestrickt wurde.«

»Und ins Foyer können wir nicht«, sagt Ron, »denn da tagt der Disziplinarausschuss des Bowling-Clubs.«

»Weil Colin Clemence für die Freigabe von Marihuana zu medizinischen Zwecken plädiert hat«, setzt Joyce hinzu.

»Also bringen wir Sie doch mal in die Vertikale«, sagt Elizabeth, »dann können Sie alles Schritt für Schritt mit uns durchgehen.«

»Au ja«, sagt Joyce. »Sie müssen langsam reden, weil uns das alles doch sehr fremd ist, aber das wäre großartig. Gar nicht schlecht, der Zitronenkuchen, oder? Kaffee-Walnuss gibt's auch noch.«

Chris sieht zu Donna hinüber. Sie zuckt nur die Achseln und kehrt die Handflächen nach oben.

30

Pater Matthew Mackie geht langsam bergaufwärts, die kleine schmale Allee hoch.

Er hat gehofft, mit Tony Currans Tod hätte sich die Sache erledigt. Aber er war bei Ian Ventham, um ihm seine Bitte vorzutragen, und seine Hoffnung ist enttäuscht worden. Das Woodlands-Projekt läuft weiter wie geplant. Der Friedhof muss weichen.

Zeit, sich einen Plan B zurechtzulegen. Und zwar zügig.

Der Weg macht eine Linkskurve, führt dann gerade den Hügel hinauf, und vor ihm, über ihm, kommt der Garten der ewigen Ruhe in Sicht, mit seiner roten Ziegelmauer und dem eisernen Tor, das breit genug für ein Fahrzeug ist. Das Tor sieht alt aus, die Mauer neu. Auf dem Rondell vor dem Tor haben früher die Leichenwagen gewendet; heute sind es die Wartungsfahrzeuge.

Pater Mackie hat das Tor erreicht und öffnet es. Am Ende des Hauptwegs ragt ein großer Christus am Kreuz auf. Durch das Meer der Seelen schreitet Pater Mackie auf ihn zu. Hinter der Statue, jenseits der Mauer, wachsen hohe Buchen den Hang hinauf, bis das offene Weideland beginnt. Pater Mackie bekreuzigt sich am Sockel des Kruzifixes. Auf das Niederknien verzichtet er lieber; Arthritis und Katholizismus gehen nicht immer gut zusammen.

Pater Mackie dreht sich um und blickt hinab über den

Garten, die Augen zusammengekniffen gegen die Sonne. Beidseits des Wegs reiht sich Grabstein an Grabstein, sauber, ordentlich, symmetrisch. Die frühesten Gräber sind Christus am nächsten, und die neueren haben sich, Reihe um Reihe, jeweils zu ihrer Zeit dazugesellt. Es liegen an die zweihundert Verstorbene hier begraben, an diesem Ort, der so schön ist, so friedlich, so vollkommen – man könnte fast an Gott zu glauben beginnen, denkt Mackie.

Das älteste Grab trägt die Jahreszahl 1874, eine Schwester Margaret Bernadette, und bei diesem Grab macht Mackie kehrt und tritt gemessen seinen Rückweg an.

Je älter die Grabmäler, desto prunkvoller und reicher verziert sind sie. Mit jedem seiner Schritte rücken die Todesdaten näher an die Gegenwart heran. Da liegen die Viktorianerinnen, eine schön ordentlich neben der anderen, im Zweifel entrüstet über Palmerston oder die Buren. Als Nächstes kommen die Frauen, die im Kloster waren und zum ersten Mal von den Gebrüdern Wright hörten. Dann jene, die die Blinden und Verstümmelten pflegten, die in Scharen eingeliefert wurden, und dabei zu Gott flehten, er möge ihre Brüder wohlbehalten vom Festland heimkehren lassen. Nach ihnen die Ärztinnen, Wählerinnen, Autofahrerinnen, Frauen, die beide Weltkriege miterlebt hatten und doch nicht vom Glauben abfielen; ihre Grabinschriften sind zunehmend leichter zu entziffern. Dann Fernsehen, Rock 'n' Roll, Supermärkte, Autobahnen, Mondlandungen. Bei den 1970ern verlässt Pater Mackie den Hauptweg. Die Steine hier sind klar und schlicht gehalten. Er geht die Gräberreihe entlang, liest die Namen. Die Welt hat sich von Grund auf gewandelt, aber die Reihen sind immer gleich sauber und geordnet, und auch die Namen sind die gleichen geblieben. Er erreicht die Seitenmauer des Gartens, hüfthoch und um vieles älter als die Mauer im vorderen Teil. Er betrachtet die Aussicht, die sich seit 1874 nicht verändert hat. Bäume, Wiesen, Vögel, alles Dinge, die beständig und heil sind. Er kehrt zum Mittelweg zurück, streift im Vorübergehen ein Blatt von einem der Steine.

Pater Mackie setzt seinen Weg fort, bis er zum jüngsten der Gräber kommt. Schwester Mary Byrne, verstorben am 14. Juli 2005. Was für Geschichten könnte Mary Byrne Schwester Margaret Bernadette erzählen, von der sie nur hundert Meter Luftlinie trennen. So vieles hat sich gewandelt, und doch ist, zumindest hier oben, auch so viel beim Alten geblieben.

Hinter Schwester Mary Byrne ist Platz für etliche weitere Gräber, doch die wurden nicht mehr benötigt. Schwester Mary war die Letzte ihres Ordens. So ruhen sie denn alle hier, die ganze Schwesternschaft, innerhalb dieser Mauern, über sich den blauen Himmel, und einzelne Blätter schaukeln auf ihre Grabmäler hinab.

Was soll er nur tun?

Am Tor dreht sich Mackie noch einmal um. Dann macht er sich auf den Weg hügelabwärts, das baumgesäumte Sträßchen entlang nach Coopers Chase.

Ein Mann in Anzug und Krawatte sitzt auf einer Bank neben dem Weg und betrachtet dieselbe Aussicht, die auch Pater Mackie betrachtet hat. Diese Aussicht, die unverändert geblieben ist, über Kriege und Tod, Autos und Flugzeuge hinweg bis zu WLAN und was immer heute Morgen in der Zeitung stand. Es hat durchaus etwas für sich.

»Pater«, grüßt ihn der Mann. Ein zusammengefalteter *Daily Express* liegt neben ihm. Matthew Mackie nickt zurück und geht grübelnd weiter.

31

Chris hat jetzt seinen eigenen Sessel mit seinem eigenen Beistelltischchen und fühlt sich entsprechend obenauf. Man vergisst manchmal ganz, welche Wirkung ein Polizeibeamter auf die Zivilbevölkerung haben kann. Das Grüppchen vor ihm betrachtet ihn mit geradezu ehrfürchtigen Blicken. Es ist schön, zur Abwechslung einmal ernst genommen zu werden, und er lässt sie großzügig teilhaben an seiner Allwissenheit.

»Das gesamte Haus ist videoüberwacht, topmoderne Geräte sogar, aber aufgezeichnet haben sie nichts. Das ist ganz oft so – wenn's wirklich drauf ankommt, funktionieren sie nicht.«

Elizabeth nickt interessiert. »Hatten Sie denn erwartet, irgendwen Bestimmten zu sehen? Haben Sie jemanden im Verdacht?«, will sie wissen.

»Also hören Sie, so etwas kann ich natürlich nicht verraten«, sagt Chris.

»Das heißt, Sie verdächtigen jemanden. Wie wunderbar! Und schmeckt Ihnen meine Kaffee-Walnuss-Torte?«, fragt Joyce.

Chris hebt ein Stück Torte zum Mund und beißt ab. Auch wieder viel besser als die von Marks & Spencer. Joyce, Sie Multitalent! Und selbst gebackene Kuchen enthalten ja bekanntlich keine Kalorien.

»Ganz köstlich, und nein, ich habe nicht gesagt, dass wir einen Verdächtigen haben, aber wir haben ein paar

Personen von besonderem Interesse, was völlig normal ist.«

»›Personen von besonderem Interesse‹«, sagt Joyce. »Da läuft mir gleich ein Schauder über den Rücken!«

»Mehr als eine, heißt das?«, fragt Elizabeth. »Also nicht nur Ian Ventham? Aber das dürfen Sie wahrscheinlich auch wieder nicht sagen.«

»Das darf er nicht sagen, ganz genau.« Donna sieht den Zeitpunkt zum Einschreiten gekommen. »Nun rücken Sie dem armen Mann doch nicht so auf die Pelle, Elizabeth.«

Chris lacht. »Ich kann schon auf mich allein aufpassen, Donna.«

Ibrahim wendet sich an Donna. »DCI Hudson ist ein ganz ausgezeichneter Ermittler, PC De Freitas. Sie haben Glück, so einen guten Chef zu haben.«

»Ein Profi durch und durch«, stimmt Donna ihm zu.

Elizabeth klatscht in die Hände. »Irgendwie scheint mir, bisher waren wir nur die Nehmenden und gar nicht die Gebenden. Sie waren sehr freundlich, Chris. Ich darf doch Chris sagen?«

»Na ja, ich habe vielleicht ein bisschen mehr gesagt, als ich vorhatte, aber ich freue mich ja, wenn es interessant war«, sagt Chris.

»Äußerst interessant. Und dafür sollten wir uns ein wenig revanchieren, finde ich. Vielleicht möchten Sie da ja gern reinschauen.« Elizabeth überreicht Chris einen hellblauen Ordner von etwa dreißig Zentimetern Dicke. »Ein paar Bilanzen von Ian Venthams Firmen. Einzelheiten über Coopers Chase, über seine Beziehung zu Tony Curran. Wahrscheinlich alles Unfug, aber das können Sie besser beurteilen als wir.«

Aus Joyces Gegensprechanlage schnarrt es, und sie geht zur Tür, während Chris den Ordner in der Hand wiegt.

»Hmm, wir können natürlich einen Blick reinwerfen …«

»Ich schaue mir das an, keine Sorge«, sagt Donna mit einem Nicken zu Elizabeth hin.

Die Tür geht auf, und herein kommt Joyce mit Jason Ritchie höchstpersönlich. Die Tattoos, diese Nase, diese Unterarme.

»Mr Ritchie«, sagt Chris. »So lernen wir uns endlich kennen.«

32

Chris hat Jason um ein Foto gebeten, im Freien, weil Tageslicht immer besser ist.

Donna knipst das Foto. Die beiden Männer lächeln fröhlich und legen die Arme umeinander, an einen Springbrunnen gelehnt, der die Form eines Delfins hat.

Armer Chris, sie haben ihm übel mitgespielt. Donna fragt sich, ob ihm wohl bewusst ist, wie sehr er sich von der Gang hat einwickeln lassen.

Aber es hat sich gelohnt. Sie haben Ron und Jason und auch Joyce zu der Szene befragt, die die drei beobachtet haben. Ein Streit war es zweifellos, worüber, das konnte keiner der drei sagen, aber eine kleine Sache war es definitiv nicht, und da Ron wie auch Jason kampferprobt sind, tun Chris und Donna ihre Meinung nicht ab.

Ron ist sehr stolz auf seinen Sohn, so viel steht fest. Das ist kein Wunder, aber Vorsicht ist trotzdem geboten. Nur für den Fall, dass das Foto neben der Leiche doch keine falsche Fährte darstellt.

Donna befiehlt Chris, ein Stück nach links zu rücken.

»Ich weiß das echt zu schätzen, Jason, Sie werden sicher ständig um Fotos gebeten«, sagt Chris, während er Donnas Aufforderung nachkommt.

»Das ist der Preis, den wir Promis zahlen«, sagt Jason.

Donna hat sich über Jason Ritchie schlaugemacht. Was offen gestanden nicht allzu schwer war; ihr Vater war ein großer Box-Liebhaber.

Jason ist seit den späten Achtzigerjahren berühmt, und nach jetzigem Stand wird er es ewig bleiben. Er war der Held und vereinzelt auch der Schurke in ein paar legendären Kämpfen, die das ganze Land in ihren Bann geschlagen haben. Nigel Benn, Chris Eubank, Michael Watson, Steve Collins und Jason Ritchie. Der Boxsport als Soap-Opera. Manchmal war Jason J. R. Ewing, dann wieder war er Bobby.

Das Publikum liebte Jason Ritchie. Den Raufbold, den Rabauken, dem die Tattoos beide Arme hinauf- und hinunterkrochen, schon lange bevor das bei Profisportlern zum ungeschriebenen Gesetz wurde. Er war charmant, er war attraktiv, auf eine konventionelle Art, aus der, als seine Karriere ihren Tribut forderte, eine zunehmend unkonventionelle Art wurde. Und natürlich hatte er seinen berühmten Aufwiegler-Dad, den »Roten Ron«, der immer für einen markigen Spruch gut war. Die Talkshows liebten Jason ebenfalls. Einmal nietete er aus Versehen Terry Wogan um, als er ihm seinen K.-o.-Schlag gegen Steve Collins vorführte. Dieser Clip, hat Donna gelesen, bringt ihm nach wie vor stetige Tantiemen ein.

Der Höhepunkt seiner Laufbahn war der dritte Fight Benn gegen Ritchie. Ab da verlor sein Körper an Schnelligkeit, die Reflexe an Präzision. Das störte nicht, solange er gegen die Boxer antrat, die gleichzeitig mit ihm alterten, aber einer nach dem anderen stiegen sie aus dem Geschäft aus. Viele Jahre später entdeckte Jason, dass er schlechter bezahlt worden war als die meisten. Probleme mit seinem Manager. Bis heute ist ein Großteil seines Geldes in Estland. Die Gegner wurden jünger, die Gagen mickriger und das Training beschwerlicher, bis 1998, bei einem Kampf in Atlantic City, ein kurzfristig eingesprungener venezolanischer Youngster Jason Ritchie ein letztes Mal zu Boden gehen ließ.

Es folgten einige Jahre in der Wildnis. Einige Jahre, von denen in den Lebensläufen, die Donna in den Zeitungen gelesen hat, nie die Rede ist. Einige Jahre, in denen sich Jason andere Einkommensquellen erschloss. Aus dieser Zeit stammt das Foto mit Tony Curran und Bobby Tanner. Und an dieser Zeit sind Donna und Chris interessiert.

Die Jahre in der Wildnis dauerten allerdings nicht lang. Ein neues Jahrhundert brach an, in dem ein Mann, der Gefährlichkeit und Charme gleichermaßen ausstrahlte, heiß begehrt war. Von den Männermagazinen über die B-Movies und Realityshows bis hin zu den Werbespots für Glücksspiel-Konzerne: Jason scheffelte mehr Geld als jemals im Ring. Er wurde Dritter beim *Dschungelcamp*, er hatte eine Affäre mit Alice Watts aus den *EastEnders*, er durfte in einem Film mit John Travolta einen abgehalfterten Boxer spielen und einen zweiten abgehalfterten Boxer in einem Film mit Scarlett Johansson.

Mit diesem neuen Ruhm nahm es jedoch schnell denselben Lauf wie mit seiner Boxkarriere. Den Platz an der Sonne bekommt man nur auf Zeit. Dieser Tage gibt es keine Filme mehr, weniger Werbespots, dafür taucht er bei allen möglichen Events auf.

Dennoch ist und bleibt Jason Ritchie berühmt, und dafür scheint er dankbar zu sein. Sein Lächeln vor dem Delfin-Springbrunnen kommt Donna ungekünstelt vor.

Sie legt den dicken blauen Ordner weg, den Elizabeth ihr gegeben hat, und zückt ihr Handy. »Jetzt mal ›Cheese‹, oder was ihr Männer eben sagt.«

Jason fängt an, *»I duck and I dive«*, und Chris fällt grölend mit ein: *»And I always survive.«*

Dazu stoßen beide den freien Arm in die Luft, und Donna knipst sie.

»Das war immer sein Slogan«, erklärt Chris Donna. *»I duck and I dive and I always survive.«*

Donna steckt das Handy wieder ein. »Jeder überlebt immer, bis er irgendwann stirbt. Das heißt gar nichts.« Sie könnte noch hinzufügen, dass Jason damals an der Ostküste, als er gegen Rodolfo Mendoza in der dritten Runde k. o. ging, ja nun nicht gerade überlebt hat. Aber wozu zwei mittelalten Männern grundlos die Stimmung versauen?

»Da werden die Jungs im Revier grün vor Neid, wenn ich ihnen das zeige. Danke noch mal, Jason.«

»Kein Thema. Ich hoffe, mein alter Herr konnte Ihnen weiterhelfen.«

Donna weiß, dass keiner ihrer Kollegen das Foto gezeigt bekommen wird. Chris hat schon ein weit interessanteres Jason-Ritchie-Bild zum Herumzeigen.

»Sehr sogar«, sagt Chris. »Aber unter uns, wie sehen Sie das eigentlich, Jason? Die Sache mit Tony Curran? Sie werden ihn doch sicher ein bisschen gekannt haben, aus Fairhaven?«

»Ein bisschen, ja. Ich wusste, wer er war. Aber mehr auch nicht. Er hatte viele Feinde.«

Chris nickt und wirft dann einen verdeckten Blick zu Donna hinüber. Sie tritt auf Jason zu und hält ihm die Hand hin.

»Herzlichen Dank noch mal, Mr Ritchie«, sagt sie.

Jason nimmt Donnas Hand. »War mir ein Vergnügen. Schicken Sie mir das Foto auch? Schien mir eins von den netteren.« Jason schreibt Donna seine Nummer auf. »Dann lauf ich mal wieder hoch zu Pops.«

»Ehe Sie gehen«, sagt Donna und nimmt Jasons Nummer entgegen. »Ein klein wenig besser, als Sie gesagt haben, kannten Sie Tony Curran doch, oder?«

»Tony Curran? Nicht wirklich. Ich bin ihm im Pub

begegnet, ich kenne Leute, die ihn kennen. Hab so ein paar Geschichten gehört.«

»Sind Sie manchmal im Black Bridge, Jason?«, fragt Chris.

Jason zögert einen winzigen Takt lang, als wäre ein Hieb durch seine Deckung gegangen, nur der eine.

»Beim Bahnhof? Ein- oder zweimal vielleicht. Vor Jahren.«

»So vor zwanzig Jahren, kann das sein?«, schlägt Donna vor.

»Möglich«, sagt Jason. »So genau weiß ich das jetzt nicht.«

»Aber Geschäfte mit Tony Curran haben Sie damals keine gemacht?«, erkundigt sich Chris.

Jason zuckt die Achseln. »Wenn mir was einfällt, sag ich Ihnen Bescheid. Ich muss wieder zu Dad, schön, Sie beide kennengelernt zu haben.«

»Ich habe vor nicht langer Zeit ein Foto gesehen, Jason«, sagt Chris. »Eine Gruppe von Freunden im Black Bridge. Bobby Tanner, Tony Curran. Gutes Bild von Ihnen. Alle bester Laune.«

»Ich muss mit allen möglichen Spinnern für Fotos posieren«, sagt Jason. »Anwesende selbstverständlich ausgenommen.«

»An das hier müssten Sie sich erinnern. Der ganze Tisch voller Geld. Sie haben nicht zufällig einen Abzug davon?«, fragt Chris.

Jason lächelt. »Nie gesehen.«

»Und Sie wissen auch nicht, wer es gemacht hat?«, fragt Donna.

»Ein Foto, das ich nicht mal kenne? Sorry.«

»Und wir tun uns schwer, Bobby Tanner zu finden, Jason«, sagt Chris. »Ich nehme nicht an, dass Sie da einen Tipp für uns haben?«

Jason Ritchie spitzt kurz die Lippen, schüttelt dann den Kopf, dreht sich um und winkt noch einmal über die Schulter, bevor er hineingeht, zurück zu seinem Vater. Chris und Donna schauen ihm nach, bis sich die Automatiktür hinter ihm schließt. Chris sieht auf die Uhr und zeigt Richtung Auto. Donna geht neben ihm her, ein Lächeln auf den Lippen.

»Wow, Sir. Voll der Cockney!«

»Tja, erwischt«, sagt Chris, nun endlich wieder in seinem normalen Ton. »Aber was will Jason mit diesem Foto, das Sie ihm schicken sollen? Wozu braucht er das? Um mich bei Bedarf damit zu erpressen?«

»Viel zu kompliziert gedacht, Sir. Er wollte an meine Nummer kommen. Der klassische Schachzug.«

»Umso schlimmer«, sagt Chris.

»Keine Angst«, sagt Donna. »Er wird weder das Foto kriegen noch meine Nummer.«

»Aber gut aussehend ist er schon, oder?«

»Er ist so was wie sechsundvierzig«, sagt Donna. »Nein danke!«

Chris nickt. »Na gottlob. Wobei man sagen muss, allzu beunruhigt wirkte er nicht. Obwohl das mit Tony ja definitiv gelogen war.«

»Das könnte zig Gründe haben«, meint Donna.

»Könnte«, sagt Chris.

Hinter ihnen ertönen Schritte. Als sie sich umdrehen, eilen Elizabeth und Joyce auf sie zu. Joyce hat eine Tupperdose in Händen.

»Das hatte ich Ihnen noch mitgeben wollen!« Joyce hält ihnen die Dose hin. »Der Rest vom Zitronenkuchen. Die Kaffee-Walnuss-Torte ist leider schon anderweitig versprochen.«

Chris nimmt den Kuchen. »Danke, Joyce, er bekommt ein gutes Zuhause.«

»Und, Donna«, Elizabeth zeigt auf den blauen Aktenordner, »wenn Ihre Gutenachtlektüre zu verwirrend wird, können Sie mich jederzeit anrufen.«

»Danke, Elizabeth«, sagt Donna. »Ich werde mich schon irgendwie durchbeißen.«

»Hier, Sie sollten meine Nummer auch haben«, sagt Elizabeth und gibt Chris ihre Karte. »Wir werden in den kommenden Wochen des Öfteren plaudern. Danke, dass Sie heute hier waren, wir freuen uns immer so über Besuch.«

Donna grinst in sich hinein, als Chris einen veritablen Diener vor Elizabeth und Joyce macht.

»Das war so lehrreich«, sagt Joyce strahlend. »Und vielleicht lassen Sie besser Donna fahren, DCI Hudson. In dem Teig war doch sehr viel Wodka.«

33

Sobald die Polizei weg ist, macht sich Elizabeth auf den Weg nach Willows. Sie sorgt dafür, dass Penny einmal die Woche die Haare gewaschen und gelegt bekommt. Anthony, der Friseur, schaut vorbei, wenn er mit seinen Terminen durch ist, und weigert sich strikt, Geld dafür zu nehmen.

Sollte Anthony jemals in irgendwelchen Schwierigkeiten stecken oder sonst wie Hilfe benötigen, wird er erfahren, wie dankbar Elizabeth ihm für diesen Liebesdienst ist.

»Die Mafia, hab ich gehört«, sagt Anthony, während er Penny sacht mit einem shampoogetränkten Schwamm durchs Haar fährt. »Tony Curran konnte nicht zahlen, also haben sie ihm die Finger abgeschnitten und ihn getötet.«

»Das ist eine interessante Theorie«, sagt Elizabeth. Sie hat Penny die Hand unter den Nacken geschoben und stützt ihren Kopf. »Und wie ist die Mafia ins Haus gelangt?«

»Indem sie die Tür aufgeschossen hat, schätze ich mal«, sagt Anthony.

»Ohne Einschusslöcher zu hinterlassen?« Pennys Shampoo duftet nach Rosen und Jasmin, und Elizabeth kauft es in dem Laden hier in Coopers Chase. Zwischendurch war es aus dem Sortiment genommen, aber Elizabeth hat der Geschäftsleitung einen Besuch abgestattet, und jetzt führen sie es wieder.

»Dafür ist es schließlich die Mafia«, sagt Anthony.

»Und ohne die Alarmanlage auszulösen, Anthony?«, fragt John Gray von seinem üblichen Stuhl aus.

»Kennen Sie *Good Fellas*, John«, fragt Anthony zurück.

»Wenn das ein Film ist, dann mit Sicherheit nicht«, sagt John.

»Sehen Sie?«, sagt Anthony. Er kämmt jetzt Pennys Haar aus. »Nächste Woche müssen wir ein bisschen nachschneiden, Penny-Darling. Damit Sie wieder in die Disco können.«

»Keine Einschusslöcher, Anthony«, sagt Elizabeth. »Kein Alarm, keine Scherben, keinerlei Anzeichen eines Kampfes. Was folgern wir daraus?«

»Die Chinesen?« Anthony steckt seinen Lockenstab aus. »Irgendwann erwische ich noch aus Versehen Ihren Stecker, Penny.«

»Wie Penny Ihnen als Allererste sagen würde«, fährt Elizabeth fort, »deutet das darauf hin, dass er seinen Mörder selbst ins Haus gelassen hat. Es muss also jemand gewesen sein, den er kannte.«

»Oh, das gefällt mir«, sagt Anthony. »Jemand, den er kannte. Aber natürlich. Haben Sie schon mal jemanden getötet, Elizabeth?«

Elizabeth zuckt die Achseln.

»Das könnte ich mir lebhaft vorstellen«, sagt Anthony, während er seine Jacke anzieht. »So, fertig für heute, Penny. Ich würde Sie küssen, aber nicht mit John im Zimmer. Schauen Sie diese Ringerarme an.«

Elizabeth steht auf und umarmt ihn. »Danke Ihnen, mein Guter.«

»Sie sieht umwerfend aus, ich kann's nicht anders sagen. Dann bis nächste Woche, Elizabeth. Bye-bye, Penny, bye-bye, Ringer John.«

»Sehr verbunden, Anthony«, sagt John.

Nachdem Anthony gegangen ist, setzt sich Elizabeth

wieder an Pennys Bett. »Aber noch etwas, Penny. Die Polizisten haben Jason hinterher rausgebeten, weil sie ein Foto mit ihm wollten. Solche Anfragen kriegt er natürlich dauernd, aber irgendwie gibt es mir zu denken. Warum mussten sie dafür ins Freie gehen? Joyce hat ein riesiges Panoramafenster. Du weißt schon, diese Wohnungen im Wordsworth Court? Da wäre das Licht ideal gewesen für ein Foto.«

Sie hat wieder Joyce erwähnt. Es wird jedes Mal ein bisschen leichter.

»Meinst du, sie wollten Jason einzeln befragen? Wissen sie etwas, das wir nicht wissen? Wir haben ihn auf der Treppe getroffen, als er wieder hochkam, und er war charmant und locker wie immer, aber wer weiß?«

Elizabeth trinkt etwas Wasser und fühlt Dankbarkeit dafür. Dann fühlt sie sich schuldig, weil sie Dankbarkeit fühlt. Um sich dann schwach zu fühlen, weil sie sich schuldig fühlt. Also redet sie weiter mit Penny. Mit Penny, oder mit sich selbst?

»Vielleicht war es gar nicht Ventham? Vielleicht lässt die Akte uns in die falsche Richtung denken. Diese zwölf Millionen. Ich meine, wo war er denn, als Curran getötet wurde? Wissen wir das? Könnte er es überhaupt gewesen sein? Stimmt der zeitliche Rahmen?«

»Verzeih, Elizabeth«, sagt John. »Aber hast du schon einmal *Mein Traumhaus auf dem Land* gesehen?«

Elizabeth ist es nicht gewohnt, John sprechen zu hören, aber neuerdings scheint er etwas aufzutauen. »Ich glaube nicht, John, nein.«

John rückt auf seinem Stuhl nach vorn. Offenkundig beschäftigt ihn etwas. »Das ist eigentlich gar keine so schlechte Sendung. Ich meine, es ist natürlich alles Unsinn, aber trotzdem. Sie zeigen jedes Mal ein Paar, das ein Haus kaufen will.«

»Auf dem Land, John?«

»Auf dem Land, du sagst es. Und ein Makler, oder manchmal ist es auch eine Maklerin, zeigt ihnen mehrere Anwesen. Ich sehe es immer ohne Ton, weil es nicht so ganz Pennys Fall ist. Aber man sieht es den Paaren schon am Gesicht an, welcher Partner der ist, der umziehen will, und welcher sich nur fügt. Um seinen Frieden zu haben.«

»John.« Elizabeth beugt sich vor und sieht ihm in die Augen. »Ich habe dich noch nie einen Satz äußern hören, mit dem du nicht irgendeine Absicht verbindest. Worauf zielt das also ab?«

»Na ja, einfach nur auf Folgendes«, sagt John. »*Mein Traumhaus auf dem Land* kam an dem Tag, an dem Tony Curran umgebracht wurde, und sie waren fast am Ende angelangt, an dem Punkt, wo sie entscheiden müssen, ob sie das Haus kaufen oder nicht. Sie kaufen es nie, aber das gehört dazu. Ich bin aufgestanden und habe mir draußen am Getränkeautomaten eine Lucozade Sport geholt, und dabei habe ich aus dem Fenster geschaut, dem, das nach vorn rausgeht, und da fuhr Venthams Wagen vorbei.«

»Der Range Rover?«, fragt Elizabeth.

»Ja, der Range Rover«, sagt John. »Kam auf dem Feldweg den Berg heruntergerumpelt. Und ich dachte mir, vielleicht sollte ich das erwähnen, denn *Mein Traumhaus auf dem Land* kommt gleich nach *Doctors*, und es ist um Punkt drei Uhr zu Ende.«

»Verstehe«, sagt Elizabeth.

»Und ich dachte, wenn ihr genau wüsstet, wann Ventham in Coopers Chase weggefahren ist, und genau wüsstet, wann Curran gestorben ist, dann wäre das vielleicht nützlich. Für die Ermittlungen.«

»Um drei Uhr, sagst du?«, fragt Elizabeth.

»Mmm. Punkt drei Uhr.«

»Danke, John. Dann sollte ich kurz mal eine SMS versenden.« Elizabeth greift nach ihrem Handy.

»Ich glaube, die Benutzung von Mobiltelefonen ist hier drin nicht gestattet, Elizabeth«, sagt John.

Elizabeth zuckt nachsichtig die Schultern. »Stell dir vor, wir würden uns immer an das halten, was irgendwo gestattet ist, John.«

»Da hast du wohl recht, Elizabeth«, räumt John ein und vertieft sich wieder in sein Buch.

34

Donna macht sich gerade zum Ausgehen fertig, als sie eine Nachricht bekommt. Elizabeth. Chris und sie sind erst vor ein paar Stunden in Coopers Chase weggefahren. Sie wird ihr irgendeine Information abluchsen wollen, aber Donna freut sich trotzdem, als der Name auf dem Display erscheint.

> Wann genau ist Tony Curran gestorben?

Na, das ist kurz und knapp. Donna grinst und geht auf Antworten.

> Wie wäre es mit einer kurzen Frage nach meinem Befinden und ein bisschen Small Talk, bevor Sie mich um einen Gefallen angehen? Und mit einem Küsschen am Schluss? Um mich milde zu stimmen? x

Donna sieht die Sprechblase, die anzeigt, dass Elizabeth am Schreiben ist. Es dauert, worauf muss sie sich also gefasst machen? Auf eine Gardinenpredigt? Eine Erinnerung daran, warum Donna nach einem Mörder fahnden darf, anstatt auf dem Halfords-Parkplatz die Tiefe von Reifenprofilen nachzumessen, womit Mark heute beschäftigt ist? Oder vielleicht etwas Lateinisches? Wieder macht es *Pling*.

Wie ist das werte Befinden, Donna? Mary Lennox hat eine neue Urenkeltochter, aber sie fürchtet, dass ihre Enkelin fremdgegangen sein muss, denn ihr Mann hat ein sehr ausgeprägtes Kinn, das an dem Kind nicht zu finden ist. Wann genau ist Tony Curran gestorben? xxx

Welchen Lippenstift soll sie nehmen? Er sollte nicht zu auffällig sein, aber trotzdem ein bisschen knallig. Sie schreibt zurück:

Das kann ich Ihnen nicht sagen. Berufsgeheimnis.

Diesmal kommt das *Pling* sofort.

LOL!

LOL? Wo hat Elizabeth das denn her? Gut, wenn sie ihr so kommt …

WTF?

Das setzt Elizabeth offenbar erst einmal außer Gefecht, sodass Donna Zeit bleibt, in den Spiegel zu schauen und ihr interessiertes Gesicht, ihr lachendes Gesicht und ihr abgründig-verführerisches Gesicht zu überprüfen, bevor das nächste *Pling* kommt.

Bedaure, WTF kenne ich nicht. LOL habe ich auch erst letzte Woche von Joyce gelernt. Ich gehe davon aus, dass es nicht für die Warschauer Transport-Föderation steht, denn die wurde 1981, als die Russen das Kriegsrecht verhängten, aufgelöst.

Donna schickt ein Emoji mit Kulleraugen und eins mit der russischen Flagge zurück und fängt an, sich die Zahnzwischenräume zu reinigen. Auch wenn das ja heutzutage angeblich nicht mehr erforderlich ist. *Pling!*

Das ist die chinesische Flagge, Donna. Ich brauche nur den Todeszeitpunkt. Sie wissen, dass wir es nicht weitertratschen werden, und Sie wissen auch, dass für Sie dabei auch etwas Wissenswertes herausspringen könnte.

Donna lächelt. Was kann es schon schaden?

15:32. Sein Fitnesstracker ist bei dem Aufprall zerbrochen.

Wieder ein *Pling*.

Ich weiß zwar auch nicht, was ein Fitnesstracker ist, trotzdem danke! x

35

Joyce

Heute war die Polizei hier, und am Anfang tat mir DCI Hudson richtig leid, aber ich glaube, gegen Ende hat er sich doch halbwegs zu Hause gefühlt. Jedenfalls hat Elizabeth ihm und Donna den Ordner übergeben. Mal sehen, welche Schlüsse sie daraus ziehen. Joannas Name kommt nirgends vor, was laut Elizabeth die »glaubhafte Abstreitbarkeit« erhöht, für den Fall, dass nicht alles, was wir tun, ganz legal ist. Wovon ich ausgehe.

Ich habe Elizabeth gebeten, den Begriff »glaubhafte Abstreitbarkeit« zu wiederholen, damit ich ihn aufschreiben kann. Sie wollte wissen, wozu ich ihn aufschreiben will, und ich sagte, weil ich Tagebuch schreibe, worauf sie die Augen verdrehte. Aber dann wollte sie wissen, ob sie auch in dem Tagebuch vorkommt, und ich sagte, natürlich, und sie fragte, ob ich denn ihren richtigen Namen benutze. Ich sagte, ja sicher, aber jetzt bin ich natürlich ins Grübeln gekommen. Was ist bei Elizabeth schon sicher? Vielleicht heißt sie in Wahrheit Jacqueline? Wer hinterfragt denn den Namen, mit dem sich uns jemand vorstellt? Den nimmt man so hin.

Aber was ich noch dachte: Sie müssen ja glauben, ich hätte nichts als Mord im Kopf, weil in meinem Tagebuch von nichts anderem die Rede ist. Also sollte ich vielleicht auch einmal über andere Dinge schreiben. Sprechen wir von etwas, das nicht Mord ist. Hmm, was gäbe es da?

Als ich nach dem Besuch von Donna und ihrem Chef kurz durchgesaugt habe, meinte Elizabeth, womöglich täte ich mich mit einem dieser kabellosen Staubsauger leichter. Ich sagte, nicht in meinem Alter, die Umstellung ist mir zu groß. Aber vielleicht sollte ich den Sprung doch wagen?

Und nach dem Staubsaugen haben wir noch einen Wein getrunken. Einen mit Schraubverschluss, aber da merkt man ja heutzutage gar keinen Unterschied mehr. Sie schmecken alle gut.

Als Elizabeth ging, habe ich ihr Grüße an Stephen aufgetragen, und sie sagte, sie richtet sie aus. Dann habe ich gefragt, ob sie nicht einmal zum Abendessen zu mir kommen wollen, und sie meinte, das sei eine schöne Idee. Aber etwas ist da nicht in Ordnung. Sie wird es mir erzählen, wenn sie so weit ist.

Was gibt es noch, was nichts mit Mord zu tun hat?

Mary Lennox' Enkelin hat ein Kind bekommen. Es heißt River, was für einiges Stirnrunzeln gesorgt hat, aber ich finde, es klingt nett. Die Frau, die den Laden betreibt, lässt sich scheiden, was sich positiv auf die Auswahl an Schokoladenkeksen auswirkt. Karen Playfair, die Tochter des Bauern oben am Berg, wird uns eine »Coopers-Chase-Morgenlektion« über Computer erteilen. Im letzten Rundbrief hieß es, sie erzählt uns etwas über Tablets, was zu viel Verwirrung geführt hat, deshalb mussten sie diese Woche eine Richtigstellung abdrucken.

Bis auf das und den Mord ist alles ruhig und friedlich.

Gut, aber es ist spät, also sage ich jetzt gute Nacht. Während ich am Schreiben war, kam eine SMS von Elizabeth. Wie es aussieht, fahren wir morgen wieder irgendwohin. Keine Ahnung, wann oder weshalb, aber ich freue mich jetzt schon.

36

Donna kann es nicht fassen, dass sie schon um Viertel vor zehn im Bett liegt. Sie hat sich auf das Date eingelassen, weil es ehrlich gesagt mal wieder Zeit war. Ein Mann namens Gregor hat sie ins Zizzi's eingeladen, wo er einen Salat gemümmelt und ihr neunzig Minuten lang sämtliche Details seiner Eiweißshake-Diät dargelegt hat.

An irgendeinem Punkt hat Donna ihn nach seinem Lieblingsschriftsteller gefragt. Eine akzeptable Antwort wäre für sie Harlan Coben, Kurt Vonnegut oder nahezu jede Frau gewesen. Gregor hat wichtigtuerisch erwidert, dass er nicht »an Bücher glaubt« und dass man in diesem Leben nur dazulernt, indem man Erfahrungen sammelt und sich einen offenen Geist bewahrt. Als sie daraufhin wissen wollte, wie man einen »offenen Geist« haben könne, wenn man nicht »an Bücher glaubt«, entgegnete er überlegen: »Ich würde sagen, deine Frage ist der beste Beweis, dass ich recht habe, Diana«, und nippte sein Wasser auf eine Art, die große Weisheit implizierte.

Den Tränen nahe vor Langeweile, hat Donna zu überlegen begonnen, was Carl heute Abend wohl macht. Donna ist vor Kurzem dazu übergegangen, sich durch den Instagram-Feed ihres Ex-Freunds sowie den Instagram-Feed seiner neuen Freundin zu scrollen, die offenbar Toyota heißt. Es ist ihr so zur Gewohnheit geworden, dass es ihr regelrecht fehlen wird, wenn es zwischen Carl und Toyota aus ist. Was nur eine Frage der Zeit sein kann, denn Carl ist ein Idiot und wird es niemals schaffen, eine Freundin mit derart tollen Augenbrauen zu halten.

Liebt Donna Carl noch? Nein. Hat sie ihn je geliebt, mal ganz ehrlich? Wahrscheinlich nicht, jetzt, wo sie Zeit zum Nachdenken hatte. Leidet ihr Stolz immer noch unter der Trennung? Ja, da zeichnet sich keine Besserung ab. Die Demütigung sitzt wie ein Stein direkt unter ihrem Herzen. Letzte Woche, als sie in Fairhaven einen Ladendieb festnehmen musste und er sich zu wehren versuchte, hat sie ihm den Schlagstock in die Kniekehlen gerammt, und zwar deutlich fester als nötig. Manchmal muss man einfach jemandem wehtun.

War es ein Fehler, so weit von Carl wegzugehen wie nur möglich? Sich nach Fairhaven versetzen zu lassen, um dort ihre Wunden zu lecken? Natürlich war es das. Es war dumm. Donna war schon immer schnell von Entschluss, hat schon immer gewusst, was sie will. Was hilfreich ist, wenn man das Richtige will, aber zum Problem werden kann, wenn nicht. Was nützt es, die Schnellste von allen zu sein, wenn man in die falsche Richtung läuft? An den Donnerstagsmordclub zu geraten, ist das erste Glück, das Donna seit Langem widerfahren ist. Das, und der Mord an Tony Curran.

Donna hat ein Selfie von sich und Gregor gemacht, nachdem er seinen Superfood-Salat aufgegessen hatte. Unter ihren Post auf Instagram hat sie geschrieben: »So sieht das aus, wenn man einen Personal Trainer datet!«, und nicht nur einen Zwinkersmiley dazugesetzt, sondern zwei. Das Einzige, was Männer je eifersüchtig macht, sind gut aussehende Rivalen, und Carl weiß ja nicht, dass Donna weite Teile des Abends hindurch überlegt hat, welche Gegenstände auf dem Tisch sich am ehesten als Mordwaffe eigneten. Ihre Wahl fiel schließlich auf ein mit Zyankali versetztes Teigbällchen. Wobei ihr nachträglich klar geworden ist, dass sich Gregor mit Kohlehydraten natürlich nie hätte ködern lassen.

Apropos Gregor, sie hört die Spülung rauschen. Hastig steigt sie in ihre Kleider, und als er aus dem Bad kommt, verabschiedet sie sich mit einem Küsschen auf die Wange. Sie wird den Teufel tun und bei einem Achtundzwanzigjährigen übernachten, der an seiner Schlafzimmerwand zwei Poster hängen hat, eins mit dem Dalai Lama darauf und eins mit einem Ferrari. Es ist noch nicht mal zehn, und sie überlegt, ob sie es wohl wagen kann, Chris Hudson zu simsen und ihn zu fragen, ob er sie auf einen kurzen Drink trifft. Dann könnten sie über Elizabeths Akte reden, die Teile davon, die sie verstanden hat. Außerdem hat sie endlich *Narcos* auf Netflix gesehen und will sich mit jemandem darüber unterhalten. Gregor kannte *Narcos* natürlich nicht. Gregor sieht grundsätzlich nicht fern, aus einem langwierigen Grund, an dem Donna schnell das Interesse verloren hat.

Oder soll sie einfach nach Hause gehen und stattdessen Elizabeth anrufen? Sich von ihr erklären lassen, was sie in der Akte gelesen hat? Ob zehn Uhr zu spät ist? Wer kann das bei dieser Truppe schon sagen? Immerhin essen sie um halb zwölf zu Mittag.

Das heißt, sie versucht es entweder bei Chris, ihrem Chef, oder bei Elizabeth, ihrer … ja, was ist Elizabeth für sie? Das Wort, das ihr spontan in den Sinn kommt, ist »Freundin«, aber das kann ja fast nicht stimmen.

37

»Überhaupt nicht zu spät, PC De Freitas«, sagt Elizabeth, nachdem ihr der Hörer im Dunkeln fast ausgekommen wäre, und tastet nach dem Schalter der Nachttischlampe. »Ich sehe gerade noch *Inspector Morse*.«

Elizabeth schafft es, das Licht anzuknipsen, sieht das sanfte Heben und Senken von Stephens Brustkorb, unter dem sein treues Herz stetig schlägt.

»Und warum sind Sie so spät noch wach, Donna?«

Donna schaut auf die Uhr. »Na ja, es ist Viertel nach zehn. Manchmal bin ich um die Zeit einfach noch auf. Also, Elizabeth, die Akte war ein bisschen lang und ein bisschen kompliziert, aber ich glaube, so halbwegs blicke ich jetzt durch.«

»Ausgezeichnet«, erwidert Elizabeth. »Sie sollte genau so lang und so kompliziert sein, dass Sie das Bedürfnis haben, mich deshalb anzurufen.«

»Aha«, sagt Donna.

»Dadurch bleibe ich involviert, verstehen Sie, und Sie vergessen nicht, dass wir manchmal für etwas gut sind. Sie sollen nicht denken, wir pfuschen Ihnen ins Handwerk, Donna, aber man will ja nicht völlig abgehängt sein.«

Donna lächelt. »Wollen wir uns die Akte dann mal vornehmen, ja?«

»Eins nur vorweg: Da sind Unterlagen dabei, deren Beschaffung Sie Wochen kosten würde. Sie würden

Durchsuchungsbeschlüsse brauchen, den ganzen Kladderadatsch. Ventham würde das Zeug bewachen wie ein Schießhund. Ich will mich ja ungern selbst loben, aber das muss einmal gesagt sein.«

»Sie dürfen mir ruhig auch verraten, wie Sie an die Sachen rangekommen sind.«

»Ron hat sie auf der Müllkippe gefunden. Schon erstaunlich, was man so findet, ein Glücksfall für uns alle. So, sollen wir vor dem Schlafen die wichtigsten Punkte kurz durchgehen? Ein mögliches Mordmotiv für Ian Ventham zum Beispiel?«

Donna legt den Kopf auf ihr Kissen und fühlt sich, als würde ihre Mutter ihr eine Gutenachtgeschichte vorlesen. Ihr ist klar, dass das die falsche Assoziation ist, aber so fühlt es sich nun mal an. »Hmm-hmm«, macht sie.

»Also, Venthams Firmen sind äußerst profitabel, äußerst gut geführt. Aber jetzt kommt die erste Entdeckung, die für uns von Interesse ist: Tony Curran war mit fünfundzwanzig Prozent an Coopers Chase beteiligt.«

»Aha.«

»Aber als Nächstes entdeckten wir, dass Curran keine Anteile an der neuen Firma besitzt, die Ventham für das Woodlands-Projekt gegründet hat.«

»Die neue Anlage? Okay. Und?«

»In Ihrem Ordner ist ein Anhang – 4c, glaube ich. Bei Woodlands war die Aufteilung ursprünglich die gleiche wie beim Rest von Coopers Chase, fünfundsiebzig Prozent für Ian Ventham, fünfundzwanzig für Tony Curran, bis Ventham es sich anders überlegt und Currans Anteil auf null gesetzt hat. Wie lautet somit die nächste Frage?«

»Wann genau war das?«

»Exakt. Ventham hat die Papiere, mit denen er Curran aus dem Geschäft herausdrängte, am Tag vor der Baubesprechung unterzeichnet. Also einen Tag vor ihrem geheimnisvollen Streit. Und einen Tag, bevor Tony Curran umgebracht wurde.«

»Bei den Woodlands ging Curran also leer aus«, sagt Donna. »Was bedeutet das in Zahlen?«

»Millionen«, sagt Elizabeth. »Das sind gigantische Projekte in diesem Ordner. Curran muss mit Riesengewinnen gerechnet haben, bevor er von Ventham ausgebootet wurde. Was er vermutlich am Tag seines Todes von ihm erfahren hat.«

»Und daraufhin hat er Ventham gedroht. Ist das Ihre These? Curran bedroht Ventham, Ventham bekommt es mit der Angst und bringt Curran um. Schaltet ihn aus, bevor Curran ihn ausschalten kann.«

»So in etwa. Und bei der nächsten Stufe der Erschließung, Hillcrest, hätte der Verlust noch stärker zu Buche geschlagen, sagt unser Experte.«

»Hillcrest?«, fragt Donna.

»Das eigentliche Sahnehäubchen. Das Land oben auf dem Hügel. Dadurch verdoppelt sich die Größe.«

»Und wann kommt Hillcrest?«

»Tja, das ist der kleine Wermutstropfen für Ventham. Noch gehört ihm das Land nicht«, sagt Elizabeth. »Es gehört dem Bauern, Gordon Playfair.«

»Das wird mir zu kompliziert, Elizabeth«, gibt Donna zu.

»Vergessen Sie Hillcrest und Gordon Playfair fürs Erste, das lenkt nur ab. Für Sie enthält die Akte zwei Schlüsselinformationen. Erstens wurde Tony Curran von Ventham kurz vor seinem Tod massiv übervorteilt.«

»Und zweitens?«

»Und zweitens – und hören Sie gut zu – sind die Anteile von Tony Curran mit dessen Tod an Ian Ventham zurückgefallen.«

»Currans Anteile fallen an Ventham zurück?«

»So ist es«, bestätigt Elizabeth. »Wenn Sie eine Zahl brauchen, irgendetwas Griffiges, das Sie an Chris Hudson weitergeben können: Unser Experte meint, Tony Currans Tod hat Ian Ventham auf einen Schlag um zwölfeinviertel Millionen Pfund reicher gemacht.«

Donna stößt einen leisen Pfiff aus.

»Was für mich doch nach einem handfesten Motiv aussieht«, fährt Elizabeth fort. »Ich hoffe, das hilft Ihnen weiter?«

»Auf jeden Fall, Elizabeth. Ich sage Chris Bescheid.«

»Chris. Aha.«

»Dann lasse ich Sie jetzt weiterschlafen, Elizabeth, tut mir leid, dass ich Sie so spät noch gestört habe. Und ich bin Ihnen sehr dankbar für Ihre Hilfe. Und gerührt, dass Sie so konsequent ›unser Experte‹ sagen statt ›Joyces Tochter‹. Sehr loyal. Wir gehen der Sache nach, versprochen.«

»Danke, Donna, und kein Kommentar. Wenn Sie das nächste Mal hier sind, würde ich Sie gern mit meiner Freundin Penny bekannt machen.«

»Danke, Elizabeth, ich freue mich schon. Aber wozu brauchten Sie den Todeszeitpunkt von Tony Curran?«

»Reine Neugier. Ich glaube, Sie werden Penny gefallen. Gute Nacht, meine Liebe.«

38

Am Himmel von Kent steigt die Sonne empor.

»Ibrahim, wenn du weiter vierzig fährst, wird diese ganze Übung für die Katz sein«, sagt Elizabeth und trommelt mit den Fingern auf dem Handschuhfach.

»Und wenn wir in einer Kurve gegen einen Baum prallen, dann wird die Übung auch für die Katz sein«, sagt Ibrahim, die Augen auf die Fahrbahn gerichtet und entschlossen, sich nicht irremachen zu lassen.

»Möchte jemand einen Käsecracker?«, fragt Joyce.

Ibrahim hätte nicht Nein gesagt, aber er hat gern beide Hände am Steuer. Zehn vor zwei, immer.

Ron ist der Einzige der vier, der noch ein Auto hat, was aber keineswegs die Frage klärt, wer von ihnen fährt. Joyce hat seit dreißig Jahren keinen Führerschein mehr und scheidet somit aus. Ron hat pro forma Ansprüche angemeldet, aber Ibrahim weiß, dass ihm das Rechtsabbiegen nicht mehr ganz leichtfällt und er im Stillen erleichtert ist, überstimmt worden zu sein. Elizabeth hat sich schon energischer ins Spiel gebracht und erwähnt, dass sie im Besitz eines gültigen Panzerführerscheins ist. Sie kokettiert schon manchmal arg mit ihrer Geheimdienstvergangenheit. Doch den Ausschlag gab letztlich etwas anderes: Ibrahim versteht als Einziger, wie das Navi funktioniert.

Der Ausflug war Elizabeths Idee, unbenommen. Sie wissen aus irgendeinem Grund, dass Ian Ventham Punkt drei Uhr in Coopers Chase weggefahren ist, und sie wissen, dass Tony Curran um 15 Uhr 32 ermordet wurde. Ibrahim musste den anderen erklären, was ein Fitnesstracker ist. Und so sind sie jetzt in Rons Daihatsu unterwegs, um die Strecke zu timen. Ibrahim weiß, dass sie dafür einfach den Routenplaner verwenden könnten, aber er weiß auch, dass die anderen das nicht wissen, und er hatte Lust, einmal wieder Auto zu fahren. Das letzte Mal ist schon lange her.

Also sitzt Ibrahim nun am Steuer, Joyce und Ron futtern auf der Rückbank vergnügt Joyces Käsecracker, Elizabeth hat aufgehört, mit den Fingern zu trommeln, und schreibt eine SMS, und, darauf hat Ibrahim bestanden, alle waren vor dem Aufbruch noch einmal auf der Toilette.

Hätte Ian Ventham es schnell genug von Coopers Chase bis zu Tony Currans Haus schaffen können, um ihn zu erschlagen? Wenn nicht, dann haben sie aufs falsche Pferd gesetzt. Bald werden sie mehr wissen.

39

»Also, Leute, ich mach den Anfang, und dann seid ihr an der Reihe.«

Es ist früh am Morgen, und Chris Hudsons Ermittlungsteam ist wieder einmal in verschiedenen Stadien der Zerzaustheit im Besprechungsraum versammelt. Chris hat eine Ladung Donuts von der Tankstelle spendiert, und sie arbeiten ihre Punkte zügig ab. Chris fasst zusammen, was sie vom Donnerstagsmordclub erfahren haben und was ihm Donna über Venthams Finanzen erzählt hat, als sie gestern Abend um elf vor seiner Tür stand. Sie haben die Sache gemeinsam gedreht und gewendet und sich dann eine Flasche Rotwein und die erste Folge der zweiten *Narcos*-Staffel reingezogen. Donna hat sich selbst eingeladen, und Chris fragt sich, ob das alle Constables in London heutzutage so machen. Man muss es ihr lassen, sie versteht es, sich Geltung zu verschaffen.

»Ian Ventham, Tony Currans Firmenpartner, hatte keine zwei Stunden vor Currans Ermordung eine schlechte Nachricht für ihn. Curran sollte bei einem Bauprojekt ausgebootet werden, der Erweiterung von Coopers Chase, einer Seniorensiedlung in der Nähe von Robertsbridge. Mit dem Projekt hätte Curran eine große Summe verdient, und sein Tod hat Ventham sogar noch mehr Geld eingebracht. Über zwölf Millionen. Zeugen haben die beiden streiten sehen, kurz bevor Curran heimfuhr. Hat er Ventham also gedroht? Hat Ventham beschlossen, lieber auf Nummer sicher zu gehen, und ihm jemanden vorbeigeschickt? Curran starb letzten Dienstag um 15:32, das wissen wir. Bleibt die Frage, wann Ventham in Coopers Chase losgefahren ist.«

»Woher stammen diese Informationen?«, erkundigt sich eine junge Kommissarin, Kate Irgendwas.

»Quellen«, sagt Chris. »Wie sieht es bei den Verkehrskameras aus, Terry? Habt ihr Venthams Kennzeichen?«

Donnas Handy vibriert, und sie liest:

Alles Gute für die Lagebesprechung heute früh. LG Elizabeth x

Donna schüttelt den Kopf.

»Die Nummer hab ich, aber sonst bisher nichts. Wir sind noch am Auswerten«, sagt DI Terry Hallet, kahl rasierter Schädel, muskelgeschwelltes weißes T-Shirt. »Die Straße ist ziemlich befahren. Da sind wir gut beschäftigt.«

»Deshalb kriegt ihr auch Donuts, Terry«, sagt Chris. »Bleibt dran. Irgendwelche Erkenntnisse über unseren anderen Freund auf dem Foto, Bobby Tanner?«

»Wir sind mit der Amsterdamer Polizei in Kontakt«, sagt Kate Irgendwas. »Da hat sich Bobby nach seinem Abgang hier mit irgendwelchen Liverpoolern zusammengetan. Das lief offenbar nicht so toll, und seitdem hat ihn niemand mehr gesehen. Keine Adresse, keine Kontonummer, nichts. Wir hören uns weiter um, falls er unter einem anderen Namen zurückgekehrt ist, aber es ist lange her, und von seinen Kumpeln von damals ist fast keiner mehr da.«

»Wär schon gut, wenn wir ihn befragen könnten, wenigstens, um ihn auszuschließen. Hat sonst noch jemand was rausgefunden?«

Eine Kommissaranwärterin hebt die Hand. Sie ist aus Brighton hierher abgestellt worden und isst statt Donuts Karottenstifte.

»Ja, DS Grant«, sagt Chris, was ein Schuss ins Blaue ist.

»DS Granger«, sagt DS Granger.

Aber *so* knapp, denkt Chris. Es gibt einfach zu viele Beamte in diesem Team.

»Ich habe Tony Currans Anruflisten durchgeschaut. Er hat am Morgen vor dem Mord drei Anrufe erhalten, die er nicht angenommen hat, alle von derselben Nummer. Eine Mobilnummer, nicht rückverfolgbar, vermutlich ein Wegwerfhandy.«

Chris nickt. »Okay. Gute Arbeit, DS Granger, mailen Sie mir alles, was Sie haben, und knöpfen Sie sich den Anbieter vor, ob die was rausrücken. Werden sie nicht, schon klar, aber irgendwann haben wir sie so weit.«

»Gern, Sir«, sagt DS Granger und gönnt sich einen weiteren Karottenstift.

Donnas Handy vibriert wieder.

Der Donnerstagsmordclub macht eine kleine Spazierfahrt, nur falls Sie uns etwas mitteilen möchten.

»Okay, Leute, zurück an die Arbeit. Terry, wenn die Verkehrskameras etwas ergeben, sag mir sofort Bescheid. Kate, tun Sie sich doch bitte mit DS Granger zusammen und versuchen Sie, etwas über diese Anrufe herauszufinden. Und suchen Sie weiter nach Bobby Tanner, wo immer er ist, lebend oder tot; irgendwer muss schließlich was wissen. Falls jemand sich unterbeschäftigt fühlt, soll er zu mir kommen, irgendeine Fleißarbeit habe ich immer übrig. Wir werden Ventham schon drankriegen, so oder so.«

Donnas Handy vibriert zum dritten und letzten Mal.

P. S.: Meine Spione haben gesehen, wie Chris heute früh Donuts gekauft hat. Ihnen geht's wirklich gut. Und Grüße von Joyce. xx

40

Bernard Cottle hat das Kreuzworträtsel im *Express* gelöst und steckt den Stift zurück in sein Jackett. Welch schöner Morgen das wieder ist. Auf seiner Bank hier am Hügel. Zu schön, ein grausamer Trick, grausam gegenüber all jenen, die diese Schönheit nicht mehr erleben dürfen.

Vorhin hat er Joyce und ihre Freunde in ein Auto steigen und wegfahren sehen. Wie fröhlich sie gewirkt haben. Aber in Joyces Gesellschaft blüht jeder auf, scheint es ihm.

Bernard weiß, dass er sich zu tief in sich selbst vergraben hat. Dass er außer Reichweite ist, selbst für Joyce. Bernard ist nicht zu retten, und er verdient es nicht, gerettet zu werden.

Dennoch, was gäbe er nicht darum, jetzt mit im Auto zu sitzen. Die Aussicht zu genießen, während Joyce neben ihm plaudert und ihm vielleicht einen losen Faden vom Jackettärmel zupft.

Stattdessen wird er hier sitzen, auf seiner Bank am Hang, wie jeden Tag, und auf das warten, was nicht ausbleiben kann.

41

Wenn es nach Ibrahim ginge, hätten sie direkt in Tony Currans Einfahrt geparkt, denn nur das gewährleistet absolute Präzision. Doch laut Elizabeth wäre dies ein strategisches Armutszeugnis, und so stehen sie nun auf einem Rastplatz etwa dreihundert Meter von Tony Currans Haus entfernt. Zur Not wird es reichen, denkt er.

Ibrahim hat sein Notizbuch auf der Motorhaube des Daihatsu aufgeschlagen und zeigt Joyce und Elizabeth eine Reihe von Berechnungen. Ron uriniert im Gebüsch.

»Wir haben jetzt siebenunddreißig Minuten gebraucht, bei einer Durchschnittsgeschwindigkeit von vierundvierzig Komma drei km/h, grob gerechnet. Wir hatten praktisch keinen Verkehr, weil ich extrem gut im Routenplanen bin. Ich habe einen sechsten Sinn. Mit einem anderen Fahrer hättet ihr viel mehr Verkehr gehabt, darauf würde ich wetten.«

»Ich werde dich für einen Verdienstorden vorschlagen«, sagt Elizabeth. »Sobald wir wieder zurück sind. Und was heißt das jetzt in Bezug auf Ventham?«

»Möchtet ihr die ausführliche Erklärung oder die verkürzte?«

»Die verkürzte bitte, Ibrahim«, sagt Elizabeth wie aus der Pistole geschossen.

Ibrahim zögert. Hat er seine Frage unzureichend formuliert? »Aber ich habe eine ausführliche Erklärung vorbereitet, Elizabeth.«

Der Einwand bleibt so lange in der Luft stehen, bis Joyce sagt: »Dann sind wir doch alle gespannt auf die ausführliche Erklärung, Ibrahim.«

»Ganz wie ihr möchtet, Joyce.« Ibrahim klatscht leicht in die Hände und schlägt eine neue Seite auf. »Also, Ventham hatte die Wahl zwischen drei Routen. Er könnte unsere Route gewählt haben, was ich jedoch bezweifle; ich glaube nicht, dass er mein Gespür für Wegenetze hat. Route Nummer zwei, die A21, ist laut Karte die auf der Hand liegende Verbindung, da die direkteste Linie, aber hier kommt unsere Freundin, die Wanderbaustelle, ins Spiel. Ich habe gestern erst mit einem äußerst beschlagenen Mann von der Grafschaftsverwaltung Kent gesprochen, der mir erklärt hat, dass hier Glasfaserkabel verlegt werden. Soll ich vielleicht noch etwas zur Glasfasertechnik sagen, Joyce?«

»Also, wenn Elizabeth nicht darauf besteht, mach dir meinetwegen keine Mühe«, sagt Joyce.

Ibrahim nickt. »Ein andermal. Und die dritte Möglichkeit wäre die London Road, an Battle Abbey vorbei und von dort rüber zur B2159. Ich weiß schon, was ihr jetzt denkt. Ihr denkt, dass das ein Umweg ist, stimmt's?«

»Ich habe zwar etwas gedacht, aber ganz bestimmt nicht das«, sagt Elizabeth. Ibrahim meint einen Hauch von Ungeduld auszumachen, aber noch schneller geht es beim besten Willen nicht.

»Wenn wir also unsere Durchschnittsgeschwindigkeit ansetzen, die sich, wie ihr euch sicher erinnert, auf …?«

»Ich habe es vergessen, Ibrahim, entschuldige bitte«, sagt Joyce.

»Grob geschätzt vierundvierzig Komma drei km/h, Joyce«, wiederholt Ibrahim mit der Geduld, die ihn so auszeichnet.

»Natürlich«, nickt Joyce.

»Und bei Ian Ventham schlagen wir im Schnitt noch einmal fünf km / h drauf. Ich fahre ja eher defensiv, wie ihr wisst.« Ibrahim sieht sowohl zu Elizabeth als auch zu Joyce und nimmt zufrieden vehementes Nicken zur Kenntnis. »Ich habe mir also erlaubt, seine drei möglichen Routen zu kumulieren, das Ergebnis durch seine Durchschnittsgeschwindigkeit zu teilen und davon eine Fehlerspanne zu subtrahieren. Die Fehlerspanne habe ich übrigens auf recht elegante Weise ermittelt. Wenn ihr einen Blick in mein Heft werfen wollt, dann könnt ihr die Berechnungen nachvollziehen. Wir nehmen die Durchschnittsgeschwindigkeit von Route A, und dann …«

Ein Geräusch aus dem Dickicht lässt Ibrahim innehalten. Es ist Ron, der aus den Büschen hervortritt und nonchalant seinen Reißverschluss hochzieht.

»Besser draußen als drinnen«, sagt Ron.

»Ron!«, ruft Elizabeth, als hätte sie einen uralten Freund wiedergefunden. »Wir wollten uns gerade von Ibrahim ein paar mathematische Berechnungen erklären lassen, aber bei so etwas reagierst du ja immer ein bisschen allergisch, oder?«

»Keine Mathematik, Ibrahim, alter Junge«, sagt Ron. »Hätte Ventham es in der Zeit schaffen können?«

»Nun, ich kann euch zeigen …«

Ron winkt ab. »Ibrahim, mein Freund, ich bin fünfundsiebzig. Hätte er es schaffen können, ja oder nein?«

42

Ian Ventham trainiert auf dem Laufband und hört dabei die Hörfassung von Richard Bransons *Geht nicht, gibt's nicht*. Politisch hat Ian mit Branson wenig am Hut, im Gegenteil, aber beeindruckend ist der Typ schon. Was der Mann alles aufgebaut hat! Irgendwann demnächst wird Ian sein eigenes Buch schreiben. Er braucht nur noch einen schmissigen Titel, dann legt er los.

Beim Laufen denkt Ian an den Friedhof und an Pater Mackie. Da darf nichts schiefgehen. In der guten alten Zeit hätte er einfach Tony Curran Bescheid gesagt, und der hätte sich Mackie zur Brust genommen. Aber Tony gibt es nicht mehr, und Ian wird sich darüber keine Sekunde länger einen Kopf machen, als Richard Branson das täte. Branson würde den Blick nach vorn richten, und genau das hat Ian vor.

Die Bagger sind für nächste Woche bestellt. Der Friedhof kommt als Erstes dran, das ist der lästige Teil, so wie beim Steak das Gemüse. Alles andere wird ein Spaziergang sein.

Die Bagger sind startklar, die Genehmigungen unterzeichnet, Bogdan hat ein paar Baggerführer in petto.

So gesehen – worauf wartet er noch? Was täte Branson an seiner Stelle?

Er würde nicht lang fackeln. Geht nicht, gibt's nicht.

Ian stoppt das Hörbuch und ruft, ohne aus dem Tritt zu geraten, Bogdan an.

43

Joyce

Könnte Ian Ventham Tony Curran umgebracht haben? Das war heute die große Frage.

Nun, laut Ibrahims Aussage, und was Detailgenauigkeit angeht, vertraue ich Ibrahim blind, wäre es ziemlich knapp gewesen, aber nicht unmöglich. Wenn Ian Ventham um Punkt drei in Coopers Chase weggefahren ist, müsste er Tony Currans Haus (groß, ziemlich neureich, aber ansonsten nicht schlecht) eine Minute vor halb erreicht haben. Damit hätte er zwei Minuten gehabt, um auszusteigen, das Haus zu betreten und Tony Curran mit einem schweren Gegenstand niederzuschlagen.

Ron meinte dazu, wenn es Ian Ventham war, dann müsste er ein Höllentempo draufgehabt haben, und Elizabeth meinte, wenn schon jemanden töten, dann mit Tempo; langes Herumtun habe die Sache noch nie besser gemacht.

Ich habe Ibrahim gefragt, ob das mit dem Timing ganz sicher sei, und er sagte, selbstverständlich sei es das, er habe ja auch versucht, mir die Herleitung zu erklären, aber er sei durch Ron unterbrochen worden, der ausgerechnet da vom Austreten zurückkam. Ich sagte, das sei wirklich ein Jammer, und er schaute gleich viel fröhlicher und meinte, wir könnten es ja vielleicht später noch nachholen. Ich sagte, das fände ich sehr schön, denn eine harmlose Lüge hat noch keinem geschadet.

Wir hatten also viel Spaß heute, und es sieht ganz so

aus, als könnte Ian Ventham Tony Curran tatsächlich getötet haben. Ein Motiv hatte er, zeitlich war es möglich, und Curran eins überzubraten, traut man ihm auch ohne Weiteres zu. Inspector Lewis hätte ihn quasi schon überführt.

Aber was ist, wenn Ventham jetzt festgenommen wird? Und der Spaß aufhört?

Warten wir ab, was der morgige Tag bringt.

44

Ian Ventham geht heute zeitig schlafen. Er stellt den Wecker auf fünf Uhr. Morgen ist der große Tag. Er setzt seine Verdunklungsbrille und die schallunterdrückenden Kopfhörer auf und döst sanft weg.

Ron schließt die Augen. So was wie gestern mit der Polizei müsste es öfter geben, und die Baubesprechung neulich, wo er Ventham runtergeputzt hat, das hat auch gutgetan. Irgendwie fehlt ihm das Rampenlicht. Ein Publikum für seine Reden. Noch mal bei *Question Time* auftreten, das wär's. Aber da werden sie ihn nicht einladen. Weil sie wissen, dass er sie aufmischen würde. Auf den Tisch hauen, die Tories demaskieren, das Haus zum Beben bringen wie in der guten alten Zeit. Oder eher doch nicht? Jetzt driften seine Gedanken. Vielleicht durchschauen sie ihn ja, vielleicht sind seine Kniffe veraltet? Etwas an Biss hat er definitiv verloren. Was ist, wenn sie von Syrien anfangen? Syrien? Oder ist das Libyen? Was ist, wenn Dimbleby ihn scharf anschaut und sagt: »Mr Ritchie, sagen Sie uns, was Sie gesehen haben.« Aber das war der Bulle, oder? Und es ist gar nicht mehr Dimbleby, der *Question Time* moderiert, sondern Fiona Bruce. Fiona Bruce mag er. Aber wer hat Tony Curran auf dem Gewissen? Ventham. Typischer Blair-Anhänger. Falls er da nicht was übersieht. Hat er etwas übersehen?

Ein Haus weiter zählt sich Ibrahim die Länder der Welt auf, nur zur Übung, um seine linke Hirnhälfte in Form zu halten. Die rechte Hirnhälfte befasst sich derweil weiter mit der Frage, wer Tony Curran getötet hat. Irgendwo zwischen der Dominikanischen Republik und Dschibuti schläft er ein.

Elizabeth in ihrer Vierzimmerwohnung im Larkin Court, der mit der Sonnenterrasse, kann nicht schlafen. Sie kennt es dieser Tage kaum anders.

Sie liegt im Dunkeln, den Arm um Stephen gelegt. Spürt er das noch? Kann Penny sie noch hören? Sind alle beide schon nicht mehr da? Oder sind sie nur so lange wirklich, wie sie, Elizabeth, daran glaubt, dass sie wirklich sind? Elizabeth hält Stephen noch ein wenig fester, versucht, den Tag am Vergehen zu hindern, solang sie nur kann.

Bernard Cottle surft im Internet. Sufi, seine Tochter, hat ihm letztes Weihnachten ein iPad geschenkt. Er hatte sich Pantoffeln von ihr gewünscht, aber Pantoffeln waren aus Sufis Sicht kein richtiges Geschenk, deshalb musste er sich im Schlussverkauf in Fairhaven selbst welche kaufen. Er wusste erst nicht, wie man das iPad bedient, aber Joyce hat ihm befohlen, sich nicht so anzustellen, und es aus der Schublade geholt und ihm alles gezeigt. Neben sich hat er einen großen Whisky und das letzte Stück von Joyces Kaffee-Walnuss-Torte stehen. Ein fahler bläulicher Schein beleuchtet sein Gesicht, während er zum wohl hundertsten Mal die Baupläne für The Woodlands studiert.

Eines nach dem anderen werden die Fenster in Coopers Chase dunkel. Der einzige Lichtschein dringt jetzt hinter den dicken Krankenhausrollos von Willows hervor. Gestorben wird nach einem anderen Rhythmus als gelebt.

45

Als Erster hat Ellidge sie gesichtet.

Edwin Ellidge steht jeden Morgen um sechs Uhr auf und schlurft langsam, aber zielstrebig die Auffahrt hinunter bis zur Hauptstraße. Er überquert den Weiderost, geht zum Straßenrand vor, schaut nach links und nach rechts, schaut zur Sicherheit nochmals, dreht sich um und schlurft die Auffahrt wieder hoch. Auftrag erledigt. Um halb sieben ist er wieder in seiner Wohnung, worauf man für den Rest des Tages nichts mehr von ihm sieht.

Coopers Chase wäre nicht Coopers Chase, wenn ihn jemals jemand nach dem Zweck der Übung gefragt hätte. Eine Frau aus dem Tennyson Court führt ja auch einen Hund Gassi, den es nicht gibt. Was immer die Leutchen glücklich macht …

Aber Elizabeth wäre nicht Elizabeth, wenn sie ihn nicht eines Morgens auf dem Rückweg abgefangen hätte, rein zufällig, versteht sich. Als er näher kam, ließen der Frühnebel, ihr dampfender Atem und die gebeugte Männergestalt in dem langen Mantel sie an glückliche DDR-Zeiten denken. Er hob den Kopf, sah sie an, nickte und sagte: »Keine Angst, ich hab gerade kontrolliert.« Elizabeth erwiderte: »Danke, Mr Ellidge.« Sie machte kehrt, und beide stapften in einträchtigem Schweigen zum Haus zurück.

Ibrahim sagt, Ellidge war früher Schuldirektor und später Imker, und Elizabeth meint den versteckten

Hauch eines Norfolk-Akzents in seiner Stimme zu entdecken, aber mehr an Hintergrundwissen konnten sie zu Mr Edwin Ellidge nicht ansammeln.

Ian Venthams Range Rover bildete die Vorhut. Das war kurz nach sechs. Ellidge hat ihn aus der Entfernung von der Straße in den Schotterweg einbiegen sehen, der hinauf zu den Playfairs führt. Die Bagger haben Ellidge gegen 6 Uhr 20 überholt, als er schon wieder auf dem Rückweg war. Er gönnte ihnen keinen Blick. Wonach immer er Ausschau hielt, diese Fahrzeuge waren es offenbar nicht. Sie standen Schnauze an Schnauze auf einem Tieflader, der langsam die Auffahrt hochkeuchte.

Frühmorgendliches Ausrücken mag das Mittel der Wahl sein, um Drogendealer oder bewaffnete Gangs zu überrumpeln, aber für Coopers Chase ist es die falsche Taktik. Die ersten Telefone klingeln schätzungsweise um 6 Uhr 21. Da kommen Bagger die Einfahrt hoch, zwei Stück. Also, ich weiß ja nicht – Sie vielleicht? Spätestens um 6 Uhr 45 weiß die gesamte Anlage Bescheid, alles per Festnetz – Ibrahim hat im Februar versucht, eine WhatsApp-Gruppe einzurichten, aber der Funke hat nicht gezündet. Erste Bewohner kommen aus ihren Häusern und beratschlagen sich, was zu tun ist.

Als um halb acht Ian Ventham den Berg heruntergefahren kommt und in die Einfahrt einbiegt, muss er entdecken, dass ganz Coopers Chase draußen versammelt ist. Die einzige Ausnahme ist Edwin Ellidge, der für einen Tag schon genug Abenteuer erlebt hat. Neben Ian Ventham sitzt Karen Playfair. Sie ist die heutige Gastrednerin bei den Coopers-Chase-Morgenlektionen.

Der Tieflader hat seine schleppende Fahrt fortgesetzt und wird nun mit größter Vorsicht über den Parkplatz gesteuert. Bogdan springt vom Beifahrersitz und schiebt den Riegel an dem schweren Holztor zurück, damit das

Gefährt weiter bergan tuckern kann, das Sträßchen hinauf zum Garten der ewigen Ruhe.

»Moment mal, mein Freund.« Ron nähert sich Bogdan und gibt ihm die Hand. »Ron. Ron Ritchie. Was soll das hier sein?«

Bogdan zuckt die Achseln. »Bagger.«

»Ich werd dir gleich was mit Baggern. Was wollt ihr damit?«, fragt Ron, um hinzuzufügen: »Und sag jetzt nicht baggern.«

Noch mehr Bewohner haben das Tor erreicht und scharen sich um Ron, alle ganz Ohr.

»Also, junger Mann? Was ist der Plan?«, fragt Ron.

Bogdan seufzt. »Wenn ich nicht sagen darf, baggern …« Er schaut auf die Uhr.

»Freundchen, du hast gerade das Tor hier aufgemacht, und dieses Tor führt nur zu einem Ort.« Ron sieht, er hat eine Zuhörerschaft, und diese Chance wird er sich nicht durch die Lappen gehen lassen. Er dreht sich zu den Versammelten um. Seine Truppe ist vollzählig da. Ibrahim hat sein Schwimmzeug unterm Arm, Joyce kommt mit einer Thermoskanne und scheint jemanden zu suchen. Elizabeth steht ganz hinten, an ihrer Seite, seltener Anblick dieser Tage, Stephen. Er ist im Bademantel, aber das sind momentan einige. Schuldbewusst erkennt Ron Pennys Mann, John, wie immer im Anzug, der auf seinem Weg hinüber nach Willows stehen geblieben ist. Ron war schon lange nicht mehr bei Penny und weiß, dass er das nachholen muss, bevor es zu spät ist. Aber er hat Bammel davor.

Ron erklimmt für seine Brandrede den untersten Torbalken. Dort angekommen, gerät er ins Schwanken, besinnt sich eines Besseren und klettert auf festen Boden zurück. Egal, die Sache läuft.

»Na, das ist ja reizend. Nur wir, ein paar Polen und

zwei Bagger. Alle beim Frühsport. Venthams kleine Mafia. Die hier um halb sieben angeschlichen kommt, um unsere Nonnen auszubuddeln. Keine Vorankündigung, keine Absprache. Kommen hier an und wollen unsere Nonnen ausbuddeln.« Er spricht Bogdan direkt an. »So war das doch gedacht, oder, Freundchen?«

»Ja, war so gedacht«, räumt Bogdan ein.

Venthams Range Rover hält neben dem Tieflader an, und Ventham steigt aus. Er sieht in die Menge, blickt zu Bogdan, der die Achseln zuckt. Karen Playfair steigt ebenfalls aus und lächelt in die Runde.

»Schau an, der große Zampano selbst«, sagt Ron, als Ventham auf ihn zuhält.

»Mr Ritchie«, sagt Ian.

»Tut mir leid, wenn ich Ihre Morgenpläne störe, Mr Ventham«, sagt Ron.

»Tun Sie sich keinen Zwang an. Machen Sie nur, halten Sie Ihre Rede«, versetzt Ventham. »Tun Sie so, als hätten wir die Fünfzigerjahre, oder wann immer Ihre große Zeit war. Aber wenn Sie fertig sind, muss ich hier durch, weil wir da oben zu arbeiten haben.«

»Heute nicht mehr, guter Mann, tut mir leid«, sagt Ron, indem er sich wieder der Menge zuwendet. »Wir sind alle schwach, Mr Ventham, das sehen Sie, oder? Ein schiefer Blick, und schon liegen wir da. Wir sind gebrechlich, einer wie der andere – ein Stups, und wir fallen um. Wir sind Umfaller. Praktisch, wie? Sollte ein Kinderspiel sein. Aber glauben Sie mir, ein paar Leute hier haben ordentlich was auf die Beine gestellt in ihrem Leben, stimmt's?«

Anfeuernde Rufe.

»Die haben, bei allem Respekt, noch ganz anderen Kalibern als Ihnen heimgeleuchtet.« Ron hält inne und lässt den Blick über seine Zuhörerschaft wandern. »Wir haben Soldaten unter uns, einen oder zwei. Wir haben Lehrer unter uns, wir haben Ärzte, wir haben Leute, die Sie zerlegen können, und Leute, die Sie wieder zusammenflicken. Wir haben Leute, die durch die Wüste gerobbt sind, Leute, die Raketen gebaut haben, Leute, die Mörder hinter Gitter gebracht haben.«

»Und Versicherer!«, ruft Colin Clemence aus dem Ruskin Court zu gut gelauntem Applaus.

»In einem Wort, Mr Ventham«, Ron schwenkt die Hand, »wir haben *Kämpfer* hier. Und Sie mit Ihren Baggern um halb acht Uhr früh sind ganz offensichtlich auf einen Kampf aus. Den können Sie haben!«

Ian wartet, um sicherzugehen, dass Ron fertig ist, dass er seinen letzten Pfeil abgeschossen hat, und tritt dann vor, um seinerseits zu der Menge zu sprechen.

»Danke, Ron. Alles Blödsinn, aber trotzdem danke. Von was für einem Kampf reden wir? Ihr hattet eure Baubesprechung, ihr habt eure Einwände erhoben, sie sind alle entkräftet worden. Habt ihr nicht auch Anwälte hier? Oder nur Leute, die durch die Wüste robben? Was ist mit Strafrechtlern? Zivilrechtlern? Und Richtern. Ihr müsst doch auch Richter haben. Das war euer Kampf. Vor Gericht. Es war ein fairer Kampf, und ihr habt ihn verloren. Wenn ich also um acht Uhr auf das Land fahren will, das mir gehört, um Arbeiten auszuführen, die ich geplant habe und für die ich bezahle und die, ebenfalls bei allem Respekt, dafür sorgen werden, dass euer Wohngeld so moderat bleibt, wie es im Moment ist, dann darf ich das. Ich darf es, und ich werde es.«

Das Wort »Wohngeld« hat einen sichtbaren Effekt auf die zarter Besaiteten unter den Zuhörern. Auch wenn sie noch vier Stunden bis zum Mittagessen totschlagen müssen und sich auf eine Abwechslung gefreut haben: Wo der Mann recht hat, hat er recht.

Joyce und Bernard, die sich während Rons großer Rede unauffällig entfernt hatten, kehren jetzt mit Gartenstühlen unterm Arm zurück. Sie gehen zwischen den Zuschauern hindurch und stellen sie auf dem Weg auf.

Und nun ist es Joyce, die sich an die Menge wendet. »Radio Kent sagt, es bleibt erst mal wolkenlos, wenn sich uns also jemand anschließen möchte? Wir könnten auch über Mittag bleiben, falls irgendwer einen Picknicktisch hat, den er nicht braucht?«

Ron schaltet sich ein: »Wer macht mit – ein gemütlicher Sitzstreik mit einer schönen Tasse Tee?«

Sofort bricht Geschäftigkeit aus, Stühle und Tische werden herbeigeschafft, Kessel aufgesetzt, Schränke geplündert, für einen Drink ist es vielleicht etwas früh, aber wer sagt, dass es nicht spät werden kann? Wobei das mit dem Wohngeld doch nicht ganz von der Hand zu weisen ist.

Ibrahim steht neben dem Führerhäuschen des Tiefladers und unterhält sich mit der Fahrerin. Er hat die Länge, rein nach Augenmaß, auf dreizehn Meter fünfzig geschätzt und hört nun hochbefriedigt, dass sie dreizehn Meter dreißig beträgt. Nicht schlecht, Ibrahim, du hast es immer noch drauf.

Elizabeth führt Stephen unbeschadet nach Hause. Sie wird ihm einen Kaffee kochen und sich dann wieder aufmachen.

46

Ian Venthams Anruf geht gegen halb acht im Polizeirevier Fairhaven ein. Donna schüttet gerade einen Liter Cranberrysaft in sich hinein, als sie die Worte »Coopers Chase« aufschnappt. Sie meldet sich freiwillig und schickt Chris Hudson eine Nachricht. Er hat heute Morgen frei, aber das wird er sich nicht entgehen lassen wollen.

Um sieben Uhr erhält Pater Matthew Mackie einen Anruf von Maureen Gadd. Um sieben Uhr dreißig ist er gestiefelt und gespornt, inklusive Kollar, und wartet auf das Taxi zum Bahnhof.

47

Vor dem Tor, hinter dem es zum Garten der ewigen Ruhe hinaufgeht, stehen inzwischen rund zwanzig Stühle. Hauptsächlich Liegestühle, aber auch ein Esszimmerstuhl, weil Miriam es mit dem Rücken hat.

Es ist eine unkonventionelle Barrikade, aber doch eine wirksame. Zu beiden Seiten des Tors wachsen die Bäume dicht an dicht, womit der Friedhof im Moment nur durch eine Phalanx von Senioren zu erreichen ist, von denen nicht wenige die Gelegenheit nutzen, um sich in der Morgensonne zurückzulehnen und ein wohlverdientes Schläfchen zu halten. Die Bagger werden hier so schnell nicht durchkommen.

Ian Ventham hat sich in sein Auto zurückgezogen und beobachtet das Treiben von dort. Karen Playfair steht daneben und dampft fröhlich ihre Zimt-Apfel-E-Zigarette.

Ian sieht Picknicktische, Weinkühler, Sonnenschirme. Tee wird auf gepolsterten Tabletts herangetragen und verteilt. Fotos von Enkeln werden herumgezeigt. Der Garten der ewigen Ruhe ist zum Nebenschauplatz degradiert, die meisten Bewohner genießen hier einfach ein Straßenfest in der Sommersonne. Kein Grund für Ian einzugreifen; sobald die Polizei anrückt, werden sie einknicken wie ihre Klappmöbel und zurückkehren zu ihrem üblichen Seniorengedaddel.

Ian ist sich sicher, dass dieser Spuk bald vorbei sein

wird, aber er hofft doch, dass die Polizei zeitnah kommt. Bei den Steuersummen, die er hypothetisch zahlt, ist das das Mindeste, was er erwarten kann.

48

Elizabeth geht eigene Wege. Sie hat noch rasch Stephen versorgt, dann die Abkürzung durch Blunts Wood genommen und erreicht jetzt die schmale Allee, die zum Garten der ewigen Ruhe hinaufführt. Sie folgt ihr, bis sie zu der hölzernen Bank kommt, Bernard Cottles Bank, wo sie sich hinsetzt und wartet.

Sie blickt hinab auf Coopers Chase. Die Allee macht einen Knick, sodass die Barrikade außer Sicht ist, aber sie hört den gesitteten Tumult am Fuße des Hügels. Die entscheidenden Dinge passieren immer abseits des Rummels. Insgeheim wundert es sie, dass Joyce nicht auch schon da ist. Aber ganz so geschult wie Elizabeths Instinkte sind die von Joyce anscheinend doch nicht.

Aus dem Wald auf der anderen Seite des Wegs, etwa zwanzig Meter weiter hangabwärts, ertönt nun ein Rascheln, und gleich darauf tritt zwischen den Bäumen Bogdan hervor, eine Schaufel über der Schulter.

Er kommt den Weg herauf und nickt Elizabeth im Vorbeigehen zu.

»Missus«, sagt er. Wenn er eine Mütze aufhätte, würde er sie lüften, da ist sie fast sicher.

»Bogdan«, erwidert sie. »Ich weiß, dass Sie zu tun haben, aber ich hätte da eine Frage, die ich Ihnen gern stellen würde.«

Bogdan bleibt stehen, nimmt die Schaufel von der Schulter und stützt sich auf den Griff. »Bitte«, antwortet er.

Elizabeth hat die Sache über Nacht noch einmal gründlich durchdacht. Ganz ehrlich – Ventham fährt vor, verschafft sich Einlass, geht in die Küche, erschlägt Tony Curran, und das alles in nur zwei Minuten? Auch das hat sie schon erlebt, aber nicht bei einem Amateur. Was ist ihr also entgangen?

»Hat Mr Ventham Ihnen gegenüber erwähnt, dass er Tony Curran loswerden möchte?«, fragt Elizabeth. »Nach dem Streit mit ihm? Wollte er vielleicht, dass Sie ihm helfen? Und haben Sie ihm vielleicht auch geholfen?«

Bogdan betrachtet sie einen Augenblick lang. Unerschüttert.

»Ich weiß, das sind drei Fragen, nicht eine. Haben Sie Nachsicht mit einer alten Frau.«

»Ist okay. Ist nur eine Antwort«, sagt Bogdan. »Immer dieselbe. Nein, nein und nein.«

Das lässt sich Elizabeth durch den Kopf gehen. »Aber für Sie hat sich ja alles sehr gut gefügt dadurch, nicht? Sie haben einen einträglichen neuen Job.«

»Ja«, bestätigt Bogdan nickend.

»Darf ich Sie fragen, ob Sie Tony Currans Alarmanlage eingebaut haben?«

Bogdan nickt wieder. »Klar, ich mach alle solche Sachen für Ian.«

»Das heißt, Sie hätten ganz leicht ins Haus gelangen können? Und da auf ihn warten?«

»Ja. Sehr leicht.«

Elizabeth hört am Fuß des Hügels noch mehr Autos vorfahren.

»Ich weiß, es ist nicht die höfliche Art, das zu fragen, aber wenn Ian Ventham Tony Curran aus dem Weg hätte räumen wollen, hätte er dann unter Umständen Sie damit beauftragt? Haben Sie diese Art von Beziehung zu ihm?«

»Er vertraut mir«, sagt Bogdan abwägend. »Vielleicht würde er mich fragen, ja.«

»Und was hätten Sie dann wohl geantwortet? Wenn er Sie gefragt hätte?«

»Manche Jobs mach ich. Alarm einbauen, Pool fliesen, so was. Und manche Jobs mach ich nicht. Und wenn er fragt, ich würde zu ihm sagen: ›Kann sein, dass du sehr guten Grund hast, aber ich finde, du bringst ihn selber um, Ian.‹ ’kay?«

»Da haben Sie absolut recht«, stimmt Elizabeth zu. »Aber Sie sind zu hundert Prozent sicher, dass Ventham Sie nicht doch gefragt hat?«

Bogdan lacht. »Hundert Prozent, ja. Daran würd ich mich erinnern.«

»Das waren jetzt doch eine ganze Menge Fragen, Bogdan, tut mir leid«, sagt Elizabeth.

»Ist okay«, sagt Bogdan und sieht auf die Uhr. »Ist ja früh. Kann man gut reden.«

»Woher kommen Sie, Bogdan?«

»Polen.«

»Das ist mir klar. Wo in Polen?«

»Bei Krakau. Sie haben von Krakau gehört?«

Und ob Elizabeth von Krakau gehört hat. »Allerdings, ja, das ist eine sehr schöne Stadt. Ich war sogar einmal dort, vor vielen Jahren.« 1968, um genau zu sein, als Mitglied einer Handelsdelegation, zu einem informellen Gespräch mit einem jungen polnischen Oberst. Der polnische Oberst ließ sich später hochzufrieden in Coulsdon als Buchmacher nieder und erhielt für seine Verdienste um die britische Krone einen Orden, der bis zu seinem Tod in einer Schublade weggesperrt blieb.

Bogdan blickt hinaus über die Hügel von Kent. Dann streckt er die Hand aus. »Ich muss arbeiten gehen. Hat mich gefreut.«

»Mich auch, Bogdan. Ich heiße übrigens Marina«, sagt Elizabeth, als sie seine riesige Pranke schüttelt.

»Marina?«, wiederholt Bogdan. Das Lächeln kehrt zurück, wagt sich aus der Deckung wie ein Rehkitz, das die ersten Schritte versucht. »Marina, so hieß meine Mutter.«

»Das ist ja nett!«, sagt Elizabeth. Stolz ist sie nicht auf sich, aber solche Dinge können mitunter sehr nützlich sein. Und, Hand aufs Herz, wenn ein Mann sich so viel an privaten Informationen auf den Körper tätowieren lässt, was erwartet er? »Ich hoffe, wir sehen uns einmal wieder, Bogdan.«

»Ich hoffe auch, Marina.«

Elizabeth schaut ihm nach, wie er das Sträßchen hinaufgeht, das schwere Eisentor aufstößt und mit seiner Schaufel im Garten der ewigen Ruhe verschwindet.

Es gibt solche Grabschänder und solche, denkt Elizabeth, während sie sich auf den Weg bergab macht. Noch etwas fällt ihr ein, das sie hätte fragen wollen. Hat Ian Ventham die gleiche Alarmanlage wie Tony Curran? Wenn ja, dann hätte er spielend in Tony Currans Haus eindringen können. Falls das sein Wunsch gewesen wäre. Sie könnte wetten, es ist die gleiche. Sie wird Bogdan fragen, wenn sie ihn das nächste Mal sieht.

Bei der Barrikade angekommen, stellt Elizabeth fest, dass das Tor inzwischen mit einem Vorhängeschloss gesichert ist, das von drei Frauen bewacht wird, eine davon Maureen Gadd, die mit Derek Archer Bridge spielt. Sehr schlecht, wie Elizabeth findet.

Sie steigt über das Tor und riskiert den kleinen Sprung vom untersten Querbalken, zurück ins Zentrum des Geschehens. Wie lange wird sie das noch können? Drei Jahre, vier? Ein Stück entfernt sieht sie Ian Ventham aus seinem Wagen klettern, dem sich Chris Hudson und

Donna De Freitas nähern. Dann mal hinein ins Vergnügen, denkt sie und tippt Joyce auf die Schulter. Bernard sitzt schlafend im Nachbarstuhl, was zumindest erklärt, warum Joyce nicht oben am Berg nach dem Rechten gesehen hat.

In der Theorie findet sie nichts falsch daran, sich einen Mann angeln zu wollen, wenn es das ist, was man zu seinem Glück braucht – aber dass Joyce das auf die Dauer nicht zu anstrengend wird!

49

Joyce

Als Elizabeth zurückkam, war Bernard eingeschlafen, worüber ich heilfroh war, denn er regt sich sehr leicht auf. Er hatte schon müde ausgesehen, als ich am Morgen bei ihm geklopft hatte. Ich glaube, er schläft nachts kaum.

Elizabeth und ich gingen Donna und Chris begrüßen und sammelten unterwegs auch noch Ron ein. Er war so aufgekratzt, dass es mir richtig ans Herz ging. Ich versuche, alle Details möglichst genau wiederzugeben, solange die Erinnerung daran noch so frisch ist.

Donna macht irgendetwas mit ihrem Lidschatten, und ich will sie immer fragen, was es ist, aber bisher hat es sich noch nicht ergeben. DCI Hudson führte das Wort, als wir kamen, und er war auf seine Art recht beeindruckend. »Deeskalation« nennt man das heute ja. Ian Ventham sagte, wir hätten das Feld zu räumen und er habe Papiere da, die das alles bewiesen. Aus seiner Sicht sicher völlig logisch.

DCI Hudson sagte, er wolle mit den Bewohnern reden, und Ron sagte, er solle besser mit ihm (Ron) reden. Ron sagte außerdem, Ian Ventham könne sich seine Papiere sonst wohin stecken. Was Rons üblicher Umgangston ist, wie Sie inzwischen wahrscheinlich wissen. Daraufhin schlug Donna vor, DCI Hudson solle vielleicht besser mit mir reden. Als der Vernünftigen in der Runde.

Also erklärte DCI Hudson mir die Gesetzeslage und

wies mich darauf hin, dass er gezwungen sein würde, jeden festzunehmen, der sich den Baggern in den Weg stellte. Ich sagte, ich sei mir sicher, dass er niemanden von uns ernstlich festnehmen würde, und er meinte, da hätte ich wohl recht. Womit wir wieder bei null angelangt waren.

Ron wollte von DCI Hudson wissen, ob er stolz auf sich sei, und DCI Hudson antwortete, da er einundfünfzig, geschieden und übergewichtig sei, sehe er die meiste Zeit keinen besonderen Grund zum Stolz. Da musste Donna grinsen. Sie mag ihn, nicht auf diese Art, aber sie mag ihn. Ich übrigens auch. Ich hätte fast gesagt, dass er nicht übergewichtig ist, aber das stimmt nicht ganz, und als Krankenschwester soll man die Dinge nie schönreden, auch nicht, wenn sich Beschützerinstinkt in einem regt. Also gab ich ihm stattdessen den Tipp, nach sechs Uhr abends nichts mehr zu essen, das ist das A und O, wenn man Diabetes vermeiden will, und er bedankte sich.

An diesem Punkt gesellte sich Ibrahim zu uns und riet DCI Hudson, es mit Pilates zu probieren, und Donna meinte, um das zu sehen, würde sie einiges springen lassen. Ian Ventham fand das nicht komisch und sagte Donna und DCI Hudson, er zahle schließlich ihre Gehälter, und Donna sagte, wenn das so sei, könnten sie dann eventuell über eine Gehaltserhöhung sprechen?, und da rastete Ian Ventham vollends aus und tobte und schrie. Menschen ohne Humor halten es nie aus, wenn andere Leute witzig sind. Aber das nur am Rande.

Zum Glück schaltete Ibrahim sich ein, der Erfahrung mit all so was hat, Konflikten, männlichen Egos, Pattsituationen, all das, und erbot sich, die Menge ein bisschen »auszudünnen«, damit alle erst mal durchschnaufen könnten. Das stieß rundum auf Zustimmung.

Ibrahim ging hinüber zu dem Barrikaden-Picknick, das in vollem Gange war, und regte an, dass alle, die nicht verhaftet werden wollten, ihre Stühle zur Seite rücken sollten. Das machte einigen der Schönwetter-Protestlern Beine. Colin Clemence war der Erste, der abzog. Als Ibrahim den Übrigen versicherte, dass sie nur den Weg freigeben mussten und gerne dableiben und dem Schauspiel beiwohnen durften, erfolgte ein wahrer Exodus. Wenn auch kein schneller Exodus, denn in unserem Alter gleicht das Aufstehen aus einem Liegestuhl einer Militäroperation. Wenn man erst einmal drin sitzt, kommt man vor dem Abend oft nicht mehr heraus.

Schließlich bot sich folgendes Bild: Der Platz vor dem gut gesicherten Tor war die Bühne, und die Bewohner, die jetzt glücklich wieder in ihren Stühlen saßen, waren die Zuschauer. Und wer war auf der Bühne? Maureen Gadd, Derek Archers Partnerin beim Bridge (und nicht nur beim Bridge, wenn Sie mich fragen, aber das bleibt unter uns), Barbara Kelly aus dem Ruskin Court, die einmal mit einem ganzen Lachs bei Waitrose rausmarschiert ist und auf Demenz plädiert hat (die Chuzpe! aber es hat funktioniert), und Bronagh Irgendwas, die neu ist und über die ich keine weiteren Informationen habe. Ich habe sie alle drei sonntags zur Heiligen Messe aufbrechen und erst Stunden später wieder zurückkommen sehen. Sie hatten sich am Tor festgeschlossen wie Fahrräder an einem Geländer.

Und vor ihnen? Die Barrikade hatte sich aufgelöst, und nur ein Mann war noch übrig. Hellwach jetzt, kerzengerade, ungerührt und hochelegant: Bernard. Sonst nicht ganz sein Stil, aber der Friedhof scheint ihm am Herzen zu liegen. Sie hätten ihn sehen sollen. Die letzte Bastion, wie Henry Fonda oder Martin Luther King oder

Karl der Kahle. Das hielt Ron nicht aus, er nahm einen Stuhl und postierte sich neben ihn. Ob aus Solidarität oder Geltungsdrang, das ist die Frage. Aber ich war ihm dankbar dafür. Ich war so stolz auf die zwei. Meine beiden Helden.

(Ich meinte natürlich nicht Karl der Kahle, sondern Karl der Kühne.)

Ventham war fürs Erste zurück zu den Autos gegangen, zusammen mit Donna und Chris.

Ich brachte Bernard und Ron einen Tee, setzte mich zu ihnen und stellte mich darauf ein, dass der Spaß gleich zu Ende sein würde.

Stattdessen fuhr das Taxi vor, und der Spaß fing erst richtig an.

Ach je, jetzt klingelt es bei mir. Ich bin gleich wieder da.

50

Eigentlich unterhält sich Pater Matthew Mackie immer gern mit den Taxifahrern. Heutzutage sind sie oft Moslems, selbst hier in Kent, und er empfindet ein wohltuendes Einvernehmen mit ihnen. Auch auf das Kollar reagieren die meisten positiv. Aber heute hat er die Fahrt schweigend zurückgelegt.

Zu seiner Erleichterung ist das Tor am Fuß der Allee noch verschlossen und gut bewacht, und die Bagger warten untätig auf ihrem Tieflader. Für exakt diesen Fall hat er seine Telefonnummer an dem Anschlagbrett vor der Kapelle hinterlassen, und über diese Nummer hat ihn Maureen Gadd vorhin verständigt, mit dem Versprechen, »die Truppen zusammenzutrommeln«.

Die »Truppen«, damit sind wohl die drei schwarz gekleideten Frauen gemeint, die starr und stumm das Tor blockieren. Auf Klappstühlen vor ihnen sitzen eine Frau und zwei Männer, die ihm nicht ganz so ins Bild zu passen scheinen. Ja, bei näherem Hinsehen ist sich Mackie fast sicher, dass der eine der kämpferische Herr aus der Baubesprechung ist. Und der Mann in der Mitte, saß der nicht vorgestern früh auf der Bank? Aber wer immer sie sind und was immer sie antreibt, alle sind ihm als Mitstreiter willkommen. Am Wegrand haben sich an die fünfzig weitere Bewohner versammelt; wie auf einer Tribüne sitzen sie da und warten auf das Spektakel. Nun, sie sollen etwas geboten bekommen. Dies könnte seine letzte und einzige Chance sein.

Schon beim Aussteigen, während er dem Fahrer Trinkgeld gibt, sieht er in einem Ford Focus ein Stück entfernt Ian Ventham, der mit zwei Polizeibeamten spricht, einem massigen Mann in einer Jacke, in der er zu schwitzen scheint, und einer jungen schwarzen Polizistin. Nur Bogdan kann er nirgends entdecken, auch nicht im Führerhaus des Tiefladers. Aber weit ist er sicherlich nicht.

Pater Mackie geht hinüber zum Tor. Ventham hat ihn noch nicht bemerkt. Er nutzt die Zeit, um die drei Torwächterinnen zu begrüßen und sie zu segnen. Eine von ihnen, die rätselvolle Maureen Gadd, fragt, ob sie eventuell einen Tee bekommen könnten, und er verspricht, sich darum zu kümmern. Bevor er hinübergeht, um es mit Ventham aufzunehmen, gesellt er sich noch kurz zu den drei Herrschaften auf den Stühlen.

51

Joyce

Entschuldigung, ich musste nur kurz ein Päckchen für die Wohnung über mir annehmen; wir helfen uns mit den Paketen immer aus. Manchmal, wenn ich weiß, dass Joanna mir Blumen schickt, tue ich so, als wäre ich nicht da, damit ein Nachbar aufmacht und sie sieht. Auch nicht gerade die feine Art, ich weiß, aber ich bin sicher, manche leisten sich Schlimmeres.

Jedenfalls kündigte Bernard an, er werde sich von der Polizei gar nichts sagen lassen, sondern bleiben, wo er war, und damit basta.

Darauf sagte Ron, er sei einmal achtundvierzig Stunden an eine Schachtgrube in Glasshoughton angekettet gewesen, wo sie ihr großes Geschäft in Frühstücksbeutel hätten verrichten müssen, wobei er nicht »großes Geschäft« sagte, und in dem Augenblick kam Pater Mackie und stellte sich uns vor.

Ich hatte ihn schon bei der Baubesprechung gesehen. Er saß ganz hinten, mäuschenstill, und ließ ein paar Kekse in seiner Tasche verschwinden, als er dachte, keiner sähe es. Wie gesagt, die Leute merken es nie, wenn ich sie beobachte. Ich habe einfach diese Art von Gesicht.

Er war sehr höflich, muss ich sagen, und dankte uns dafür, dass wir den Friedhof beschützten. Bernard sagte ihm, der Friedhof sei nur der erste Schritt, und man müsse unbedingt den Anfängen wehren. Da konnte Ron natürlich nicht zurückstehen und erklärte Pater Mackie, dass »euereins« (die Katholiken) in Sachen Friedhöfe selbst einigen Dreck am Stecken hätten, aber was zu viel sei, sei zu viel, und man dürfe sich nicht alles bieten lassen. Pater Mackie sagte, dass er sich diesem Frevel entgegenstellen werde, solange noch ein Atemzug in ihm sei, und sie klangen alle ziemlich wildwest-mäßig, was mich aber nicht störte. Bei mir dürfen Männer ruhig Männer sein, im Rahmen, versteht sich.

Inzwischen hatte offenbar auch Ventham Pater Mackie entdeckt, denn er kam auf uns zugestürmt, und Chris, Donna und Ibrahim hinter ihm her. Sodass alles bereit war für den Showdown.

52

Bogdan schaufelt jetzt schon eine Weile. Wieso auch nicht? Untätig rumstehen ist nichts für ihn. Er hat am oberen Ende des Friedhofs begonnen, wo die ausladenden Bäume jenseits der Mauer die frühesten Gräber dauerhaft in Schatten tauchen. Der Boden hier oben ist weicher, weil er seit Jahren keine Sonne mehr gesehen hat, und Bogdan ist zuversichtlich, dass die kostspieligeren älteren Särge noch intakt sind. Sie werden aus massiver Eiche sein und somit weder geborsten noch verfault. Aus ihnen werden ihm keine Totenschädel entgegenstarren, ausgehöhlt, zerfressen, mit stummem Appell.

Vom Fuß des Hügels dringen ab und zu erhobene Stimmen zu ihm herauf, aber nach wie vor nicht das Rumpeln des Tiefladers, und so schaufelt er weiter. Einer der Bagger könnte eine ganze Gräberreihe innerhalb von Minuten freilegen, wenn er nicht größte Vorsicht walten lässt, wovon Bogdan nicht ausgeht. Also handhabt er seine Schaufel umso behutsamer, solange er noch allein hier am Werk ist.

Er hat sich das Grab ganz hinten im Mauereck vorgenommen. Beim Schaufeln denkt er an die Frau, die er auf dem Weg hier herauf getroffen hat, Marina. Er kennt sie vom Sehen, aber die wenigsten Leute in Coopers Chase reden mit ihm; sie nehmen ihn kaum wahr, was ihm meistens ganz recht ist. Einfach zu Besuch kommen geht sicher nicht, aber vielleicht kann er es ja so einrichten, dass er sie zufällig trifft. Es gibt Tage, da vermisst er seine Mutter.

Endlich stößt Bogdans Schaufel auf etwas Festes, aber ein Sargdeckel kann das nicht sein. Der Boden ist steinig und voller Baumwurzeln, was das Graben schwieriger, aber aus Bogdans Sicht auch spannender macht. Er bückt sich und kratzt klumpige Erde von dem Hindernis. Es ist leuchtend weiß. Schön sieht das aus, denkt Bogdan in dem kurzen Moment, bevor er begreift, was da vor ihm liegt.

Das war nicht Teil von Bogdans Plan. Er hat sich diese Ecke deshalb ausgesucht, weil ihn hier keine verfaulten Särge erwarten, keine Gebeine. Und jetzt das. Dann haben sie also auch vor hundertfünfzig Jahren schon gepfuscht? Bei den Särgen gespart, weil es ja keiner merken wird?

Soll er das Grab einfach wieder zuschaufeln? So tun, als wäre nie etwas gewesen, und auf das schwere Gerät warten? Bei der Vorstellung ist ihm nicht wohl. Bogdan hat einen Knochen gefunden, und das macht ihn zu seinem Hüter. Er hat kein kleineres Werkzeug als die Schaufel bei sich, also kauert er sich auf den harten Boden und nimmt einfach die Hände. Er gräbt so sachte, wie er nur kann. Er kniet sich anders hin, um einen besseren Winkel zu bekommen, mehr Erdreich wegzukratzen, und dabei wird ihm klar, dass er nicht auf kompakter Erde kniet, sondern auf etwas viel Härterem. Er kniet auf dem soliden Eichendeckel eines soliden Eichensargs. Was nicht sein kann. Ein Leichnam kann nicht aus seinem Sarg entkommen. Bogdan muss einen grauenhaften Gedanken niederkämpfen. Ist jemand lebendig begraben worden? Und hat es dann irgendwie aus dem Sarg herausgeschafft, aber nicht weiter?

Bogdan arbeitet jetzt schnell, er gibt Zeremoniell oder Aberglauben keinen Raum. Er legt viele Knochen und dann einen Schädel frei, den er aber möglichst nicht zu berühren versucht. Er legt genug von dem Sarg frei, um das Blatt seiner Schaufel unter den Deckel zu stoßen. Mit beträchtlicher Anstrengung stemmt er das untere Drittel hoch. Im Inneren liegt noch ein Skelett.

Zwei Skelette. Eins im Sarg und eins außerhalb. Ein kleines und ein großes. Das eine gelblich grau, das andere wolkenweiß.

Was soll er tun? Jemand sollte sich die Sache genauer ansehen, so viel ist klar. Wobei das eine langwierige Angelegenheit wäre. Sie würden mit winzigen Handschaufeln graben, Bogdan hat so was im Fernsehen gesehen. Und sie würden nicht nur dieses eine Grab öffnen, sie würden alle öffnen. Und herauskommen wird dabei unterm Strich gar nichts. Entweder wird diese Form der Bestattung ein örtlicher Brauch gewesen sein, oder es war ein Jahr mit einer Seuche, weshalb man zwei Leichen in ein Grab gelegt hat, oder oder oder. Und derweil wird das Bauprojekt auf Eis gelegt, und er sitzt auf dem Trockenen. Was ihn zurück zur Ausgangsfrage bringt. Was soll er tun?

Bogdan braucht Zeit zum Nachdenken, aber dieser Luxus ist ihm nicht vergönnt. In der Ferne jault eine Sirene. Er wartet einen Moment, und das Jaulen kommt näher. Es klingt wie ein Krankenwagen, auch wenn es logischerweise nur die Polizei sein kann. Das heißt, der Weg wird demnächst freigeräumt werden, und dann geht es rund. Bogdan hievt sich aus dem Grab und fängt an, es wieder zuzuschaufeln.

Ian wird mir sagen, was ich tun soll, denkt er, während die Sirene am Fuß des Hügels anlangt.

53

Ian Ventham ist völlig ruhig, als er aus dem Polizeiauto aussteigt. Im Reinen mit sich.

Das Gespräch mit den Polizisten hat ihn besänftigt. Er kommt einfach morgen wieder. Die Gräber gehen nirgendwohin. Die Bagger so früh loszuschicken, war vielleicht wirklich ein Fehler. Aber auch eine coole Aktion und die Sache insofern wert. Es war ein Statement, und Statements zu machen ist wichtig, egal, was draus wird.

Dass die Bewohner Sturm gegen ihn laufen, stört ihn nicht, die werden bald das Interesse verlieren. Ihm wird genug anderes einfallen, womit er sie ärgern kann. Eine Kellnerin feuern, die alle mögen, oder neue Sicherheitsbestimmungen erfinden und die Enkelkinder aus dem Schwimmbad verbannen. Dann wird der Friedhof vergessen sein. »Welcher Friedhof?«, werden sie sagen. Wirklich, er muss lachen, und er lacht auch.

Doch exakt in diesem Moment erblickt er Pater Matthew Mackie.

Der in seiner Kutte und dem weißen Krägelchen dasteht, als wäre er der Hausherr hier. Dreist wie nur was.

Das ist Ians Land, verdammt noch mal! Ians Eigentum! Mit Riesenschritten stürmt er auf die Barrikade zu und reckt Pater Mackie den Finger ins Gesicht.

»Wenn Sie kein Pfaffe wären, dann würde ich Ihnen jetzt eine reinhauen.« Um sie bildet sich ein Zuschauerring wie bei einer Schlägerei vor einem Pub. »Runter von meinem Land, oder es setzt was.«

Ian will Mackie eigentlich nur einen Rempler gegen die Schulter versetzen, aber der ältere Mann stolpert rückwärts, rudert mit dem Arm, bekommt Ians T-Shirt zu fassen, und beide miteinander verlieren das Gleichgewicht und stürzen zu Boden. Donna, unterstützt von der entsetzten Karen Playfair, zieht Ian hoch und von dem Priester weg. Einige der Bewohner, unter ihnen Joyce, Ron und Bernard, bilden daraufhin einen Kreis um Ian Ventham und halten ihn zurück, während sich eine andere Gruppe um Pater Mackie schart, der benommen auf dem Boden sitzt. Eine Schulhofrangelei, mehr ist es nicht, aber der Mann scheint völlig durch den Wind.

»Aufhören, Mr Ventham!«, schreit Donna Ian an. »Ganz ruhig!«

»Nehmt ihn fest! Hausfriedensbruch!«, brüllt Ian, außer Gefecht gesetzt von einem Trupp entschlossener Greise in den Siebzigern und Achtzigern und sogar einem über Neunzigjährigen, der die Einberufung zum Zweiten Weltkrieg um einen Tag verpasst und diese Schmach nie verwunden hat.

Joyce findet sich mitten im Getümmel wieder. Wie stark diese Männer zu ihrer Zeit gewesen sein müssen, Ron, Bernard, John, Ibrahim. Und wie reduziert sie jetzt sind. Der Geist ist zwar mehr als willig, doch nur Chris Hudson schafft es letztlich, Ventham zu bändigen. Trotzdem schön zu sehen, dieser kleine Testosteron-Schub!

»Ich verteidige geweihten Boden. Friedlich und im Einklang mit dem Gesetz«, sagt Pater Mackie.

Donna hilft ihm beim Aufstehen, klopft ihn ab und spürt unter der locker fallenden schwarzen Soutane die Gebrechlichkeit des alten Mannes.

Chris zieht Ian Ventham aus dem Gedränge. Er sieht

das Adrenalin förmlich durch Venthams Körper pulsen, wie er es schon bei Hunderten betrunkener Schläger gesehen hat, an so vielen Orten. Die Muskeln, die unter Venthams T-Shirt hervortreten, sind dick geädert, wie so oft beim Missbrauch von Steroiden.

»Jetzt ab nach Hause mit Ihnen, Mr Ventham«, befiehlt Chris Hudson, »bevor ich Sie festnehmen muss.«

»Ich habe ihn nicht mal berührt«, protestiert Ian Ventham.

Chris senkt die Stimme, damit keiner der Umstehenden sie hört. »Er ist gestolpert, Mr Ventham, das habe ich auch gesehen, aber davor haben Sie ihn geschubst, egal wie leicht. Wenn mir also danach ist, Sie festzunehmen, kann ich das. Und ich habe so eine Ahnung, dass sich ein, zwei Zeugen finden würden, die meine Darstellung vor Gericht bestätigen. Falls Sie also keine Anzeige wegen Tätlichkeiten gegen einen Priester wollen, was sich nicht sonderlich gut in Ihrem Prospekt machen würde, dann setzen Sie sich jetzt in Ihr Auto und fahren heim. Verstanden?«

Ian Ventham nickt, aber ohne Überzeugung. Seine Gedanken sind schon anderswo, mit einer anderen Gleichung beschäftigt. Er sieht Chris Hudson an, langsam, traurig, und schüttelt den Kopf.

»Irgendwas ist hier faul. Irgendwas ist im Busch.«

»Was immer im Busch ist, wird morgen auch noch im Busch sein«, sagt Chris. »Also fahren Sie schön heim, regen Sie sich ab, schnaufen Sie tief durch. Ein richtiger Mann kann auch mal verlieren.«

Ian dreht sich um und geht zu seinem Wagen. Verlieren? Er doch nicht! Als er an dem Tieflader vorbeikommt, schlägt er zweimal gegen die Führerhaustür und zeigt mit dem Daumen Richtung Ausfahrt.

Er geht langsam, grübelnd. Wo ist Bogdan? Bogdan

ist ein braver Kerl. Pole. Bogdan soll ihm endlich den Pool fliesen. Er ist faul, das sind diese Polen alle. Er muss mit Tony Curran reden. Tony wird wissen, was zu tun ist. Aber Tony hat kein Handy mehr. Irgendwas war mit Tony.

Ian erreicht den Range Rover. Die haben ihm Parkkrallen angelegt! Sein Dad wird stinkwütend sein, Ian hat den Wagen nur ausgeborgt. Er wird mit dem Bus heimfahren müssen, und sein Dad wird schon warten. Ian hat Angst und fängt an zu weinen. Nicht heulen, Ian, wenn du heulst, sieht er das. Ian traut sich nicht nach Hause.

Er sucht in seinen Taschen nach Kleingeld, strauchelt dann, fällt nach hinten. Er will sich irgendwo festhalten, doch zu seiner Verwunderung greift er nur leere Luft.

Bevor er noch auf dem Boden aufschlägt, ist Ian Ventham tot.

Zweiter Teil

Jeder hier hat seine Geschichte

54

Joyce

Vor ein paar Wochen bin ich in Fairhaven über einen losen Pflasterstein gestolpert. Das habe ich hier vor lauter Mordermittlungen und Londonbesuchen und Bernard gar nicht erwähnt. Aber ich fiel richtig hin, und meine Tasche ging auf, und meine Sachen verstreuten sich überall. Schlüssel, Brillenetui, Tabletten, Handy.

Aber worum es mir geht: Alle, die mich hinfallen sahen, kamen herbeigeeilt, um mir zu helfen. Ausnahmslos. Ein Radler half mir beim Aufstehen, eine Politesse sammelte meine Sachen ein und klopfte den Staub von meiner Tasche, eine Frau mit Kinderwagen setzte sich mit mir so lange an einen Straßentisch, bis ich mich richtig verschnauft hatte. Und die Cafébesitzerin brachte mir einen Tee und bot mir an, mich zu ihrem Hausarzt zu fahren.

Vielleicht waren sie nur deshalb so hilfsbereit, weil ich eine alte Frau bin. Weil ich so gebrechlich und hilflos aussehe. Aber das glaube ich nicht. Ich glaube, wenn ein kräftiger junger Bursche vor meinen Augen so einen Sturz hingelegt hätte, dann hätte ich ihm ganz genauso geholfen. Und Sie hätten das auch getan. Ich wäre bei ihm sitzen geblieben, die Politesse hätte ihm den Laptop aufgehoben, und die Frau aus dem Café hätte ihn zum Arzt bringen wollen.

Denn so sind wir Menschen, glaube ich. Die meisten von uns sind nett.

Allerdings erinnere ich mich bestens an einen Oberarzt, der eine Zeit lang unsere Station leitete, im Brighton General oben am Berg. Ein sehr unhöflicher, sehr grausamer, sehr unglücklicher Mann, unter dem wir alle zu leiden hatten, weil er uns anschrie und uns die Schuld an den Fehlern gab, die er selber machte.

Wenn dieser Arzt vor meinen Augen tot umgefallen wäre, ich hätte einen Freudentanz aufgeführt.

Von den Toten soll man ja nur Gutes sagen, aber für jede Regel gibt es Ausnahmen, und Ian Ventham war der gleiche Typ Mensch wie dieser Arzt. Der übrigens auch Ian hieß, fällt mir ein, vielleicht ist bei dem Namen einfach Vorsicht geboten.

Jeder kennt solche Leute. Sie bilden sich ein, die Welt gehört ihnen allein. Angeblich sieht man das heute ja verstärkt, diese Egozentrik, aber manche Menschen waren schon immer abscheulich. Nicht viele, dabei bleibe ich, aber ein paar gibt es immer.

Was ich damit sagen will: Natürlich tut es mir für Ian Ventham leid, aber man kann es auch anders sehen.

Jeden Tag sterben Leute. Ich kenne die Statistik nicht, aber es müssen Tausende sein. Irgendwer hätte gestern also auf jeden Fall sterben müssen, und ich kann nur sagen, es ist mir lieber, dass es Ian Ventham war, der vor meinen Augen tot umfiel, als, sagen wir, der Radler oder die Politesse oder die Mutter mit dem Kinderwagen oder die Cafébesitzerin.

Und es ist mir auch lieber, dass es Ian Ventham war, den der Notarzt nicht wiederbeleben konnte, und nicht Joanna oder Elizabeth. Oder Ron oder Ibrahim oder Bernard. Und ohne selbstsüchtig klingen zu wollen, ist es mir lieber, dass es Ian Ventham war, der in einem Leichensack in das Auto des Coroners verladen wurde, und nicht ich.

Ian Venthams letztes Stündlein hatte gestern geschlagen, so ist das nun mal. Für uns alle wird es irgendwann so weit sein, und für ihn war es gestern so weit. Elizabeth sagt, er wurde ermordet, und wenn Elizabeth das sagt, dann gehe ich davon aus, dass es stimmt. An so etwas hat er vermutlich auch nicht gedacht, als er gestern früh wach wurde.

Halten Sie mich bitte nicht für gefühllos, aber ich habe schon viele Menschen sterben sehen, und ich habe viele Tränen um sie vergossen. Aber um Ian Ventham habe ich keine Träne geweint, und ich wollte, dass Sie wissen, warum. Es ist traurig, dass er tot ist, aber *ich* kann deshalb nicht traurig sein.

Und jetzt muss ich los, den Mord an ihm aufklären.

55

»So, alle herhören«, wendet sich Chris Hudson im Besprechungsraum an sein versammeltes Team. »Ian Ventham wurde ermordet.«

Donna De Freitas sieht sich unter den anderen Teammitgliedern um. Es sind ein paar neue Gesichter dabei. Sie kann ihr Glück kaum fassen. Zwei Morde, und sie ist dabei, am Puls des Geschehens. Alles dank Elizabeth. Sie schuldet ihr definitiv einen Drink, oder was immer Elizabeth stattdessen gern hätte. Einen warmen Schal? Was könnte Elizabeths Herz erfreuen? Am ehesten wahrscheinlich ein Revolver.

Chris schlägt einen Ordner auf. »Todesursache war eine Fentanyl-Vergiftung. Eine massive Überdosis, die in den Oberarmmuskel gespritzt wurde. So gut wie sicher wenige Augenblicke vor seinem Zusammenbruch. Das war jetzt nicht der Dienstweg, sondern ein Gefallen, den ich guthatte, daher das Tempo. Und in der Gerichtsmedizin sehen sie derzeit genügend Fentanyl-Überdosen, um sofort zu wissen, woran sie sind. Momentan wissen nur wir Bescheid, sorgen wir also bitte dafür, dass das möglichst lange so bleibt. Keine Presse, kein Wort zu Familie oder Freunden.«

Sein Blick streift Donna gerade nur einen Sekundenbruchteil.

56

»Wir haben also alle miteinander einem Mord beigewohnt«, sagt Elizabeth. »Was an sich schon mal fabelhaft ist.«

Fünfzehn Meilen entfernt hält der Donnerstagsmordclub eine Sondersitzung ab. Elizabeth breitet eine Reihe von Farbfotos von Ian Venthams Leichnam aus, zusammen mit Aufnahmen vom Tatort aus jeder nur erdenklichen Perspektive. Sie hat sie mit ihrem Handy gemacht, während sie vorgeblich noch mit dem Notarzt telefonierte. Im Anschluss hat sie sie unter der Hand von einem Apotheker in Robertsbridge ausdrucken lassen, der ihr noch einen Gefallen schuldete, im Gegenzug für ihr Stillschweigen über eine Straftat aus den Siebzigerjahren, der sie auf die Spur gekommen war.

»Und auf seine Weise auch tragisch, wenn man etwas traditionellere Maßstäbe anlegt«, ergänzt Ibrahim.

»Ja, wenn man es unbedingt melodramatisch sehen will, Ibrahim«, sagt Elizabeth.

»Gut, erste Frage«, sagt Ron. »Woher weißt du, dass es Mord war? Für mich sah das eher nach Herzinfarkt aus.«

»Und bist du Arzt, Ron?«, fragt Elizabeth.

»So wenig wie du, Liz«, pariert Ron.

Elizabeth schlägt eine Mappe auf und entnimmt ihr ein Blatt Papier. »Mit Ibrahim bin ich das schon durchgegangen, Ron, weil ich einen kleinen Auftrag für ihn hatte, hör also gut zu. Die Todesursache war eine Überdosis Fentanyl, verabreicht unmittelbar vor Eintritt des Todes. Diese Information kommt direkt von einem Mann, der Zugang zum E-Mail-Verkehr der Kriminaltechnik der Kripo Kent hat, aber ich habe noch keine Bestätigung von Donna, obwohl ich ihr mehrmals gesimst habe. Zufrieden, Ron?«

Ron nickt. »Nicht schlecht. Was ist Fentanyl? Hab ich noch nie gehört.«

»Das ist ein Opioid, Ron, wie Heroin«, sagt Joyce. »Man verwendet es in der Anästhesie und zur Schmerzlinderung, solche Sachen. Sehr wirksam, die Patienten schwärmen alle davon.«

»Man kann es aber auch mit Kokain mischen«, merkt Ibrahim an. »Wenn man zum Beispiel drogenabhängig ist.«

»Und der russische Geheimdienst setzt es ebenfalls gerne ein«, steuert Elizabeth bei.

Ron nickt. Sie haben ihn überzeugt.

Ibrahim fügt hinzu: »Und da ihm das Gift unmittelbar vor seinem Tod gespritzt worden sein muss, stehen wir alle unter Verdacht.«

Joyce klatscht in die Hände. »Fantastisch! Ich weiß zwar nicht, wie irgendeiner von uns an Fentanyl gelangt sein soll, aber fantastisch.« Sie ordnet Wiener Kringel auf einem Souvenirteller von der Hochzeit von Prinz Andrew und Sarah Ferguson an, den Joanna ihr vor Jahren glaubte schenken zu müssen.

Ron betrachtet nickend die Fotos vom Tatort. Studiert die Gesichter der Bewohner, die mit gerecktem Hals einen Blick auf Ian Venthams zusammengesackten Körper zu erhaschen versuchen. »Das heißt, jemand aus Coopers Chase hat ihn getötet? Jemand auf diesen Bildern?«

»Und da sind wir alle drauf«, sagt Ibrahim.

»Außer natürlich Elizabeth«, sagt Joyce. »Weil sie die Fotos gemacht hat. Aber bei jeder halbwegs anständigen Ermittlung würde sie trotzdem zum Kreis der Verdächtigen zählen.«

»Das will ich schwer hoffen«, stimmt Elizabeth zu.

Ibrahim tritt an das Flipchart. »Elizabeth hat mich gebeten, ein paar Berechnungen durchzuführen.«

Elizabeth, Joyce und Ron nehmen in den Sesseln des Puzzle-Stübchens Platz. Ron greift nach einem Wiener Kringel – endlich, denkt Joyce und nimmt sich erleichtert auch einen. Es ist die Hausmarke, aber sie hat eine Verbrauchersendung gesehen, wo es hieß, dass sie aus derselben Fabrik kommen wie das Markenprodukt.

Ibrahim beginnt. »Jemand aus dieser Menge hat Ian Ventham eine Spritze verabreicht, die zu seinem Tod geführt hat, mit einiger Sicherheit innerhalb weniger Minuten. An seinem Oberarm wurde eine Einstichstelle gefunden. Ich habe euch gebeten, aus dem Gedächtnis eine Liste der Anwesenden anzufertigen, was ihr freundlicherweise getan habt, wenn auch nicht alle, wie von mir gewünscht, in alphabetischer Reihenfolge.«

Ibrahim sieht Ron an. Der zuckt die Achseln. »Irgendwo bei F, H und G trägt es mich jedes Mal aus der Kurve.«

Ibrahim fährt fort: »Wenn ich alle Listen zusammenführe – was nicht weiter schwer ist, wenn man mit Excel-Tabellen umzugehen weiß –, dann waren insgesamt vierundsechzig Bewohner am Tatort, uns vier mitgerechnet. Hinzu kommen DCI Hudson und PC De Freitas, der Handwerker Bogdan, der zur Tatzeit jedoch abgängig war …«

»Er war oben auf dem Berg«, sagt Elizabeth.

»Danke, Elizabeth«, sagt Ibrahim. »Außerdem noch

die Fahrerin des Tiefladers, deren Name Marie ist, auch eine Polin, falls das von Interesse sein sollte. Sie ist nebenbei Yogalehrerin, aber das nur am Rande. Karen Playfair, die Dame, die oben auf dem Hügel wohnt, war ebenfalls vor Ort, da sie uns gestern etwas über Computer beibringen sollte. Plus natürlich Pater Matthew Mackie.«

»Macht siebzig Leute, Ibrahim«, sagt Ron, der schon beim zweiten Keks ist, Broteinheiten hin oder her.

»Mit Ian Ventham einundsiebzig«, präzisiert Ibrahim.

»Du meinst also, er ist raufgefahren, hat eine Massenschlägerei angezettelt und sich dann umgebracht? Originelle These, Poirot«, sagt Ron.

»Das ist keine These, Ron«, sagt Ibrahim. »Das ist erst mal nur eine Liste. Also bitte keine Ungeduld.«

»Ungeduld ist meine Haupteigenschaft«, sagt Ron. »Sie macht mich zu dem, was ich bin. Wusstet ihr, dass Arthur Scargill mir einmal gesagt hat, ich muss mehr Geduld haben? Arthur Scargill!«

»Eine dieser siebzig Personen ist also Venthams Mörder. Das sind natürlich andere Dimensionen, als sie der Donnerstagsmordclub sonst gewohnt ist, aber vielleicht lässt sich der Kreis noch ein wenig einengen?«

»Es muss jemand sein, der Zugang zu Spritzen und Medikamenten hat«, schlägt Joyce vor.

»Den haben wir alle, Joyce«, widerspricht Elizabeth.

»Du sagst es, Elizabeth«, pflichtet Ibrahim ihr bei. »Wenn ihr einen bildlichen Vergleich gestattet, wäre das so, als wollte man die Nadel in einem Heuhaufen suchen, der zur Gänze aus Nadeln besteht.«

Er hält inne, falls jemand applaudieren will. Als nichts kommt, fährt er fort:

»Die Injektion an sich ist eine Sache von nicht einmal einer Sekunde, wenn man Erfahrung mit intramuskulären Spritzen hat, die wir ja ebenfalls alle haben. Aber das Gift muss aus nächster Nähe verabreicht werden. Darum habe ich die Namen aller gestrichen, von denen wir wissen, dass sie sich in keiner unmittelbaren Nähe zu Ian Ventham aufgehalten haben. Damit scheidet ein großer Teil der Versammelten aus. Die Tatsache, dass viele von uns extrem gehbehindert sind, kommt uns hier zusätzlich zugute, weil damit klar ist, dass keiner von ihnen unbemerkt einen kleinen Spurt hätte einlegen können.«

»Keine Rollatoren«, sagt Ron.

»Allein die Rollatoren eliminieren acht Personen als Verdächtige«, bestätigt Ibrahim. »Elektromobile sind ebenfalls unsere Helfer, wie auch grauer Star. Es gibt außerdem etliche Anwesende, wie beispielsweise Stephen, da stimmst du mir hoffentlich zu, Elizabeth, die während des ganzen Morgens nie in Ian Venthams Nähe waren. Auch sie können wir also getrost streichen. Ebenso die drei Bewohnerinnen, die am Tor festgekettet blieben, bis irgendwann jemand auf die Idee kam, die Feuerwehr zu verständigen. Womit sich folgendes Bild ergibt.«

Ibrahim schlägt die oberste Seite des Flipcharts um und enthüllt eine Namensliste.

»Dreißig Namen. Die unseren mitgerechnet. Und einer davon ist der Mörder. Ich will nur kurz anmerken, dass ich rein alphabetisch gesehen aufgrund meines Nachnamens der Erste auf der Liste bin.«

»Sehr gut hast du das gemacht, Ibrahim«, lobt Joyce.

»Das wäre also die Liste«, sagt Elizabeth. »Dann können wir vielleicht langsam zum Thesen-Aufstellen übergehen?«

»Ja, ein wenig kürzer kriegen wir sie mit vereinten Kräften bestimmt noch«, sagt Ibrahim.

»Wer hat ihm den Tod gewünscht?«, fragt Ron. »Wer hat einen Vorteil davon? Wurden Ventham und Curran von ein und derselben Person getötet?«

»Schon eine witzige Vorstellung, nicht?« Joyce klopft sich ein paar Krümel von der Bluse. »Dass wir einen Mörder kennen? Ich meine, auch wenn wir nicht wissen, wer es ist, wissen wir, dass wir definitiv einen kennen.«

»Großartig, ja«, sagt Ron. Er liebäugelt mit einem dritten Keks, weiß aber selbst, dass er damit nicht durchkommen wird.

»Dann lasst uns anfangen«, sagt Ibrahim. »Um zwölf müssen wir dem Französisch-Kränzchen weichen.«

57

»Das bedeutet«, sagt Chris Hudson, »dass das Fentanyl ihm von jemandem verabreicht worden sein muss, der gestern Morgen dort war. Mit anderen Worten: Wir kennen den Mörder bereits. Was wir jetzt brauchen, ist erst mal eine vollständige Liste der Personen, die vor Ort waren, was nicht leicht sein wird, aber je eher wir sie haben, desto eher haben wir den Mörder. Und vielleicht ja auch den von Tony Curran, wer weiß. Es sei denn, Ventham hat Curran ermordet, und das hier war die Rache.«

Donna riskiert einen raschen Blick aus dem Fenster des Besprechungsraums. Ihr uniformierter Kollege, Mark, setzt gerade einen Fahrradhelm auf, die perfekte Ergänzung zu seiner Leidensmiene. Donna schlürft ihren Tee – Kripo-Tee – und sinnt über mögliche Verdächtige nach. Sie denkt an Pater Mackie. Was wissen sie eigentlich über ihn? Dann wandern ihre Gedanken zum Donnerstagsmordclub. Sie waren alle da. Alle zu dem einen oder anderen Zeitpunkt nahe genug an Ventham dran. Sie könnte sich jeden von ihnen auf seine Weise als Mörder vorstellen. Hypothetisch jedenfalls. Faktisch dagegen? Unwahrscheinlich. Aber eine Meinung zu der Sache haben die vier bestimmt. Donna sollte sich vermutlich bald bei ihnen blicken lassen.

»In der Zwischenzeit«, fährt Chris fort und schlägt einen nächsten Ordner auf, »habe ich noch ein paar andere undankbare Aufgaben für euch. Ian Ventham war ziemlich unbeliebt. Seine Geschäftsbeziehungen waren komplex und weitreichend, und sein Handy hat gleich mehrere Affären ergeben, was ein ganz schöner Schlauch gewesen sein muss. Sagt euren Lieben, dass sie in der nächsten Zeit nicht allzu viel von euch haben werden.«

Eure Lieben. Donna muss an ihren Ex denken, Carl, und macht sich klar, dass sie gute achtundvierzig Stunden nicht mehr an ihn gedacht hat, ein neuer Rekord. Dass sie es jetzt tut, trübt den Glanz zwar ein bisschen. Trotzdem. Bald werden es sechsundneunzig Stunden sein, dann eine Woche, und irgendwann wird Carl ihr vorkommen wie eine Figur aus einem Buch, das sie einmal gelesen hat. Mein Gott, warum ist sie aus London weggegangen? Was soll werden, wenn diese Morde aufgeklärt sind und sie zurück in die Uniform gesteckt wird?

»Und der Rest von euch bleibt an der Tony-Curran-Sache dran. Es könnte eine Verbindung zwischen den Fällen geben, auszuschließen ist es nicht. Wir warten immer noch auf die Aufnahmen des Blitzgeräts. Ich muss wissen, ob Venthams Wagen an dem Nachmittag auf der A214 unterwegs war. Und ich will wissen, wo Bobby Tanner steckt und wer das Foto gemacht hat. Bei der Telefonnummer, die bei Curran angerufen hat, sind wir auch noch nicht weitergekommen.«

Was Donna an einen Verdacht erinnert, dem sie nachgehen wollte.

58

Elizabeth sitzt in ihrem niedrigen Sessel an Pennys Bett und setzt ihre Freundin über das jüngste Drama ins Bild.

»Ich glaube, es hat wirklich keiner gefehlt, Penny. Du wärst in deinem Element gewesen, du hättest deinen Schlagstock geschwungen und alles verhaftet, was nicht bei drei auf den Bäumen war.«

Elizabeth sieht zu John in seinem Stuhl hinüber, in dem er die meisten seiner wachen Stunden verbringt. »Ich gehe davon aus, dass du Penny das meiste schon erzählt hast?«

John nickt. »Ich habe meine eigene Tapferkeit vielleicht etwas hochgespielt, aber abgesehen davon war es ein getreulicher Tatsachenbericht.«

Elizabeth, so weit zufriedengestellt, zieht Block und Kugelschreiber aus ihrer Handtasche. Sie tippt mit dem Stift auf die oberste Seite des Blocks, wie eine Dirigentin, die den Taktstock hebt, und fängt an.

»Wo stehen wir also, Penny? Tony Curran stirbt durch stumpfe Gewalt, der oder die Täter unbekannt. ›Stumpfe Gewalt‹, das zergeht mir immer wieder auf der Zunge. Bei der Polizei durftest du das wahrscheinlich ständig im Mund führen, du Glückliche. Und Ian Ventham stirbt nur wenige Tage nach ihm an einer Überdosis Fentanyl, die ihm jemand unbemerkt spritzt. Kennst du Fentanyl, John?«

»Natürlich«, sagt John. »Das habe ich andauernd verwendet. Als Anästhetikum hauptsächlich.«

John der Tierarzt. Elizabeth muss an den Fuchs denken, den John gemeinsam mit Ron gesund gepflegt hat. Kaum war das Tier wiederhergestellt, hat es Elaine McCauslands Hennen gerissen. Das ist nicht bewiesen, aber andere Verdächtige gab es nicht. Ron stand gewaltig unter Beschuss deswegen, eine Glanzzeit für ihn.

»Wie einfach wäre es, sich welches zu beschaffen?«, erkundigt sich Elizabeth.

»Wenn man hier lebt?«, fragt John. »Nun ja, leicht nicht gerade, aber nicht unmöglich. Man bekommt es in der Apotheke. Das heißt, man könnte in die hiesige Apotheke einbrechen, aber dafür müsste man schon enorm entschlossen sein oder enorm viel Glück haben. Oder man bestellt es im Internet.«

»Großer Gott«, sagt Elizabeth. »Das geht?«

»Im Darknet. Darüber habe ich im *Ärzteblatt* gelesen. Im Darknet bekommst du alles. Eine Raketenabschussrampe, wenn du wirklich eine brauchst.«

Elizabeth nickt. »Und wie gelangt man ins Darknet?«

John zuckt die Achseln. »Das ist jetzt reine Vermutung, aber wenn ich es wäre, würde ich mir als Erstes einen Computer zulegen. Ohne den geht gar nichts.«

»Hmm«, sagt Elizabeth. »Du meinst, wir sollten überprüfen, wer alles einen Computer hat.«

»Man kann nie wissen«, stimmt John ihr bei. »Das könnte den Kreis einengen.«

Elizabeth dreht sich wieder Penny zu. Welche Ungerechtigkeit, so daliegen zu müssen. »Ein Opfer erschlagen, eines vergiftet, Penny. Aber von wem? Wenn der Tod bei Ventham unverzüglich eintrat, dann muss ihn jemand getötet haben, der gestern Morgen mit draußen war. Ich oder John. Oder Ron oder Ibrahim? Oder … wer weiß? Ibrahim hat eine Excel-Liste mit dreißig Namen gemacht, als ersten Schritt.«

Elizabeth blickt wieder auf ihre Freundin hinab. Jetzt mit ihr einfach zur Tür hinausgehen können, Arm in Arm. Mit ihr eine Flasche Wein trinken, ihren deftigen Schmähungen gegen alle die lauschen, die ihr wieder mal blöd gekommen sind, und dann vergnügt und beduselt nach Hause schwanken. Aber das wird nie wieder geschehen.

»Ich wundere mich ja immer, dass Ibrahim dich gar nicht besuchen kommt, Penny.«

»Oh, er kommt sie besuchen«, sagt John.

»Ibrahim? Das hat er nie erwähnt.«

»Pünktlich wie ein Uhrwerk, Elizabeth. Er bringt jeden Tag eine Zeitschrift und macht das Bridge-Rätsel mit ihr. Er spricht es Schritt für Schritt durch. Sie lösen ein Rätsel, er küsst ihr die Hand, und nach einer halben Stunde geht er.«

»Und Ron?«, fragt Elizabeth. »Kommt Ron auch?«

»Nie«, sagt John. »So was ist nicht jedermanns Sache, fürchte ich.«

Elizabeth nickt; wie wahr. Zurück an die Arbeit. »Also, Penny, wer könnte Ian Venthams Tod wollen? Und warum ausgerechnet zu dem Zeitpunkt, an dem mit den Grabungen begonnen werden sollte? Du würdest wahrscheinlich fragen, wer verliert was, wenn das Bauprojekt durchgezogen wird. Oder? Und irgendwann sollten wir über Bernard Cottle reden. Du erinnerst dich an ihn? Mit dem *Daily Express* und der netten Frau? Mir scheint, da ist irgendwo ein Motiv versteckt, das wir herauskitzeln müssen.«

Elizabeth erhebt sich.

»Wer verliert was, Penny? Immer die große Frage, nicht wahr?«

59

Chris Hudson hat sein eigenes Büro, ein kleines Kabäuschen, in dem er sitzen und Geschäftigkeit vorschützen kann. Auf seinem Schreibtisch ist eine Stelle, wo normalerweise ein Familienfoto stehen würde, und er sieht den leeren Platz immer mit einem Stich der Beschämung. Vielleicht kann er ein Foto seiner Nichte aufstellen? Wie alt ist sie inzwischen? Zwölf? Oder schon vierzehn? Sein Bruder wird es wissen.

Los jetzt, wer hat Ventham umgebracht? Chris stand mehr oder weniger daneben, als es passiert ist. Er hat den Mord praktisch mit angesehen. Also, wen hat er gesehen? Den Donnerstagsmordclub, vollzählig versammelt, was sonst. Den Priester. Die attraktive Frau in Pullover und Turnschuhen. Wer das wohl war? Und ist sie Single? Falsches Thema, Chris. Konzentrier dich.

Hat dieselbe Person Ventham und Tony Curran ermordet? Sein könnte es. Klär einen Fall auf, dann hast du beide.

Die drei Anrufe auf Tony Currans Handy, wer war das? Im Zweifelsfall irgendein Typ, der ihm eine Lebensversicherung andrehen wollte, aber man kann nie wissen. Tony Currans Telefon könnte bestimmt jede Menge Geschichten erzählen, denkt er. Nichts gegen die Grundrechte, aber am liebsten würde Chris die Telefone jeder einzelnen Person in Fairhaven abhören, die nur im Mindesten suspekt wirkt. Die guten alten Gefängnismethoden.

Er muss an Bernie Scullion denken, der wegen bewaffneten Raubüberfalls in Parkhurst einsaß und kein Geld mehr hatte, aber unbedingt eine PlayStation wollte, weshalb er seinen Onkel anrief und ihm verriet, wo die halbe Million verbuddelt war. Die Polizei hatte Geld sowie Onkel binnen einer Stunde, und aus der PlayStation wurde leider nichts.

Es klopft an der Tür, und Chris wird eine kurze, verstörende Sekunde lang bewusst, dass er hofft, es ist Donna.

»Herein.«

Die Tür öffnet sich. Es ist DI Terry Hallet. Erschreckend tüchtig, gut aussehend auf diese schneidige Offiziersart, auf die alle so abfahren, aber dabei ärgerlicherweise ein netter Kerl. So ein enges T-Shirt könnte Chris nie tragen. Eines Tages wird Terry seinen Platz einnehmen. Terry hat vier Kinder und eine glückliche Ehe. Was da für Fotos auf dem Tisch stehen werden. Chris wünscht sich, er wäre Terry, aber wer weiß, wie es um ihn wirklich steht? Vielleicht ist Terry insgeheim depressiv, vielleicht weint er sich jede Nacht in den Schlaf? Chris bezweifelt es, aber es ist ein Strohhalm, an den er sich klammern kann.

»Soll ich wann anders wiederkommen?«, fragt Terry, und Chris macht sich klar, dass er ihn einen Tick zu lange angestarrt hat.

»Nein, 'tschuldige, Terry. Ich war mit den Gedanken woanders.«

»Bei Ian Ventham?«

»Ja«, lügt Chris. »Also, was hast du für mich?«

»Tut mir leid, dich zu Tony Curran zurückzuholen, aber ich hab da was, was dich hoffentlich freuen wird«, sagt Terry. »Einen Wagen, der für die halbe Meile zwischen den beiden Radarfallen vor und nach Tony Currans Haus zwölf Minuten gebraucht hat. Und genau das richtige Zeitfenster.«

Chris überfliegt die Angaben. »Das heißt, er hat irgendwo dazwischen haltgemacht? Einen netten kleinen Zehn-Minuten-Stopp für dies oder jenes?«

Terry Hallet nickt.

»Gibt's da irgendetwas außer dem Haus von Tony Curran? Irgendwas, wo man anhalten würde?«

»Einen Rastplatz gibt es. Wenn man schiffen muss. Aber …«

»Bisschen viel Zeit fürs Schiffen«, stimmt Chris zu. »Kann vorkommen, aber trotzdem. Und ihr habt das Kennzeichen abgefragt?«

Terry nickt wieder. Und grinst dann.

»Vielversprechendes Grinsen … Also, schieß los.«

»Rate, wer als Fahrzeughalter eingetragen ist.«

Terry schiebt Chris ein zweites Blatt über den Schreibtisch. Chris schaut es an, blinzelt.

»Na, das ist ja mal was. Und die Zeitangaben sind gesichert?«

Terry Hallet nickt und trommelt mit den Fingern auf Chris' Schreibtisch. »Damit haben wir ihn, oder?«

Chris kann nur zustimmen. Zeit für einen kleinen Schwatz unter Freunden.

60

Bogdan hat gesehen, wo Marina wohnt, und warum es nicht einfach jetzt versuchen? Sie wird wissen, was mit den Knochen zu tun ist, das war ihm gleich nach der Unterhaltung mit ihr klar. Er hat ihr Blumen mitgebracht. Nicht aus dem Laden, sondern vom Waldrand, so gebunden, wie seine Mutter sie immer gebunden hat.

Wohnung 8. Er drückt den Klingelknopf, und eine Männerstimme meldet sich. Das überrascht Bogdan. Er hat Marina schon öfter gesehen, aber noch nie mit einem Mann.

Die äußere Tür springt auf. »Ich komme zu Marina? Ich suche Marina?«, sagt er, während er in den teppichbelegten Korridor tritt. Gleich die erste Tür öffnet sich, und er erblickt einen alten Mann im Schlafanzug, der sich mit dem Kamm durch das dichte graue Haar fährt. Ist er vielleicht doch verkehrt? Egal, der Mann wird Marina kennen, und er wird ihm sagen, wohin er sich wenden muss.

»Ich wollte zu Marina?«, sagt Bogdan. »Ich denke, sie wohnt vielleicht hier, aber vielleicht andere Wohnung?«

»Marina? Natürlich, natürlich, hereinspaziert, setzen wir den Kessel auf, ja? Wann wäre es dafür je zu früh?«, sagt Stephen.

Und der Mann legt Bogdan den Arm um die Schulter und führt ihn hinein. Erleichtert bemerkt Bogdan ein

Bild von Marina, einer jüngeren Marina, auf dem Tisch in der Diele. Dann ist er also doch richtig.

»Ich weiß nicht, wo sie steckt, mein Freund, aber sie kommt sicher gleich«, sagt Stephen. »Sie wird beim Einkaufen sein oder auf einen Sprung drüben bei ihrer Mutter. Nehmen Sie Platz, nutzen wir es aus, dass wir es so schön ruhig haben. Sagen Sie, spielen Sie Schach?«

61

Chris Hudson zieht im Hinausgehen die Jacke über. Er dreht sich um, als es hinter ihm »Sir?« ruft.

Es ist Donna De Freitas. Sie eilt ihm nach.

»Was immer Sie vorhaben, ich glaube, Sie müssen umdisponieren«, sagt Donna.

»Das glaube ich kaum, PC De Freitas«, sagt Chris. Im Dienst nennt er sie nach wie vor PC De Freitas. »Ich will gerade wem auf den Zahn fühlen.«

»Aber ich bin noch mal die Anrufliste durchgegangen«, sagt Donna. »Und ich habe die Nummer erkannt.«

»Von dem Handy, von dem Tony Curran angerufen wurde?«

Donna nickt und hält Chris einen Zettel unter die Nase. »Erinnern Sie sich? Jason Ritchies Nummer. Der Mensch, der Tony am Morgen vor seinem Tod dreimal zu erreichen versucht hat, das war er. Disponieren Sie jetzt um?«

Chris bringt sie mit erhobenem Finger zum Schweigen und zieht aus seiner Jackentasche das Blatt, das Terry Hallet ihm gegeben hat. »Radaraufnahmen vom Tag des Mordes.«

Donna liest und schaut dann zu Chris hoch.

»Jason Ritchies Wagen?«

Chris nickt.

»Jason ruft am Morgen bei Tony Curran an. Jasons Auto ist zur Tatzeit in der Nähe von Tonys Haus. Knöpfen wir uns Jason also vor?«

»Vielleicht erst mal nur ich«, sagt Chris.

»Aber ganz sicherlich nicht«, sagt Donna. »Erstens bin ich Ihr Schatten, und das ist eine heilige Vertrauensbeziehung, die über allem steht. Und zweitens habe ich gerade den Fall aufgeklärt.«

Sie wedelt mit Jasons Telefonnummer vor seinem Gesicht herum.

Chris wedelt mit den Radaraufnahmen zurück. »Ich hab ihn schon vor Ihnen aufgeklärt, Donna. Also statte ich ihm einen kurzen Besuch daheim ab, allein, und schaue, ob er so nett ist, mir ein paar Fragen zu beantworten. Ganz informell.«

Donna nickt. »Guter Plan. Er ist bloß nicht daheim. Das hab ich schon überprüft.«

»Wo ist er dann?«

»Wenn Sie mich mitnehmen, zeig ich's Ihnen«, sagt Donna.

»Und wenn ich Ihnen befehlen würde, mir zu sagen, wo er ist?«, fragt Chris.

»Versuchen können Sie's«, sagt Donna.

Chris schüttelt den Kopf. »Na schön. Sie fahren.«

62

Weder Chris noch Donna wussten bis dato, dass Maidstone eine Eisbahn hat. Wofür zum Teufel braucht Maidstone eine Eisbahn? Um diese Frage dreht sich auf der Hinfahrt ein Großteil der Unterhaltung. Allerdings erst, nachdem Donna Chris dazu bringen konnte, seinen Mix von frühen Oasis-B-Seiten auszuschalten.

Donnas Projekt ist es nämlich, Chris Stück um Stück von seinem Jahrhundert in ihres herüberzulotsen.

Das Rätsel ist noch nicht gelöst, als sie vor dem Ice-Spectacular anhalten. Was hat eine Eisbahn gleich an der Umgehungsstraße zu suchen, eingeklemmt zwischen der Lagerhalle eines Fliesenhandels und einem Teppichhaus?

Wie Chris seinen Freunden gern erklärt: Wenn es in ihrer Gegend einen Laden gibt, der irgendwie fehl am Platz wirkt und in dem man nie Kundschaft sieht, dann ist das eine Tarnung für Drogengeschäfte. Immer. Ein Ort nur zum Geldwaschen, für den echte Umsätze oder Kunden zweitrangig sind. Jede Stadt hat eine Variante davon, verborgen in einer kleinen Ladenzeile, unter der Eisenbahnbrücke, neben einem Teppichhaus. Ob es nun ein Enthaarungsstudio ist, ein Verleih für Partybeleuchtung oder eben eine Eisbahn, deren Neonschild zum letzten Mal 2011 geblinkt hat.

Immer eine Tarnung, immer Drogen, denkt Chris, als er die Beifahrertür des Ford Focus zuschlägt. Was nur stimmig erscheint, wenn man bedenkt, wen Chris und Donna hier suchen.

Durch einen schmuddeligen, teppichbelegten Eingangsbereich betreten sie das Stadion. Um diese Tageszeit ist es leer bis auf einen älteren Mann, der das verstreute Popcorn von den Plastiksitzen der Zuschauerplätze saugt, und zwei Gestalten auf dem Eis.

Alle, die Jason Ritchie in seinen großen Tagen kannten, erinnern sich an dieses Fließende, das sämtliche seiner Bewegungen auszeichnete. An seine Füße, die gleichsam schwerelos durch den Ring glitten, an die Weichheit, mit der seine kraftvollen Arme Seithaken und rippendurcheinanderrüttelnde Jabs platzierten. An sein tänzelndes Ausweichen und Antäuschen, die Augen immerfort auf den Gegner gerichtet, der ganze Körper bereit für den Ausfall, den Schlag. Er war keiner dieser Schränke, kein Stück Holz, kein Zombie. Er war ein Athlet, stark und mutig, eine prachtvolle, perfekt geölte Maschine, kein Iota zu viel, keines zu wenig. Mit seiner Anmut, seiner Geschmeidigkeit und Beherrschung war es ein Genuss, ihm zuzuschauen.

Aber mit dem Eislaufen, das wird sehr deutlich, als Chris und Donna mit ihren Kaffeebechern dastehen und zusehen, mit dem Eislaufen hat Jason Ritchie es nicht.

Die Stunde scheint vorüber zu sein, denn Jason stakst mit vorsichtigen Schritten zum Rand der Bahn, am Ellbogen gestützt von einer kleinen Frau im lilafarbenen Trikot. Dennoch rutscht, keinen Meter von der rettenden Bande entfernt, Jasons linker Schlittschuh unter ihm weg, verhakt sich mit dem rechten, und bei so viel strauchelnder Körpermasse kann auch die Dame im Trikot nichts mehr ausrichten. Da sitzt er wieder auf dem Hintern. Chris und Donna schauen erst wenige Minuten zu, können seine Stürze aber schon nicht mehr zählen.

Chris lehnt sich über die Bande und streckt ihm die Hand hin. Erst jetzt registriert Jason die beiden Polizisten. Bisher war er zu sehr in Anspruch genommen. Er späht Chris scharf ins Gesicht, während er nach der dargebotenen Hand greift und endlich festen Boden erreicht.

»Hätten Sie fünf Minuten Zeit für uns, Jason?«, fragt Chris. »Wir haben einen ziemlichen Weg auf uns genommen.«

»Alles in Ordnung, Jason?«, erkundigt sich die Dame im Trikot.

Jason nickt und macht ihr ein Zeichen, dass sie ruhig gehen kann. »Ja, das sind Bekannte, mit denen schwatze ich noch ein bisschen.«

»Okay, also ich schreib das jetzt kurz zusammen und schick's an den Sender«, sagt die Frau. »Du bist kein hoffnungsloser Fall, ehrlich nicht.«

»Darling, du warst echt super, tausend Dank, dass du dir das alles angetan hast.«

»Dann bis hoffentlich bei der Gala«, sagt die Eisläuferin und winkt noch einmal, bevor sie auf ihren schmalen Kufen die steile Treppe hinaufpoltert.

Jason lässt sich in eine Sitzschale fallen, deren Plastik ein wenig nachgibt unter seinem Gewicht. Er fängt an, seine Schlittschuhe aufzuschnüren.

»Dachte ich's mir doch, dass ich euch zwei noch mal sehe. Habt ihr wieder ein Foto für mich?«

»Gut, kommen wir gleich zum Punkt«, sagt Chris. »Was haben Sie an dem Tag, an dem Tony Curran ermordet wurde, bei seinem Haus gemacht?«

»Das ist meine Sache«, sagt Jason. Aus dem einen Schlittschuh ist er fast draußen, aber es scheint ein harter Kampf zu sein.

»Aber wir sind uns einig, dass Sie dort waren?«, fragt Donna.

»Bin ich verhaftet?«, will Jason wissen.

»Noch nicht«, sagt Donna.

»Dann ist es meine Sache, ob ich dort war oder nicht.« So. Schlittschuh Nummer eins wäre geschafft. Er keucht wie nach drei Runden im Ring.

»Nur der Vollständigkeit halber«, Chris nimmt sein Handy aus der Tasche und wischt über das Display, »wir haben auf den Radaraufnahmen aus der Umgebung von Tony Currans Haus nach Ian Venthams Wagen gesucht. Wäre eine schöne, klare Angelegenheit gewesen. Aber Ian Ventham war nicht bei Tony Curran. Dafür haben wir etwas noch viel Interessanteres entdeckt. Die erste Radarkamera, gute vierhundert Meter östlich von Tonys Haus, Jason, hat Ihr Auto um 15:26 erfasst, und die nächste Kamera, auf der anderen Seite von Tonys Haus, erfasst Sie um 15:38. Das heißt, entweder haben Sie für die halbe Meile zwölf Minuten gebraucht, oder Sie haben einen Zwischenstopp eingelegt.«

Jason sieht Chris eine Weile mit größter Ruhe an, zuckt dann die Achseln und beugt sich über seinen rechten Schlittschuh.

»Ich hätte auch noch eine Frage«, sagt Donna. »An dem Tag, an dem Tony Curran getötet wurde, haben Sie ihn da angerufen?«

»Das weiß ich nicht mehr, tut mir leid.« Jason zupft an einem, wie es scheint, heillos vertrackten Knoten in seinem Schnürband.

»Aber an so was müssten Sie sich doch erinnern, oder, Jason?«, sagt Donna. »Dass Sie Tony Curran angerufen haben. Tony von der alten Gang.«

»Ich war nie in einer Gang«, sagt Jason, dem bei dem Knoten jetzt doch der Durchbruch gelungen ist.

Chris nickt. »Die Sache ist nur die, Jason. Eine mysteriöse Nummer ruft am Morgen vor Tony Currans Tod dreimal bei ihm an. Eine Nummer, die wir dank Vodafone und den Datenschutzbestimmungen nicht zuordnen konnten. Aber eine Nummer, die Sie dankenswerterweise eigenhändig aufgeschrieben und PC De Freitas gegeben haben. Mit anderen Worten: Ihre Nummer.«

Jetzt hat Jason auch den zweiten Fuß befreit. Er nickt. »Das war dämlich von mir.«

»Und dann, am selben Nachmittag, fahren Sie die Straße vor Tony Currans Haus entlang, wo Sie anhalten, um irgendeine Erledigung zu machen, die Sie in etwa zehn Minuten kostet. Zu genau der Zeit, um die Tony Curran ermordet wurde.« Chris sieht Jason fragend an.

»Tja. Sieht ganz so aus, als stünden Sie vor einem Rätsel«, sagt Jason. »So, da ich jetzt glücklich aus diesen Dingern raus bin, werd ich's mal packen.«

Jason steht auf. Chris und Donna ebenfalls.

»Ich dachte, vielleicht möchten Sie bei uns vorbeischauen, für Fingerabdrücke und eine Speichelprobe?«, sagt Chris. »Damit wir Sie von unserer Liste streichen können. Wir könnten Sie bei gleich zwei Morden abhaken. Das wäre doch nett.«

»Sie sollten sich lieber fragen, warum Sie meine Fingerabdrücke und meine DNA nicht längst haben«, sagt Jason. »Vielleicht, weil ich noch nie wegen irgendwas belangt worden bin?«

»Nie erwischt worden, Jason«, sagt Chris. »Das ist nicht dasselbe.«

»Ein Motiv wäre auch noch gut«, sagt Jason.

»Raub?«, sagt Chris. »So jemand wie Curran hat viel Geld bei sich rumliegen. Haben Sie aktuell möglicherweise Geldsorgen?«

»Ihre fünf Minuten sind um, glaube ich«, sagt Jason und beginnt, die Stufen zum Umkleideraum hinaufzusteigen. Chris und Donna folgen ihm nicht.

»Oder ist das für Sie ein Prestigeprojekt, *Promis auf dem Eis*?«, fragt Donna. Worauf Jason ihr ein breites Grinsen zuwirft. Dann zeigt er ihnen den Finger, dreht sich um und verschwindet die Treppe hinauf.

Chris und Donna sehen ihm nach, setzen sich dann wieder auf die Plastiksitze und blicken auf die leere Eisfläche.

»Was meinen Sie?«, fragt Chris.

»Wenn er es war, warum zum Henker sollte er dann ein Foto von sich am Tatort zurücklassen?«, fragt Donna.

Chris schüttelt den Kopf. »Manche Leute sind vielleicht einfach dumm?«

»Dumm kommt er mir nicht vor«, sagt Donna.

»Auch wieder wahr«, seufzt Chris.

63

Elizabeth sieht schon von Weitem, dass etwas nicht stimmt. Die Vorhänge in Stephens Arbeitszimmer stehen offen. Sie sind immer zugezogen. Die grelle Morgensonne stört Stephen beim Schreiben.

Blitzschnell spielt ihr Hirn die ganze Bandbreite von Möglichkeiten durch. Ist Stephen plötzlich wieder wach und auf Zack? Ist er gestürzt? Liegt er auf dem Boden? Noch am Leben? Tot?

Oder ist jemand eingebrochen? Jemand aus ihrem früheren Leben? So etwas passiert, selbst heute noch. Sie hat von solchen Fällen gehört. Oder stattet ihr jemand aus der verworrenen Gegenwart einen Besuch ab?

Elizabeth geht hintenherum, zu dem Notausgang an der Rückseite des Gebäudes. Er lässt sich nicht ohne einen Spezialschlüssel öffnen, auf den nur die Feuerwehr Zugriff hat. Elizabeth schließt auf und schlüpft ins Haus.

Ihre Füße bewegen sich lautlos über den Teppichboden im Flur, aber auf dem Betonkorridor eines Stasi-Zuchthauses wären sie nicht weniger lautlos. Sie zieht den Schlüsselbund aus der Tasche und schmiert den Yaleschlüssel mit Lippenbalsam. Kein Klicken ertönt, als sie ihn ins Schloss steckt, kein Klicken, als sie ihn dreht.

Falls ein Fremder in der Wohnung ist, könnte es aus sein mit ihr, das weiß sie. Sie schließt die Faust um den

Schlüsselring und schiebt in jeden Fingerzwischenraum einen Schlüssel.

In der Diele liegt Stephen schon einmal nicht, immerhin etwas. Die Tür zu seinem Arbeitszimmer steht offen, Vormittagssonne strömt herein. Mit einem Stich der Beschämung sieht sie die Staubkörnchen im Türdurchgang tanzen.

»Schachmatt«, sagt eine Stimme aus dem Wohnzimmer. Eine osteuropäische Stimme.

»Da schlägt's doch dreizehn!« Das ist Stephen.

Elizabeth lässt den Schlüsselbund in die Tasche zurückgleiten und öffnet die Wohnzimmertür. Stephen und Bogdan sitzen sich am Schachbrett gegenüber. Sie lächeln beide bei ihrem Anblick.

»Elizabeth, schau, wer hier ist!«, sagt Stephen und zeigt auf Bogdan.

Bogdan ist verwirrt. »Elizabeth?«

»So nennt er mich. Er verwechselt viel.« Zu Stephen: »Ich heiße Marina, Lieber, weißt du nicht mehr?« Ein schönes Gefühl ist es nicht, aber was sein muss, muss sein.

»Das hat der Mann auch gesagt«, nickt Stephen.

Bogdan ist von seinem Stuhl aufgestanden und gibt Elizabeth die Hand. »Ich habe Blumen für Sie gebracht. Ihr Mann hat sie irgendwo. Ich weiß nicht, wo.«

Stephen studiert die Aufstellung auf dem Schachbrett. »Der Bursche hat's mir gezeigt, Elizabeth. Aber gründlich.«

Elizabeth betrachtet ihren Mann, wie er sich über das Brett beugt, die Spielzüge nachverfolgt, sichtlich entzückt über die Falle, die ihm gestellt worden ist. Wer sagt's denn, denkt Elizabeth und verliebt sich zum hundertsten Mal neu in ihn. Sie wiederholt: »Marina, Liebster.«

»Ich sage Elizabeth. Ist in Ordnung«, sagt Bogdan.

»Und das Licht bei mir im Zimmer hat er auch gerichtet«, sagt Stephen. »Der Mann ist ein richtiger Tausendsassa.«

»Das ist sehr nett von Ihnen, Bogdan. Tut mir leid, dass es hier nicht so sauber ist, wie es sein sollte. Wir bekommen fast nie Besuch, deshalb sind wir manchmal …«

Bogdan legt Elizabeth die Hand an den Oberarm. »Ist sehr schön, Ihr Zuhause, Elizabeth, und Ihr Mann, sehr nett. Ich habe gedacht, vielleicht können wir sprechen?«

»Sehr gern, Bogdan«, sagt Elizabeth.

»Ich kann Ihnen vertrauen, ja?« Bogdan blickt ihr forschend ins Gesicht.

»Sie können mir vertrauen«, erwidert Elizabeth, ohne die Augen niederzuschlagen.

Bogdan nickt. Er glaubt ihr.

»Können wir spazieren gehen? Sie und ich? Heute Nacht?«

»Heute Nacht?«, fragt Elizabeth.

»Ich muss Ihnen etwas zeigen. Aber besser, es ist dunkel.«

Elizabeth mustert Bogdan. »Etwas zeigen müssen Sie mir? Was könnte das sein?«

»Es wird sehr interessant sein für Sie«, sagt Bogdan.

»Das muss ich schon selbst beurteilen«, versetzt Elizabeth. »Und wohin soll der Spaziergang gehen, Bogdan?«

»Zum Friedhof«, sagt Bogdan.

»Zum Friedhof?« In Elizabeths Rückgrat kribbelt es. Welche Wunder das Leben doch manchmal bereithält!

»Ich komme hierher«, sagt Bogdan. »Und ziehen Sie dicke Kleider an, kann sein, dass es dauert.«

»Schon überredet«, sagt Elizabeth.

64

Joyce

Ja, ich weiß, Ian Ventham ist tot, und dazu gleich mehr, versprochen. Aber raten Sie, was noch passiert ist? Joanna ist hier!

Wir waren mit ihrem neuen Auto in Fairhaven (ich finde gleich noch raus, welche Marke) und sind bei No Milk Today eingekehrt. Ich habe kein Tamtam darum gemacht, aber es war ein voller Erfolg. Kein Wort der Beschwerde, nichts »Kein Mensch isst mehr vegan, Mum« oder »Bei dem Libanesen bei mir um die Ecke sind die Brownies viel besser, Mum«. Grüner Tee, Haferriegel, Aquafaba-Makronen. Dass ich das einmal von mir sagen würde!

Sie hat eine Geschäftsbesprechung hier in der Gegend. Irgendetwas mit »Optimierung«. Mein kleines Mädchen, das brav seine Fischstäbchen und Kartoffelpuffer aufaß, aber zetermordio schrie, wenn die Erbsen an der Reihe waren – und jetzt hat sie Geschäftsbesprechungen über »Optimierung«! Was immer das sein mag.

Der Freund ist Geschichte, wie wir ja schon vermutet hatten. Wussten Sie, dass die heutigen Handys absperrbar sind, sodass kein anderer reinschauen kann? Und entsperren kann man sie per Daumenabdruck. Jedenfalls war er irgendwann auf ihrem Sofa eingeschlafen, und sie hat seinen Daumen genommen, um in sein Handy zu kommen. Ein Blick auf seine Nachrichten, und als er aufwachte, standen seine Koffer schon gepackt bei der Tür. Das ist meine Joanna.

Einzelheiten über die Nachrichten hat sie keine erzählt, aber wenn ich ihre Andeutungen richtig verstehe, waren Fotos im Spiel. Ich höre oft genug *Woman's Hour*, um mir meinen Teil denken zu können. Entschuldigen Sie die Ausdrucksweise, aber was für ein Vollidiot!

Wir mussten beide kichern, als sie es erzählt hat, insofern ist ihr Herz wohl nicht ernsthaft gebrochen.

Aber ich muss Schluss machen, ich glaube, sie steht von ihrem Nickerchen auf.

Meine große Kleine, die in meinem Bett mittagschläft, und zwei Morde, die wir aufklären müssen! Was kann man vom Leben mehr verlangen?

Joanna hat eine Flasche Wein mitgebracht. Irgendwas ist besonders an ihm, aber ich fürchte, ich habe vergessen, was. Eines Tages wird sie begreifen, dass vor allem sie etwas Besonderes ist. Jedenfalls habe ich Elizabeth eingeladen, heute Abend auf ein Glas zu uns zu stoßen, aber sie hatte schon »andere Pläne«.

Was für Pläne, darüber tappe ich genauso im Dunkeln wie Sie. Aber es hat mit den Morden zu tun, darauf wette ich.

(NACHTRAG: ES IST EIN AUDI A4)

65

Das Sträßchen hinauf zum Garten der ewigen Ruhe schimmert blass in der Dämmerung. Bogdan bietet Elizabeth den Arm, und sie nimmt ihn.

»Stephen ist nicht gesund?«, sagt Bogdan.

»Nein, leider, er ist nicht gesund.«

»Sie haben ihm was in den Kaffee getan, glaube ich? Als wir weg sind?«

»Hier nimmt jeder Medikamente gegen irgendetwas, Bogdan.«

Bogdan nickt, er hat verstanden.

Sie kommen an der Bank vorbei, auf der Bernard Cottle große Teile seines Tages verbringt. Elizabeth hat sich vermehrt Gedanken zu Bernard gemacht, die Umstände lassen ihr fast keine andere Wahl. Sie hat immer das Gefühl, dass er vor dem Friedhof Wache hält. Dass er als eine Art Hüter auf dieser Bank sitzt. Er geht nie durch das Tor, ist aber immer in der Nähe. Was verliert Bernard, wenn das Bauvorhaben durchgeführt wird? Sie wird irgendwann mit ihm sprechen müssen, oder vielleicht delegiert sie das besser an Ron und Ibrahim. So oder so müssen sie sich dafür erst mal an Joyce vorbeimogeln.

»Er hat lange kein Schach mehr gespielt, Bogdan. Das tat richtig wohl, euch zu sehen.«

»Er ist gut. Sehr schwierig zu schlagen.«

Sie haben das Eisentor zum Garten der ewigen Ruhe

erreicht. Bogdan klinkt einen Flügel auf und lässt Elizabeth den Vortritt.

»Aber Sie sind ja offenbar auch ein geübter Spieler?«

»Schach ist leicht«, sagt Bogdan, während er sie zwischen den Gräberreihen hindurchleitet und eine Taschenlampe anknipst. »Du machst einfach immer den besten Zug.«

»Klingt einleuchtend«, sagt Elizabeth. »So habe ich das noch gar nicht gesehen. Aber wenn man nicht weiß, welcher der beste Zug ist?«

»Dann verliert man.« Bogdan führt sie noch ein paar Schritte weiter und macht vor einem alten Grab in der hintersten Ecke halt.

»Aber ich kann Ihnen vertrauen, ja?«, fragt er nochmals.

»Unbedingt«, sagt Elizabeth.

»Obwohl Ihr Name Elizabeth ist? Ich hab die Briefe auf dem Schreibtisch gesehen.«

»Tut mir leid«, sagt Elizabeth. »Aber davon abgesehen, unbedingt.«

»Ist in Ordnung, Sie werden schon wissen. Aber wenn ich Ihnen etwas zeige, Sie sagen der Polizei nichts, Sie sagen niemand was?«

»Sie haben mein Wort.«

Es ist ein schöner Abend. Elizabeth sitzt behaglich zu Füßen der Christusstatue und schaut zu, wie Bogdan ein Stück links von ihr im schwachen Schein der Taschenlampe die Erde aufzugraben beginnt. Was mag er entdeckt haben? Welches Geheimnis wird er ihr enthüllen? Im Geist geht sie die Möglichkeiten durch. Die naheliegendste Antwort ist Geld. Es wird ein Koffer sein oder eine Sporttasche, und Bogdan wird sie herausholen und vor sie hinstellen. Banknoten, vielleicht Gold, eine Diebesbeute, die weiß Gott wer wann hier vergraben hat. Und es muss eine fette Beute sein, oder warum schleift

Bogdan sie sonst im Dunkeln hier hoch? Fett genug, dass jemand dafür einen Mord beginge? Ein paar Tausend hätte er doch sicher einfach eingesteckt, wen soll es schon stören? Andererseits, so ein Koffer voller Fünfziger, das würde …

»'kay. Jetzt«, sagt Bogdan, im Grab stehend, die Schaufel geschultert.

Elizabeth stemmt sich hoch, geht zum Grab und sieht, was Bogdan am Morgen von Ian Venthams Tod gesehen hat. Von all den Dingen, die man in einem Grab finden kann, sollte man von einer Leiche ja nun am wenigsten überrascht sein, denkt sie. Aber als Bogdan den Lichtkegel über die Knochen und den Sargdeckel gleiten lässt, auf dem sie ruhen, muss sie zugeben, dass sie das nicht erwartet hat.

»Sie haben gedacht, Geld, oder?«, sagt Bogdan. »Ich habe Geld oder so was gefunden, und jetzt weiß ich nicht, was ich machen soll?«

Elizabeth nickt. Geld oder so was. Dumm ist Bogdan nicht, ganz im Gegenteil.

»Ich weiß. Kein Geld, leider. Wär gut gewesen. Sondern Knochen. Knochen im Sarg drin. Noch mehr Knochen, andere Knochen, auf dem Sarg drauf.«

»Und das haben Sie gestern entdeckt, Bogdan?«, fragt Elizabeth.

»Als Ian gestorben ist, gleiche Zeit. Ich wusste nicht … Ich wollte einen Tag zum Denken. Vielleicht ist es nichts, glauben Sie?«

»Ich fürchte, es ist leider doch etwas, Bogdan«, sagt Elizabeth.

»Vielleicht, leider«, bestätigt Bogdan düster.

Elizabeth hat sich hingesetzt und lässt die Füße ins Grab baumeln. Sie blickt hinunter auf den Sargdeckel. »Das heißt, Sie haben den Sarg geöffnet?«

»Ich dachte, ist besser. Ist sicherer.«

»Auf jeden Fall«, stimmt ihm Elizabeth zu. »Und Sie wissen genau, dass die Knochen da drin von einem zweiten Skelett stammen?«

Bogdan beugt sich vor und stemmt den unteren Teil des Deckels hoch, sodass das Gerippe darin sichtbar wird. »Ja. Knochen, wie es richtig ist. Viel älter.«

Elizabeth nickt und überlegt. »Zwei Leichen also. Eine da, wo sie hingehört, und eine zweite, eindeutig frischere, da, wo keine hingehört.«

»Ja. Vielleicht wäre besser, ich hätte es der Polizei gesagt, aber ich weiß nicht. Die Polizei, sie ...«

»Ja, ich weiß, wie die Polizei ist, Bogdan. Es war völlig richtig von Ihnen, zu mir zu kommen. Irgendwann werden wir die Polizei wohl verständigen müssen, aber noch nicht gleich, denke ich.«

»Und jetzt?«

»Schütten Sie es bitte wieder zu, Bogdan, geht das? Fürs Erste. Damit ich Zeit zum Nachdenken habe.«

»Ich grabe aus, ich grabe ein. Aus, ein. Sie sagen, ich mache, Elizabeth.«

»Wir zwei sind vom gleichen Schlag, Bogdan«, sagt Elizabeth. Sie muss Austin anrufen, denkt sie. Austin wird wissen, was von alledem zu halten ist.

Sie schaut hinab auf die Lichter von Coopers Chase. Die meisten sind inzwischen erloschen, aber Ibrahims Fenster ist noch hell erleuchtet. Er wird am Arbeiten sein, der Wackere.

Sie dreht sich wieder Bogdan zu, der die Erde zurück ins Grab schaufelt, verschwitzt, lehmbeschmiert. Der einen zerbrochenen Sargdeckel über das eine Gerippe herablässt, ganz vorsichtig, um das andere nicht in seiner Ruhe zu stören. So einen Sohn hätte sie vielleicht auch gern gehabt, denkt sie.

66

»Die nehmen's von den Lebenden *und* von den Toten«, sagt Ron. »Immer schon. Egal, was es ist, die katholische Kirche will ein Stück von dem Kuchen.«

»Trotzdem«, sagt Ibrahim.

Ibrahim und Ron debattieren darüber, wer Ian Ventham umgebracht haben könnte.

Sie arbeiten sich durch die dreißig Namen auf der Liste und erörtern bei jedem das Für und Wider. Heute Abend sind die Männer unter sich. Joyce hat Joanna zu Besuch, und Elizabeth war nirgends zu finden. Was seltsam ist, so spät am Abend, aber sie haben beschlossen, dennoch weiterzumachen.

Ron besteht darauf, alle auf einer Punkteskala zwischen eins und zehn einzustufen, und je mehr Whisky er trinkt, desto freigebiger wird er mit den Punkten. Maureen aus dem Larkin Court hat gerade eine Sieben erzielt, hauptsächlich deshalb, weil sie sich am Salatbüfett einmal vor Ron gedrängt hat, was »schon alles« sagt.

»Pater Mackie ist unsere erste Zehn, Ibbsy, schreib das auf. Der kommt ganz oben auf die Liste. Er hat garantiert was in einem von den Gräbern verbuddelt. Ga. Ran. Tiert. Gold oder eine Leiche, oder vielleicht Pornos. Alles drei, so wie diese Typen drauf sind. Und jetzt hat er Angst, dass sie's ausgraben.«

»Nicht sehr wahrscheinlich, Ron«, sagt Ibrahim.

»Wieso, Sherlock Holmes hat das auch schon gesagt. Wenn man nicht weiß, wer es getan haben könnte, dann … oder so ähnlich.«

»Ein weiser Spruch, fürwahr«, sagt Ibrahim. »Und Pater Mackie hätte es nicht einfach wieder ausgegraben, Ron? Irgendwann in aller Ruhe? Um sich diesen ganzen Ärger zu ersparen?«

»Hat seinen Spaten verloren, was weiß ich. Hör auf meine Worte, mein Freund«, sagt Ron, dessen Worte freilich schon beginnen, sanft und warm ineinanderzufließen. Lange Abende, Whisky, ein Kriminalfall, so soll das Leben sein. »Zehn Punkte von mir.«

»Wir sind hier nicht bei *Let's Poison*, Ron.« Ibrahim hat starke Vorbehalte gegen Rons Bewertungssystem, schreibt aber dennoch eine 10 hinter Pater Mackies Namen. Nebenbei bemerkt hat Ibrahim auch starke Vorbehalte gegen das Bewertungssystem von *Let's Dance*, bei dem seines Erachtens die Publikumsmeinung zu viel und das Urteil der Juroren zu wenig zählt. Er hat dem Sender bereits einen Brief dieses Inhalts geschrieben und darauf eine freundliche, wenngleich unverbindliche Antwort erhalten. Er nimmt den nächsten Namen auf der Liste in den Blick.

»Bernard Cottle, Ron. Was halten wir von ihm?«

»Auch eine ganz heiße Spur, wenn du mich fragst.« Die Eiswürfel in Rons Whisky klirren, als er mit seinem Glas gestikuliert. »Hast du gesehen, wie er gestern früh drauf war?«

»Er hat sich ziemlich echauffiert, das stimmt.«

»Und wir wissen, dass er ständig auf dieser Bank da oben sitzt, wie um sein Terrain zu markieren«, sagt Ron. »Da saß er immer mit seiner Frau, richtig? Das heißt, an dem Platz findet er seinen Frieden, oder? Und den lässt sich kein Mann gern wegnehmen, schon gar nicht in unserem Alter. Zu viel Veränderung bekommt unsereins nicht.«

Ibrahim nickt. »Zu viel Veränderung, ja. Irgendwann kommt die Zeit, da gibt es Fortschritt nur noch für die anderen.«

Für Ibrahim ist einer der größten Vorzüge von Coopers Chase die Lebendigkeit hier. Diese Fülle von lächerlichen Ausschüssen und Grabenkämpfen, von Aufregung und Abwechslung und Klatsch. All die Neuankömmlinge, die, jeder auf seine Weise, die Dynamik minimal verändern. Und all die Abschiede, die einen daran erinnern, dass auch hier nichts so bleiben kann, wie es ist. Es ist genau die Art von Gemeinschaft, die uns Menschen am meisten entspricht, findet er. Wer in Coopers Chase allein sein möchte, der schließt einfach seine Tür, und wenn er nicht mehr allein sein will, öffnet er sie wieder. Falls es ein besseres Rezept zum Glücklichsein gibt, ist es Ibrahim jedenfalls noch nicht untergekommen. Aber Bernard hat seine Frau verloren, und noch deutet nichts darauf hin, dass er aus seiner Trauer herausfindet. Und darum muss er auf der Hafenmauer in Fairhaven sitzen dürfen oder auf der Bank oben am Hügel, ohne dass einer ihn fragt, warum.

»Welchen Platz hast du, Ron?«, fragt Ibrahim. »An dem du deinen Frieden findest?«

Ron stößt ein belustigtes Schnauben aus. »Wenn du mich das vor zwei Jahren gefragt hättest, dann hätte ich dir ins Gesicht gelacht und dich stehen lassen.«

»Das stimmt«, bestätigt Ibrahim. »Da sieht man meinen heilsamen Einfluss.«

»Ich glaube«, beginnt Ron, sein Gesicht lebhaft, der Blick wachsam, »ich glaube …« Ibrahim kann sehen, wie Rons Züge sich entspannen, während er beschließt, seinem Empfinden einfach freien Lauf zu lassen. »Ganz ehrlich? Ich gehe grade im Kopf alle die Standardantworten durch, die man bei so was gibt. Aber weißt du was? Es könnte sein, dass dieser Platz für mich einfach hier in diesem Sessel ist, bei meinem Kumpel, der seinen Whisky mit mir teilt, und draußen ist es dunkel, und wir schwatzen.«

Ibrahim verschränkt die Hände ineinander und lässt Ron reden.

»Denk an all die, die nicht mehr da sind, Ibbsy. An alle, die nicht durchgehalten haben. Und wir sitzen hier, ein Junge aus Ägypten und einer aus Kent, und wir haben es bis hierher geschafft, und jemand in Schottland hat diesen Whisky für uns gebrannt. Das ist doch was, oder? Das ist doch der Platz, oder, alter Freund? Das ist der Platz.«

Ibrahim nickt und stimmt zu. Sein wahrer Friedensort ist die Bücherwand mit den Akten direkt hinter ihm, aber er will den Moment nicht verderben. Ron ist verstummt, Ibrahim kann sehen, dass er weit weg ist. Irgendwo tief in seinem Inneren. Ibrahim weiß, jetzt kommt es darauf an, Ron Raum zu geben, ihn dorthin gehen zu lassen, wo er hingehen muss. Ihn das denken zu lassen, was er denken muss. Das hat Ibrahim im Lauf der Jahre viele Male bei den Menschen beobachtet, die in diesem selben Lehnstuhl saßen, und es ist das, was er an seinem Beruf am meisten liebt: sehen zu können, wie jemand tief in sein Inneres taucht, Dinge herauftaucht, von deren Existenz er nichts wusste. Dann hebt Ron den Kopf, wieder ganz präsent. Ibrahim beugt sich vor, eine Winzigkeit nur. Wo war Ron eben?

»Glaubst du, Bernard geht mit Joyce in die Kiste, Ibbsy?«, fragt Ron.

Ibrahim lehnt sich zurück, wieder nur eine Winzigkeit. »Darüber habe ich bis jetzt noch nie nachgedacht, Ron.«

»Lüg doch nicht. Natürlich hast du. Psychiater! Ich wette, er besorgt es ihr, der Glückspilz. Bei dem ganzen Kuchen und Gott weiß was alles. Könntest du noch, ich meine, wenn du müsstest …?«, fragt er.

»Nein. Seit ein paar Jahren schon nicht mehr.«

»Ich auch nicht. Irgendwo auch ein Segen. Ich war derart versessen darauf. Egal, ich würde ihn bei neun einstufen, du? Den alten Bernie? Er war da, er hatte ganz klar was dagegen, dass der Friedhof planiert wird, und er hat früher was mit Naturwissenschaften gemacht, oder?«

»Petrochemie, glaube ich.«

»Da hast du's, Fentanyl, neun Punkte!«

Ibrahim ist geneigt zuzustimmen. Bernard scheint auch ihm nicht ganz im Stand der Gnade zu leben. Er fügt dem Namen Bernard Cottle eine Neun hinzu.

»Wenn sie miteinander in die Kiste gehen, wird Joyce sich über diese Neun aber nicht freuen.«

»Joyce liegen dieselben Fakten vor wie uns. Sie wird selbst wissen, dass er eine Neun ist.«

»Pfiffig ist sie, das stimmt«, pflichtet Ron ihm bei. »Was ist mit diesem Mädel von dem Bauernhof oben? Mit den Computern?«

»Karen Playfair«, sagt Ibrahim.

»Die war ziemlich nah dran«, sagt Ron. »Mitten im Getümmel. Und ich wette, sie weiß das eine oder andere über Drogen. Hübsch ist sie auch, und mit den Hübschen gibt es immer Ärger.«

»Ach ja?«

»Immer«, bekräftigt Ron. »Ist jedenfalls meine Erfahrung.«

»Tatmotiv?«

Ron zuckt die Achseln. »Eine Affäre? Vergiss den Friedhof, es ist fast immer eine Affäre.«

»Dann vielleicht eine Sieben?«, schlägt Ibrahim vor. »Oder sagen wir, eine Sieben mit einem Sternchen und einer Fußnote, aus der hervorgeht, dass die näheren Umstände noch zu klären sind?«

»Sieben mit Sternchen«, bestätigt Ron, wobei die Zischlaute schon sehr nuschelig klingen. »Damit fehlen nur noch wir, was? Wir vier Letzten auf der Liste?«

Ibrahim sieht hinab auf die Reihe von Namen und nickt.

»Wollen wir?«, fragt Ron.

»Hältst du es für denkbar, dass es einer von uns war?«

»Also, ich war's schon mal nicht«, sagt Ron. »Sollen die doch erschließen, so viel sie wollen, je größer, desto besser, das ist meine Devise.«

»Aber bei der Baubesprechung hast du gegen das Projekt gewettert, du hast den Gemeinderat beackert, und du hast den Sitzstreik angeführt. Alles, um die Erschließung zu stoppen.«

»Ja klar«, sagt Ron in einem Ton, als wäre sein Freund schwer von Begriff. »Mit mir fährt keiner Schlitten. Und wann kriegst du mit fast achtzig schon mal die Chance, ein bisschen Stunk zu machen? Aber denk an das Wohngeld, Mann, denk an den Komfort. Wahrscheinlich wird das jetzt alles geknickt. Ich wär schön blöd, wenn ich ihn umgebracht hätte, damit würde ich mir doch ins eigene Fleisch schneiden. Gib mir eine Vier.«

Ibrahim schüttelt den Kopf. »Du bekommst eine Sieben. Du bist enorm streitlustig, du bist hitzköpfig, oft irrational, du warst mittendrin im Gemenge, und du bist insulinabhängig, das heißt, du kannst mit der Spritze umgehen. Das läppert sich zusammen.«

Ron nickt, wo Ibrahim recht hat, hat er recht. »In Ordnung, mach eine Sechs draus.«

Ibrahim klopft mit dem Stift siebenmal auf sein Buch,

bevor er aufblickt. »Und dein Sohn, habe ich so das Gefühl, könnte Tony Curran etwas näher gekannt haben. Macht sieben Punkte.«

Ron ist nicht mehr an seinem Friedensort, und seine Eiswürfel führen jetzt einen anderen Tanz auf. Seine Ruhe ist eine rein äußerliche. »Zieh Jason da nicht rein, Ibrahim. Was soll das bringen?«

Interessant, denkt Ibrahim, sagt jedoch nichts. »Bewerten wir uns jetzt objektiv oder nicht?«

Ron starrt seinen Freund eine lange Zeit an. »Hast ja recht, hast ja recht. Aber wenn ich eine Sieben bin, bist du auch eine.«

»Gern«, sagt Ibrahim und trägt es in sein Buch ein. »Irgendwelche Gründe dafür?«

Jede Menge Gründe, Kumpel, denkt Ron. Er lächelt jetzt, die Spannung löst sich. »Erst mal bist du verboten schlau. Schreib das ruhig mit. Du bist ein Psychopath – oder ist Soziopath das Schlimmere? Eine grauenhafte Klaue, das ist immer ein sicheres Zeichen. Du bist Immigrant, und was von denen zu halten ist, liest man ja ständig. Wegen dir sitzt irgendwo ein armer britischer Psychiater, ein Weißer, arbeitslos zu Hause rum. Und wahrscheinlich bist du voller Hass, weil dir die Haare ausgehen, andere haben aus nichtigeren Gründen gemordet.«

»Meine Haare gehen nicht aus«, sagt Ibrahim. »Frag Anthony. Er ist immer ganz beeindruckt, wie voll mein Haar ist.«

»Du warst da, mittendrin, wie üblich. Und du bist genau der Typ Mensch, der in einem Film den perfekten Mord begehen würde, nur um zu sehen, ob er damit durchkommt.«

»Da ist was dran«, räumt Ibrahim ein.

»Gespielt von Omar Sharif«, fügt Ron hinzu.

»Ah, dann ist das mit dem Haar ja geklärt. Schön, ich bin eine Sieben. Jetzt zu Joyce und Elizabeth.«

Ibrahim tut es wohl, bis spät in die Nacht reden zu können. Wenn Ron nachher geht, bleibt ihm nur noch zu lesen, noch mehr Listen zu erstellen und sich irgendwann doch ins Bett zu legen, um auf einen Schlaf zu warten, der nicht kommen will. Zu viele Stimmen verlangen nach seiner Aufmerksamkeit. Zu viele Menschen sind noch im Dunkeln verirrt und brauchen Hilfe.

Ibrahim weiß, dass er für gewöhnlich länger aufbleibt als alle anderen in Coopers Chase, und heute ist er froh, dass ihm Rons Gesellschaft einen Grund dafür liefert. Zwei alte Männer, die der Dunkelheit trotzen.

Ibrahim schlägt seinen Block wieder auf und blickt aus seinem Fenster hinüber zu dem von Joyce. Nirgends mehr ein Lichtschein. Ganz Coopers Chase schläft.

Elizabeth, die den Hügel hinuntergeht, ist viel zu sehr Profi, um ihre Taschenlampe so zu halten, dass jemand den Strahl sieht.

67

Jason Ritchie sitzt an einem Ecktisch, vor sich die letzten Reste seines »Lunch Special«. Seeteufel mit Pancetta, beides aus »regionalem Anbau«.

Er weiß nicht so recht weiter.

Das Black Bridge hat sich stark verändert seit damals. Es ist jetzt ein Gastropub und nennt sich Le Pont Noir: minimalistische Kleinbuchstaben, schwarzer Schriftzug auf grauem Grund. Fairhaven hat doch einige seiner Schmuddelecken verloren über die Jahre, und seine Ecken und Kanten gleich mit.

Da sind wir schon zwei, denkt Jason, während er an seinem Mineralwasser nippt.

Jason grübelt über das Foto nach. Irgendwie wäre ihm wohler, wenn er eine Knarre hätte, und vor zwanzig Jahren wäre das ein Kinderspiel gewesen. Er wäre einfach ins Black Bridge gegangen, hätte ein Wort mit Mickey Landsdowne geredet, der hätte Geoff Goff angerufen, und kein ganzes Pint später hätte ein Junge auf einem BMX ein braunes Paket an der Bar abgegeben und für seine Dienste ein paar Chips und zwanzig Benson & Hedges kassiert.

Selige Zeiten.

Jetzt sitzt Mickey Landsdowne in Wandsworth ein, wegen Brandstiftung und dem getürkten Viagra, das er vertickt hat.

Geoff Goff hat den Fußballclub Fairhaven aufkaufen

wollen, sein Geld aber bei einem Immobiliencrash verloren, kam dann mit gestohlenem Kupfer noch mal groß raus und wurde schließlich auf einem Jetski erschossen.

Ob die heutigen Kids überhaupt noch wissen, was ein BMX ist?

Das Foto liegt vor Jason auf dem Tisch. Geknipst in dem Black Bridge von früher. Ehe Pancetta und Sauerteigbrot hier Einzug hielten.

Die Gang, als wäre es gestern. Lachend, als würde das Unheil ihnen nicht dicht im Nacken sitzen.

Die ganze Zeit versucht Jason schon zu rekonstruieren, wo genau Tony Curran diesen Londoner Dealer erschossen hat, der in dem verschlafenen Fairhaven sein Glück zu machen hoffte. Wann war das, 2000, oder? Die Stelle ist nicht leicht zu finden, denn sie haben eine Wand versetzt, aber es muss in etwa auf Höhe des stilechten offenen Kamins mit seinen regional geschlagenen Holzscheiten gewesen sein.

»Kaffee, Sir?« Die Kellnerin. Jason bestellt einen Flat White.

Die Kugel ging glatt durch den Bauch des Jungen, erinnert sich Jason, und dann durch die papierdünne Wand hinter ihm raus auf den Parkplatz, wo sie den Kotflügel von Türken-Giannis Cosworth RS 500 durchschlug. Gianni war außer sich, das sah man, aber was hätte er gegen Tony schon machen sollen.

Türken-Gianni. Jason hat in letzter Zeit viel an ihn denken müssen. Es kann nur Gianni gewesen sein, der das Foto gemacht hat. Der lief immer mit dieser Kamera rum. Weiß die Polizei das? Ist Gianni wieder im Lande? Und Bobby Tanner auch? Ist Jason der Nächste auf ihrer Liste?

Der Junge starb an dem Schuss. Es kamen öfter welche aus London damals. Teils aus Südlondon, teils aus dem Norden, Gangs, die aufs Expandieren aus waren, auf neue Märkte ohne Konkurrenz.

Die Kellnerin bringt ihm seinen Flat White. Mit einem Mandel-Biscotto.

Jason erinnert sich gut an den Burschen. Ein ganz junger Typ. Wollte Steve Georgiou eine Tüte Koks andrehen, im Oak unten am Hafen. Steve Georgiou kam aus Zypern und hing manchmal mit der Gang rum. Aus den Deals hielt er sich eher raus, aber er war loyal. Inzwischen hat er ein Fitnessstudio. Steve Georgiou hatte den jungen Dealer gelinkt, ihm gesagt, er soll's im Black Bridge probieren. Was der Junge brav machte, um dann schnell zu merken, dass er reingelegt worden war.

Er blutete wie verrückt, Jason sieht es noch vor sich. Ein grauenhafter Anblick. Er kann höchstens siebzehn gewesen sein, was Jason heute jung erscheint, damals nicht so sehr. Jemand packte ihn in Bobby Tanners alten British-Telecom-Transporter, und ein Taxifahrer, der schon ein paar solche Fahrten für Tony übernommen hatte, brachte ihn raus aus der Stadt und lud ihn bei dem »Willkommen in Fairhaven«-Schild an der A2102 ab. Da wurde er am nächsten Morgen dann gefunden. Zu spät für den Jungen, der bis dahin längst tot war, aber in der Branche lebte es sich eben gefährlich. Der Taxifahrer musste dann auch dran glauben, weil Tony fand, dass man gar nicht vorsichtig genug sein konnte.

Das war für Jason der Schlusspunkt gewesen. Für sie alle, mehr oder weniger. Mit einem Schlag waren sie nicht mehr die Clique von Freunden, die gemeinsam Kohle machten, die zusammen Spaß hatten und Robin Hood spielten oder was immer er sich damals eingebildet hatte. Die Realität hieß Schüsse, Leichen, Polizei und trauernde Eltern. Er war ein Idiot gewesen. Er hatte alles viel zu spät kapiert.

Bobby Tanner stieg kurz nach ihm aus. Sein jüngerer Bruder, Troy, war auf einem Boot im Ärmelkanal umgekommen. Beim Drogenschmuggeln? Jason hat es nie erfahren. Gianni hatte sich schon vorher abgesetzt, gleich nach dem Tod des Taxifahrers. Und das war's. Eine einzige Kugel beendete diese Zeit ein für alle Mal. Und nicht schade drum, denkt Jason.

Angeblich wird Fairhaven jetzt von zwei Brüdern aus St Leonards regiert. Er wünscht den beiden Glück. Regionaler Anbau auch hier.

Er geht hinüber zum Kamin und bückt sich. Doch, das war die Stelle. Er fährt mit den Fingern über die originalgetreuen Kacheln. Wenn man die runternimmt und ein bisschen kratzt, käme dahinter das kleine Loch zum Vorschein, das Mickey Landsdowne vor ein paarundzwanzig Jahren zugespachtelt und überstrichen hat. Die eine Kugel, die alles verändert hat.

Was will er noch hier im Black Bridge mit seinen Geistern von damals und der ambitionierten Speisekarte? Keiner von der Gang ist mehr da. Tony Curran, Mickey Landsdowne, Geoff Goff. Wo wohl der Cosworth mit dem Loch im Kotflügel abgeblieben ist? Rostet er auf einer Wiese irgendwo vor sich hin? Und wo ist Bobby Tanner? Wo ist Gianni? Wie kann er sie finden, bevor sie ihn finden?

Jason kehrt zu seinem Tisch und seinem Flat White zurück. Tja, darauf gibt's wohl leider nur eine Antwort. Und er weiß sie nicht erst seit jetzt.

Jason seufzt, tunkt ein Biscotto in seinen Kaffee und ruft seinen Dad an.

68

»Ich hab das Bild an dem Dienstagmorgen bekommen«, sagt Jason Ritchie. »Von Hand zugestellt, durch den Briefschlitz.«

Vater und Sohn sitzen auf Rons Balkon und trinken Bier aus der Flasche.

»Und du hast es erkannt?«, fragt Ron.

»Das Foto nicht, das hatte ich vorher nie gesehen. Aber was und wo es war, und und und, das natürlich schon«, sagt Jason.

»Und was war es? Wo war es? Und und und?«, will sein Vater wissen.

Jason zieht das Foto hervor und zeigt es Ron.

»Schau's dir an. Das bin ich mit Tony Curran und Bobby Tanner. An einem Tisch im Black Bridge, unserer Stammkneipe damals. Du warst mal mit mir dort, weißt du noch, als du mich hier besucht hast?«

Ron nickt und betrachtet das Foto. Der Tisch vor der kleinen Gang ist übersät mit Geldscheinen. Unsummen liegen da, bestimmt fünfundzwanzigtausend, einfach über den Tisch verstreut. Und die Jungs stolz wie Bolle.

»Wo kam das Geld her?«, fragt Ron.

»An dem Abend? Keine Ahnung, das war einer von vielen.«

»Aber aus Drogengeschäften?«

»Nur. Alles Drogengeld«, bestätigt Jason. »Da hab ich alles reingesteckt, was ich verdient hatte. Als Sicherheit.«

Ron nickt, und Jason hebt beide Hände leicht an. Keine Beschönigungsversuche.

»Und die Polizei hat dieses Foto?«, fragt Ron.

»Das, und sie haben noch mehr gegen mich in der Hand.«

»Du weißt, dass ich dich das fragen muss, Jason. Hast du Tony Curran getötet?«

Jason schüttelt den Kopf. »Nein, Dad, und wenn, dann würde ich es dir sagen, das weißt du, weil ich dann nämlich einen guten Grund dafür hätte.«

Ron nickt. »Kannst du beweisen, dass du es nicht warst?«

»Wenn ich Bobby Tanner oder Gianni finden kann, dann wahrscheinlich schon. Es muss einer von den beiden sein. Ich meine, klar, jemand anderes könnte das Bild am Tatort zurücklassen, als falsche Fährte für die Bullen. Aber warum es auch mir schicken? Wenn es nicht eine Botschaft von Bobby oder von Gianni ist?«

»Der Polizei hast du das aber nicht gesagt?«

»Du kennst mich. Ich dachte, ich finde sie selber.«

»Und?«

»Na ja, deshalb bin ich hier, Dad.«

Wieder nickt Ron. »Ich rufe Elizabeth an.«

69

Donna und Chris sitzen im Polizeirevier, Vernehmungsraum B.

Erst kürzlich saß Donna in diesem selben Vernehmungsraum einer Frau gegenüber, die sich als Nonne ausgab. Jetzt sitzt sie vor einem Mann, der vorgibt, ein Priester zu sein. Die Parallele ist ihr nicht entgangen.

Dieser Durchbruch ist Donnas Verdienst. Sie wollte nur kurz Pater Matthew Mackie überprüfen. Ihn im Computer abfragen, schauen, was für Treffer sie landet.

Die Abfrage hat sich hingezogen, weil die Trefferzahl null war. Was doch sehr befremdlich schien. Also hat Donna ein bisschen gebraucht, um sich ihren Reim darauf zu machen, eins und eins zusammenzuzählen, bevor sie damit zu Chris ging. Und nun sitzen sie alle drei hier.

»Das heißt, an jedem Punkt des Geschehens, Mr Mackie«, fährt Chris fort, »an jedem Punkt des Geschehens haben Sie sich als ›Pater‹ bezeichnet. Sich als ›Pater‹ vorgestellt.«

»Ja«, sagt Matthew Mackie.

»Sogar jetzt tragen Sie ein Kollar, sehe ich das richtig?«

»So ist es, ja.« Mackie befingert bestätigend seinen Kragen.

»Und den Rest. Die volle Montur sozusagen.«

»Mein Ornat, ja.«

»Aber wenn wir Sie überprüfen würden, was würden wir dann finden, meinen Sie?«

Donna beobachtet Chris, versucht, von ihm zu lernen. Er fasst den alten Mann behutsam an. Wird er den Kurs irgendwann wechseln, angesichts dessen, was sie jetzt wissen?

»Ich glaube – nun ja, ich denke, es könnte vielleicht – möglicherweise – ein falscher Eindruck entstanden sein.« Chris lehnt sich zurück und lässt Pater Matthew reden. Was dieser nur sehr stockend tut. »An dem mich gewiss eine Mitschuld trifft, und wenn Sie der Auffassung sind, dass ich es auf irgendeine Weise, nun ja, an etwas habe fehlen lassen, dann glauben Sie mir, es war nie meine Absicht, jemanden irrezuführen, aber ich verstehe, wie es vermutlich wirken muss, ohne Kenntnis aller, äh, Fakten.«

»Der Fakten, Mr Mackie?«, sagt Chris. »Sehr gut. Kommen wir zu den Fakten. Sie sind nicht Pater Matthew Mackie, das ist schon mal ein Fakt. Sie arbeiten nicht für die katholische Kirche, oder für irgendeine Kirche. Noch so ein Fakt. Sie sind – und dafür haben die bei der örtlichen NHS-Filiale eine geschlagene Viertelstunde suchen müssen – Dr. Michael Matthew Noel Mackie. Können wir das auch als Fakt festhalten?«

»Ja«, gibt Matthew Mackie zu.

»Sie haben Ihre Praxis als Allgemeinarzt vor fünfzehn Jahren aufgegeben. Sie wohnen in einem Bungalow in Bexhill, und Ihre Nachbarn sagen, Sie besuchen nicht mal die Messe.«

Matthew Mackie sieht zu Boden.

»Alles Fakten?«

Mackie nickt, ohne aufzublicken. »Alles Fakten.«

»Könnten Sie eventuell Ihr Kollar für mich abnehmen, Mr Mackie?«

Mackie schaut auf, Chris ins Gesicht. »Nein. Wenn Sie erlauben, möchte ich es gern anbehalten. Es sei denn, ich stehe unter Arrest, wovon bisher nicht die Rede war.«

Jetzt nickt Chris. Er wirft Donna einen Blick zu, dreht sich dann wieder zu Mackie und trommelt mit den Fingern auf der Tischplatte. Au weia, denkt Donna. Es muss viel passieren, bevor Chris anfängt, mit den Fingern zu trommeln.

»Ein Mann ist gestorben, Mr Mackie«, sagt Chris. »Vor Ihren und meinen Augen, richtig? Und wissen Sie, was ich zu sehen geglaubt habe? Ich habe geglaubt, einen tätlichen Angriff auf einen katholischen Priester zu sehen. Einen katholischen Priester, der einen katholischen Friedhof beschützt. Und für mich als Polizist hat das der Szene einen bestimmten Anstrich gegeben. Verstehen Sie?«

Mackie nickt. Donna hört schweigend zu. Sie wüsste nicht, was sie hinzufügen sollte. Ob sie Chris jemals so reizen wird, dass er mit den Fingern trommelt? Hoffentlich nicht.

»Aber was habe ich tatsächlich gesehen? Ich habe einen Angriff auf einen Mann gesehen, der sich, warum auch immer, als katholischer Priester *ausgibt*. Auf einen Schwindler also, denn das sind Sie. Ein Schwindler, der einen Friedhof beschützt?«

»Ich bin kein Schwindler«, sagt Matthew Mackie.

Chris hebt die Hand, um ihn am Reden zu hindern. »Wenige Augenblicke nach seiner Rangelei mit diesem Schwindler fällt der Angreifer tot um, weil ihm jemand eine tödliche Injektion verabreicht hat. Was ein ganz neues Licht auf die Angelegenheit wirft, zumal wenn der Schwindler, wie sich zeigt, auch noch Arzt ist. Oder entgeht mir da etwas Wesentliches?«

Mackie bleibt stumm.

»Ich frage Sie also noch einmal, Sir. Würden Sie eventuell Ihr Kollar für mich abnehmen?«

»Ich bin derzeit kein Priester, da haben Sie recht«, sagt

Mackie mit einem langen Seufzer. »Aber ich war einer, und das viele Jahre lang. Und damit gehen gewisse Privilegien einher, und das Kollar ist eines davon. Wenn ich es gern weiter tragen möchte und mich gern weiterhin Pater Mackie nennen möchte, dann ist das allein meine Sache.«

»Dr. Mackie«, sagt Chris, »wir ermitteln hier in einem Mordfall. Sie müssen aufhören, mich anzulügen. PC De Freitas hat sämtliche Archive durchforstet. Die Kirche war sehr kooperativ. Was immer Sie uns erzählt haben, was immer Sie dem Gemeinderat erzählt haben, oder Ian Ventham, oder den Damen, die das Tor bewacht haben, Sie sind kein Priester, und Sie waren nie einer. Es gibt keinen einzigen Beleg dafür, kein verstaubtes Jahrbuch irgendwo, kein altes Foto. Ich weiß nicht, warum Sie uns belügen, aber wir haben hier eine Leiche, und wir suchen einen Mörder, insofern wäre es gut, wenn wir es recht bald herausfänden. Wenn ich irgendetwas von Belang übersehen habe, muss ich Sie dringend bitten, mir das zu sagen.«

Mackie sieht Chris eine Zeit lang an, abwägend. Dann schüttelt er den Kopf.

»Nur wenn Sie mich festnehmen«, entgegnet er. »Andernfalls würde ich jetzt gern heimgehen. Und nichts für ungut, ich weiß, dass Sie nur Ihre Arbeit tun.«

Matthew Mackie bekreuzigt sich und steht auf. Auch Chris erhebt sich.

»Ich an Ihrer Stelle würde hierbleiben, Dr. Mackie.«

»Stellen Sie mich unter Anklage, und ich verspreche Ihnen, ich bleibe«, sagt Mackie, »Aber bis dahin …«

Donna steht auf und öffnet die Tür, und Matthew Mackie verlässt den Vernehmungsraum.

70

In der Sauna zu rauchen, ist alles andere als leicht, aber Jason Ritchie tut sein Möglichstes.

»Und du hast auch sicher kein Problem damit, Dad?«, fragt er, Schweißperlen auf der Stirn.

»Erzähl ihnen einfach die ganze Geschichte«, erwidert Ron. »Ihnen wird schon etwas einfallen.«

»Und du meinst, sie finden die beiden?«, fragt Jason.

»Das denke ich doch«, sagt Ibrahim, der ein paar Bänke unter ihnen liegt.

Die Tür zur Sauna geht auf, und herein kommen Elizabeth und Joyce, in Handtücher gewickelt, unter denen sie Badeanzüge tragen. Jason drückt seine Zigarette in einem Haufen heißer Asche aus.

»Mhhm, das riecht gut«, sagt Joyce. »Eukalyptus.«

»Schön, Sie zu sehen, Jason«, sagt Elizabeth und nimmt gegenüber dem halb nackten Boxer Platz. »Wie ich höre, sind Sie der Meinung, dass wir Ihnen eventuell helfen können. Der Meinung bin ich auch.«

Mehr der Artigkeiten gibt es nicht. Elizabeth richtet den Blick auf Jason.

»Also?«

Jason erzählt Elizabeth und Joyce die gleiche Geschichte, die er schon seinem Vater erzählt hat. Ein Abzug des Fotos geht von Hand zu Hand. Ibrahim hat ihn laminieren lassen.

»Ich bekomme das Foto«, bestätigt Jason, »und ich

denke, hä, was soll das jetzt? Wo kommt das her? Sind das die Zeitungen? Erscheint das morgen auf der Titelseite der *Sun*? Solche Gedanken eben. Aber Nachricht ist keine dabei. Kein Reporter ruft mich an, und die sind sonst nie zimperlich, was wird hier also gespielt?«

»Und was wurde gespielt?«, fragt Elizabeth.

»Na ja, erst denke ich, rufe ich mal meine PR-Frau an? Vielleicht haben die mit ihr gesprochen. Ein Schock war es schon, ganz ehrlich, das Foto ist über zwanzig Jahre alt, mit dieser Welt habe ich absolut nichts mehr zu tun. Also nehme ich mir vor, alles zu leugnen, mir irgendeine Erklärung auszudenken, Junggesellenabschied, Kostümparty, Hauptsache, ich winde mich da raus.«

»Nie verkehrt«, sagt Joyce.

»Ich sitze also da, immer noch mit dem Bild in der Hand, und plötzlich kommt es mir. Ich denke, das muss es sein, Tony hat das Bild in die Hände bekommen, berühmter Boxer, bergeweise Cash, Knackis überall, und jetzt schickt er mir einen Abzug, um ein bisschen Kohle bei mir lockerzumachen. Zwanzig Riesen, sonst geht das hier an die Presse. So ein Deal, keine Ahnung, also denke ich, okay, rufst du ihn mal an, redest mit dem Mann, vielleicht werden wir uns ja handelseinig.«

»War Tony Curran ein Mensch, dem Sie Erpressung zugetraut hätten?«, fragt Elizabeth.

»Tony war ein Mensch, dem ich alles zugetraut hätte, auf jeden Fall. Also besorge ich mir in der Stadt als Erstes ein neues Handy, ein billiges.«

»Könnten Sie mir nachher vielleicht noch sagen, wo, so etwas suche ich nämlich gerade«, bittet Ibrahim.

»Gern, Mr Arif«, sagt Jason. »Ich rufe ihn also an, und er geht nicht ran. Ich probier's noch mal – wieder nichts. Ich warte zwanzig Minuten, aber er hebt immer noch nicht ab.«

»Ich gehe nie ans Telefon, wenn ich die Nummer nicht kenne«, sagt Joyce. »Das hab ich bei *Vorsicht Enkeltrick* gelernt.«

»Sehr vernünftig, Joyce«, bestätigt Jason. »Dann war ich hier, ein paar Bierchen mit Pops zischen, und da sehe ich den Mann selbst, Curran, wie er Zoff mit Ventham hat.«

»Und kein Wort davon zu mir«, sagt Ron, was Jason mit einem Heben der Hand eingesteht.

»Nachdem ich und Dad also unser Bier getrunken hatten …«

»Und ich auch«, wirft Joyce ein.

»Und Joyce auch«, bekräftigt Jason. »Also, danach bin ich ein bisschen durch die Gegend gefahren, einfach um nachzudenken. Und dann dachte ich, schaust du mal bei Tony vorbei. Schickes Haus. Tony und ich waren ja immer ziemlich auf der Hut voreinander, zu viele Geheimnisse, und ohne Grund würde ich bei ihm nicht aufkreuzen. Sein Auto steht in der Einfahrt, als er also nicht aufmacht, denke ich, er hat mich durch die Videoanlage gesehen und hat keine Lust, mich zu sprechen. Konnte ich ihm auch nicht verdenken, also hab ich noch ein, zwei Mal geklingelt und bin dann wieder gefahren.«

»Wir reden von dem Tag, an dem er gestorben ist?«, fragt Joyce.

»Genau dem. Zu hören war drinnen nichts, deshalb weiß ich nicht, ob es kurz vorher oder kurz nachher war. Ich fahr also heim. Und ein paar Stunden später bin ich in dieser WhatsApp-Gruppe …«

»WhatsApp-Gruppe?«, sagt Elizabeth, aber Joyce winkt ab, und Jason redet weiter.

»… mit ein paar alten Kumpels, und einer schreibt, Tony ist ermordet in seinem Haus aufgefunden worden. Mir wird heiß und kalt, klar. Da schickt mir am Morgen jemand dieses Foto, und am selben Nachmittag stirbt Tony. Schon ein komisches Gefühl irgendwie. Ich meine, ich kann auf mich aufpassen, aber Tony konnte auch auf sich aufpassen, und was hat es ihm genützt? Ich bin also eh schon nervös, klarerweise, und dann kommt die Polizei dahinter, dass ich bei Tony war, und meine Anrufe bei ihm können sie mir auch nachweisen. Und sie haben ein Foto von mir, das neben der Leiche lag. Kein Wunder also, dass ihnen das verdächtig vorkommt, ginge mir auch so.«

»Aber Sie haben Tony Curran nicht getötet?«, fragt Elizabeth.

»Nein«, sagt Jason. »Aber man versteht schon, wie die Polizei auf die Idee kommt.«

»Die Folgerung ist fast zwingend«, bestätigt Ibrahim.

»Und Sie sind hier, weil Sie hoffen, wir können Ihren alten Freund für Sie aufspüren?«, fragt Elizabeth.

»Na ja«, sagt Jason, »so wie mein Vater es darstellt, kann die Polizei noch so gut sein, eure Truppe ist besser.«

Stummes Nicken in der Runde.

»Und es sind zwei Leute, die Sie finden müssten«, sagt Jason. »Den Typ, der das Foto gemacht hat, gibt es auch noch.«

»Und wer war das?«, erkundigt sich Elizabeth.

»Türken-Gianni, der Vierte in unserer kleinen Gang.«

»Und er ist Türke?«, fragt Joyce.

»Nein«, sagt Jason.

Ibrahim macht sich eine Notiz.

»Er ist Zyperntürke und hat sich schon vor Jahren heim nach Zypern verdrückt.«

»Ich habe ein paar gute Verbindungsleute in Zypern«, sagt Elizabeth.

»Hören Sie«, sagt Jason. »Sie haben keinerlei Verpflichtung mir gegenüber. Weniger als keine. Ich hab ziemlichen Scheiß gebaut damals, und Tony hat noch viel mehr Scheiße gebaut. Aber wenn Bobby oder Gianni Tony umgebracht haben, dann sind sie hier irgendwo, und wenn sie hier irgendwo sind, dann bin vielleicht ich der Nächste. Das könnte Ihnen ziemlich egal sein, ich weiß, aber mein Vater meint, so etwas wäre genau Ihr Ding, und ich würde zu der Hilfe nicht Nein sagen.«

»Also … wie seht ihr das?«, fragt Ron.

»Nun ja«, sagt Elizabeth, »ich denke Folgendes. Die anderen könnten das anders sehen, was ich allerdings nicht glaube. Also. Sie haben sich diesen Schlamassel selbst eingebrockt. Und es ist ein Schlamassel, der von Habgier kommt, und von Drogen. Und das sind für mich gewichtige Argumente dagegen. Aber es gibt auch ein gewichtiges Argument zu Ihren Gunsten. Und das ist die Tatsache, dass Sie Rons Sohn sind. Und Sie haben recht, wir sollten Bobby Tanner und Türken-Gianni für Sie aufspüren können. Wahrscheinlich sehr rasch. Und was immer Sie getan haben und was immer wir davon halten, ich habe Lust, einen Mörder zu fangen. Bevor dieser Mörder Sie fängt.«

»Ganz meine Meinung«, sagt Joyce.

»Und meine«, sagt Ibrahim.

»Danke«, sagt Jason.

»Danke«, schiebt Ron nach.

»Nichts zu danken.« Elizabeth erhebt sich. »Dann lasse ich euch jetzt weitersaunieren. Ich muss ein paar Anrufe tätigen. Ron, ich bräuchte dich heute Abend um zehn oben auf dem Friedhof, wenn du es einrichten kannst. Joyce und Ibrahim, euch werde ich auch brauchen.«

»Kein Thema, ich bin da«, sagt Ron. Sein Sohn sieht ihn skeptisch an.

»Und, Jason«, sagt Elizabeth.

»Ja?«, sagt Jason.

»Falls das ein Bluff ist, spielen Sie ein gefährliches Spiel. Weil wir diesen Mörder nämlich kriegen werden. Selbst wenn Sie's sind.«

71

»Brauchen Sie Hilfe beim Runterklettern?«, fragt Ibrahim.

»Ja, bitte«, sagt Austin, »wenn Sie mir nur kurz Ihren Arm geben könnten.«

Bogdan hat eine Bogenlampe ausgeliehen, und ihr Strahl scheint hinab in das Grab, das er am Morgen von Ian Venthams Tod geöffnet hat. Das Grab mit dem blinden Passagier auf dem Sargdeckel, dem widerrechtlich dort vergrabenen Skelett.

Austin hält sich an Ibrahims Arm fest und steigt mit einem Bein hinunter in das Grab, vorsichtig, um nicht auf die Knochen auf dem Rand des Sargs zu treten. Er sieht zu Elizabeth hoch und lacht ein wenig. »Das hatten wir doch schon mal, Lizzie. Leipzig, weißt du noch?«

Elizabeth lächelt; und ob sie es noch weiß. Joyce lächelt ebenfalls, weil es das erste Mal ist, dass jemand Elizabeth Lizzie nennt. Ob die anderen das wohl auch bemerkt haben?

»Na, was sagen Sie, Professor?«, fragt Ron, der zu den Füßen unseres Herrn Jesus Christus sitzt und sich eine Dose Stella genehmigt.

»Nun ja, unter gewöhnlichen Umständen würde ich mich ungern äußern«, antwortet Austin und schiebt die Brille hoch, um sich den Oberschenkelknochen in seiner Hand näher zu besehen, »aber wenn ich schwatzhaft veranlagt wäre, strikt im privaten Umfeld selbstredend, würde ich sagen, dass die schon eine Weile hier unten liegen.«

»Eine Weile, Austin?«, sagt Elizabeth.

»Ich denke schon«, meint Austin. »Allein aufgrund der Färbung.«

»Und wenn du dich noch etwas mehr festlegen würdest?«, fragt Elizabeth.

»Guter Gott!«, sagt Austin. »Wenn ich mich festlegen soll, dann würde ich sagen …« Er hält einen Moment inne, abwägend. »Dann würde ich sagen, eine ziemlich lange Weile.«

»Heißt das, sie könnten zur gleichen Zeit wie Schwester Margaret beerdigt worden sein?«, fragt Joyce.

»Welche Jahreszahl steht auf dem Stein?«, fragt Austin.

»1874«, liest Joyce ab.

»Nein, so früh nicht. Dreißig, vierzig, fünfzig Jahre, je nach Bodenbeschaffenheit, aber keine hundertfünfzig.«

»Das heißt, zu irgendeinem späteren Zeitpunkt«, sagt Ibrahim, »hat jemand dieses Grab geöffnet, eine zweite Leiche darin vergraben und es wieder zugeschaufelt?«

»Genau so ist es«, bestätigt Austin. »Eine richtige Kriminalgeschichte.«

»Eine zweite Nonne vielleicht, Austin?«, fragt Elizabeth. »Ist irgendein Schmuckstück dabei? Oder ein Rest Kleidung?«

»Ich kann nichts sehen«, sagt Austin. »Alles blank. Wenn es Mord war, dann wusste der Mörder, was er zu tun hat. Ich nehme mir ein paar Knochen mit, wenn euch das recht ist. Dann kann ich sie morgen früh etwas unter die Lupe nehmen, damit ihr wisst, woran ihr seid.«

»Unbedingt, Austin, bedien dich«, sagt Elizabeth.

Bogdan bläst die Backen auf. »Und jetzt gehen wir zur Polizei?«

»Oh, ich denke, wir behalten das vielleicht noch ein Momentchen für uns, bis Austin sich meldet«, entgegnet Elizabeth. »Wenn alle einverstanden sind.«

Das sind alle.

»Hilft mir kurz jemand rauf?«, sagt Austin. »Bogdan, sind Sie so nett?«

Bogdan nickt, scheint aber vorher noch etwas klären zu wollen. »Nur eine Frage, 'kay? Falls ich verrückt bin, vielleicht? Das ist nicht normal? Oder? Ein alter Mann in einem Grab, der Knochen anschaut. Jemand ist ermordet, vielleicht, aber keine Polizei?«

»Sie haben doch auch keine Polizei geholt, als Sie auf die Knochen gestoßen sind, Bogdan«, sagt Joyce.

»Ja, aber ich bin ich«, sagt Bogdan. »Nicht normal.«

»Tja, und wir sind wir«, sagt Joyce, »und wir sind auch nicht normal. Obwohl ich es früher einmal war, sehr sogar.«

»Normalität ist eine illusorische Größe, Bogdan«, setzt Ibrahim hinzu.

»Bogdan, vertrauen Sie uns einfach«, sagt Elizabeth. »Wir wollen nur herausfinden, wessen Überreste das sein könnten und wer sie hier vergraben hat, und das geht ohne Polizei deutlich leichter. Wenn die das Skelett erst mal haben, dann können Sie sicher sein, dass wir als Letzte etwas erfahren. Was doch reichlich ungerecht wäre, nach all unserer harten Arbeit.«

»Ich vertrau Ihnen«, sagt Bogdan und verzieht das Gesicht, als ihm ein nächster Gedanke kommt. »Aber im Gefängnis bin dann doch ich, wenn was schiefgeht.«

»Das werde ich nicht zulassen, Sie sind viel zu nützlich«, sagt Elizabeth. »So, und jetzt helfen Sie Austin bitte aus dem Grab, und wenn Sie auch die Knochen nehmen könnten? Ich würde vorschlagen, wir gehen alle zu Joyce, und sie macht uns eine schöne Tasse Tee.«

»Bestens«, sagt Austin und legt seine Auswahl an Knochen am Rand des Grabs ab, bevor er Bogdan die Arme entgegenstreckt.

»Du sagst uns, wo's langgeht, Lizzie«, sagt Ron und trinkt seinen letzten Schluck Stella.

72

Joyce

Wir waren alle sehr aufgeräumt, und ich kann gut verstehen, warum. Wir sind jetzt eine Gruppe von Verschwörern, das ist schon mal das eine, und uns ist klar, dass wir da in etwas höchst Ungewöhnliches hineingeraten sind. Uns ist obendrein klar, denke ich doch, dass wir hier Gesetze übertreten, aber wir sind zu alt, um uns darum noch zu scheren. Wie geht gleich wieder dieses Gedicht mit dem Dunkel, in das man nicht sanftmütig gehen soll, sondern wütend? Aber das ist ein Gedicht, nicht das Leben. Es mag noch andere Gründe geben, die mir jetzt nicht einfallen, jedenfalls waren wir auf dem Weg den Hügel hinab regelrecht ausgelassen. Wie Teenager, die über die Stränge schlagen.

Aber als Austin den Haufen Knochen auf meinem Esstisch ablud, hatte das, bei aller Hochstimmung, doch einen ernüchternden Effekt auf uns. Sogar auf Ron.

So wunderbar das alles ist, der Donnerstagsmordclub, unsere ganzen Abenteuer, die Freiheit des Alters und was wir uns noch gern so einreden: Ein Mensch ist gestorben, egal vor wie vielen Jahrzehnten, darum war es nur angebracht, ein wenig in uns zu gehen.

Was aber nichts daran ändert, dass keinem von uns auch nur ein einziger guter Grund für das Vorhandensein einer zweiten Leiche einfiel. Nach näherer Untersuchung, und gestärkt durch ein paar Scheiben Orangenkuchen, war sich Austin relativ sicher, dass die Knochen von einem Mann stammen, womit die Nonnen-Theorie vom Tisch war.

Wer kann er gewesen sein? Und wer hat ihn umgebracht? Der erste Schritt zur Beantwortung dieser Fragen wird es sein, den Todeszeitpunkt zu bestimmen. Vor dreißig Jahren? Vor fünfzig? Was ja doch einen Unterschied macht.

Austin erklärte uns, dass er die Knochen mitnehmen und einige Tests daran durchführen würde. Als alle gegangen waren, habe ich ihn gegoogelt und festgestellt, dass er ein Sir ist. Ich muss sagen, allzu überrascht war ich nicht, er kannte sich wirklich enorm gut mit Knochen aus. Was genau er davon hielt, mit seinen über achtzig nachts um zehn in einem Grab zu stehen, weiß nur er, aber ich nehme an, als Freund von Elizabeth wird er solche Dinge gewohnt sein. Und drei Zucker nimmt er in den Tee, was man ihm aber beim besten Willen nicht ansieht.

Aber die entscheidende Frage ist natürlich eine andere. Sie haben sich das sicher auch schon gefragt. Haben wir damit das Motiv für einen der jetzigen Morde? Weiß außer uns jemand von den Knochen, die dort oben versteckt sind? Musste Ian Ventham sterben, damit der Garten der ewigen Ruhe und das Geheimnis dieser Knochen ungestört bleiben?

Wir diskutierten noch etwa eine Stunde über alles. War es richtig von uns, nicht zur Polizei zu gehen? Früher oder später werden wir sie einschalten müssen, aber vorerst waren wir uns einig, dass das hier unsere Geschichte ist, unser Friedhof, unser Zuhause, und für den Moment soll es das noch bleiben. Sobald Austin uns die Ergebnisse mitteilt, kommen wir natürlich nicht mehr drum rum, unsere Karten auf den Tisch zu legen.

Das heißt, wir ermitteln in zwei Mordfällen, möglicherweise sogar in dreien, falls das Skelett ermordet wurde. Oder sollte ich sagen, falls die Person, von der das Skelett stammt, ermordet wurde? Ist ein Skelett eine Person? Darüber dürfen sich größere Geister streiten.

Ich weiß, dass Elizabeth darauf brennt, Bobby und Gianni ausfindig zu machen, aber auch sie stimmte uns letztlich zu, dass die Knochen erst einmal Vorrang haben.

Ob Chris und Donna vorangekommen sind? Wenn ja, dann haben wir davon bisher nichts gehört. Ich kann nur hoffen, sie verschweigen uns nichts.

73

Chris und Donna gehen die drei Stockwerke zu Chris' Büro zu Fuß hoch. Donna hat sich eine Liftphobie zugelegt, um Chris zum Treppensteigen zu zwingen.

»Dann hätten wir Jason Ritchie für den Mord an Tony Curran«, sagt Chris. »Und Matthew Mackie für den an Ian Ventham?«

»Wenn wir nicht etwas Wichtiges übersehen«, sagt Donna.

»Was uns natürlich zuzutrauen wäre«, meint Chris. »Na gut, gehen wir es noch mal von vorn durch. Wir wissen, dass Matthew Mackie am Tatort war, und wir wissen, dass er ein Lügner ist. Er ist Arzt und nicht Priester.«

»Womit wir auch wissen, dass er Zugang zu Fentanyl hätte und wüsste, wie man es einsetzt.«

»Genau«, sagt Chris. »Sprich, wir haben alles, nur kein Motiv.«

»Na ja, er kämpft gegen die Verlegung des Friedhofs«, sagt Donna. »Könnte das nicht schon ausreichen?«

»Nicht um ihn festzunehmen. Wenn wir nur wüssten, weshalb er dagegen kämpft.«

»Ist sich als Priester ausgeben eventuell strafbar?«, fragt Donna. »Dieser eine Typ, den ich über Tinder getroffen habe, hat sich als Pilot ausgegeben und mich vor einer All-Bar-One zu begrapschen versucht.«

»Ich nehme an, das hat er bereut?«

»Ich hab ihm erst in die Eier getreten und dann sein Kennzeichen durchgegeben, damit sie ihn auf der Heimfahrt blasen lassen.«

Sie grinsen. Aber nur kurz. Sie wissen beide, dass ihnen Matthew Mackie durch die Lappen zu gehen droht. Nicht der Hauch eines Beweises.

»Haben Sie mal wieder von Ihrem Donnerstagsmordclub gehört?«, erkundigt sich Chris.

»Kein Sterbenswort«, sagt Donna. »Ganz geheuer ist mir das nicht.«

»Mir auch nicht«, sagt Chris. »Wobei ich nicht gerade darauf brenne, ihnen das von Jason zu verklickern.« Er bleibt auf dem Treppenabsatz stehen, scheinbar in Gedanken, aber in Wahrheit, um kurz zu verschnaufen. »Vielleicht hat Mackie auf dem Friedhof ja etwas vergraben. Und will nicht, dass es ans Licht kommt.«

»Ein guter Platz für eine Leiche im Keller wäre es jedenfalls«, sagt Donna.

74

Joyce

Haben Sie schon mal geskypt?

Bei mir war es heute Morgen das erste Mal. Ibrahim hat es bei sich installiert, deshalb haben wir uns in seiner Wohnung getroffen. Es ist pieksauber bei ihm, und ich glaube nicht, dass er eine Zugehfrau hat.

Überall stehen Akten, aber sie sind weggeschlossen, sodass man sie sehen, aber nicht lesen kann. Die Geschichten, die ein Therapeut zu hören bekommen muss! Wer wem was angetan hat. Oder sagt man eher, was wem wer angetan hat? Wie rum auch immer, er hat bestimmt manchmal ganz schön mit den Ohren geschlackert.

Austin rief um Punkt zehn Uhr an, wie man es von einem Sir erwarten würde, und berichtete uns, was er herausgefunden hatte. Wir konnten ihn auf dem Bildschirm sehen und gingen abwechselnd in das kleine Kästchen in der Ecke. Es war schwierig, weil das Kästchen wirklich winzig ist, aber daran gewöhnt man sich vermutlich, wenn man etwas mehr Übung hat.

Das Skelett war ein Mann, was er uns ja schon gesagt hatte. Er hatte eine Schussverletzung im Oberschenkelknochen. Austin hielt den Knochen hoch und zeigte uns die Stelle. Dafür quetschten wir uns alle zusammen in das Kästchen. War das die Wunde, an der er gestorben war? Austin wollte sich da nicht festlegen, schloss es aber eher aus. Eine Vorverletzung.

Einmal lief im Hintergrund seine Frau vorbei. Was sie sich gedacht haben muss! Ihr Mann sitzt da und hält Knochen vor den Bildschirm. Vielleicht ist sie es aber auch gewohnt.

Ich weiß ja nicht, wie viel Sie darüber wissen, wie man das Alter von Knochen bestimmt? Ich wusste gar nichts, und Austin erklärte es uns ziemlich ausführlich. Es war faszinierend. Es gibt einen eigenen Apparat dafür, und dann so eine Spezialfarbe, und irgendetwas macht man noch mit Karbon. Ich habe es mir den ganzen Nachhauseweg über zu merken versucht, um es besser aufschreiben zu können, aber jetzt ist es mir doch entfallen. Trotzdem hochinteressant. Er wäre ein sehr guter Experte für die *One Show*, wenn mal so ein Thema drankäme.

Er hatte auch Erde mitgenommen und damit alle möglichen Tests durchgeführt, aber diese Bodensachen waren nicht mehr so spannend. Zurück zur Knochenarbeit, bitte, dachte ich bei mir.

Hinaus lief es aber darauf, dass Austin irgendwelche Berechnungen angestellt hatte, vollständige Sicherheit lasse sich ja nun nie erzielen, es gebe so und so viele Variablen, niemand habe je sämtliche Antworten, und letztlich könne er nur Vermutungen äußern, wenn auch natürlich auf der Grundlage von … An diesem Punkt befahl Elizabeth ihm, mit dem Herumgeeiere aufzuhören und zur Sache zu kommen. Elizabeth kann sich so etwas erlauben, selbst bei einem Sir.

Also spuckte er es aus. Der Leichnam wurde irgendwann in den Siebzigerjahren vergraben, wohl eher früher als später. Was grob bedeutet, vor fünfzig Jahren.

Wir bedankten uns bei Austin, aber dann wusste keiner, wie man auflegt. Ibrahim probierte eine ganze Weile herum, und seine Nerven wurden spürbar dünner.

Schließlich kam auf Austins Seite seine Frau ihm zu Hilfe. Sie macht einen ganz reizenden Eindruck.

Da haben wir es also. Zwei potenzielle Morde im Abstand von knapp fünfzig Jahren. Jede Menge Stoff zum Nachdenken für alle Beteiligten. Und vermutlich Zeit, Chris und Donna alles zu beichten. Hoffentlich sind sie uns nicht allzu böse.

Elizabeth fragte dann noch, ob ich mit ihr nach Brighton ins Krematorium fahre, sie hätte da so eine Idee, der sie nachgehen wollte, aber ich habe Bernard versprochen, dass ich ihn heute Mittag bekoche, deshalb musste sie allein fahren.

Ich weiß, man kann es nicht riechen, aber ich mache ihm Steak mit Nierchen. Er magert ab, und vielleicht kann ich so ein klein bisschen gegensteuern.

75

Donna und Chris stehen im Wild Bean Café in der BP-Tankstelle an der A21 und warten auf ihren Gratiskaffee. Alles besser, als im Revier zu sitzen und die endlosen Akten der irischen Passbehörde zu durchforsten. Chris greift nach einem Schokoriegel.

»Chris, den brauchen Sie nicht«, sagt Donna.

Chris wirft ihr einen Blick zu.

»Bitte«, sagt Donna. »Lassen Sie sich doch ein bisschen helfen, ich weiß ja, wie schwer das ist.«

Chris seufzt und legt den Schokoriegel wieder hin.

»Was gewinnt Mackie durch sein Verhalten?«, fragt Donna. »Was ist seine Verbindung zum Friedhof? Warum beschützt er ihn, wenn er kein Priester ist?«

Chris zuckt die Achseln. »Vielleicht wollte er Ventham nur eins auswischen. Vielleicht gibt es eine andere Verbindung zwischen den beiden. Haben wir Dr. Mackies Patientenlisten durchgesehen? Man kann nie wissen.«

Er streckt die Hand nach einem Müsliriegel aus.

»Noch schlimmer als Schokoriegel«, sagt Donna. »Noch mehr Zucker.«

Chris zieht die Hand zurück. Wenn das so weitergeht, wird er demnächst Obst essen.

»Der Mann ist verdächtig wie nur was«, sagt er. »Das Einzige, was fehlt, ist ein Motiv.«

Donnas Handy brummt, und sie liest eine Nachricht.

Sie schürzt nachdenklich die Lippen und schaut zu Chris hoch.

»Das ist Elizabeth. Ob wir nachher auf einen Sprung vorbeikommen können.«

»Ich fürchte, das wird warten müssen«, sagt Chris. »Sagen Sie ihr, wir müssen erst noch zwei Morde aufklären.«

Donna scrollt weiter durch die Nachricht. »Sie schreibt, sie hat etwas für uns. Ich zitiere: ›Bitte lassen Sie Ihre Akten Akten sein und sehen Sie sich an, was wir entdeckt haben. Es gibt auch Sherry. Wir erwarten Sie um acht.‹« Donna steckt das Handy in die Tasche und sieht ihren Chef an.

»Und?«, sagt sie.

Und? Chris kratzt sich das stoppelige Kinn und denkt an den Donnerstagsmordclub. Er kann es nicht anders sagen, er mag die vier. Er findet es wohltuend, ihren Tee zu trinken, ihren Kuchen zu essen und aus dem Nähkästchen zu plaudern. Mit diesem Ausblick auf die welligen Hügel unter dem weiten Himmel. Nutzen sie ihn ein klein wenig aus? Mit Sicherheit, aber für den Moment geht die Rechnung auf. Würde all dies verheerend aussehen, wenn es herauskäme? Und ob, aber es kommt ja nicht heraus. Und falls doch, nimmt er zu seinem Disziplinarverfahren einfach Elizabeth mit und lässt sie ihren Zauberstab schwingen.

Schließlich hebt er den Blick und begegnet dem von Donna, die mit hochgezogenen Augenbrauen auf eine Antwort wartet.

»Ja. Nicht gern, aber ja.«

76

»Wir haben jetzt zwei Möglichkeiten«, sagt Elizabeth. »Sie können schreien und toben und uns eine furchtbare Szene machen, und wir alle vertun sehr viel Zeit. Oder Sie sagen, passiert ist passiert, und wir genießen unseren Sherry und machen einen Plan. Es liegt ganz bei Ihnen.«

Chris hat es die Sprache verschlagen. Er schaut die vier an. Dann an die Decke, dann auf den Boden. Sucht nach Worten, die sich nicht einstellen wollen. Er hält die flache Hand vor sich in die Luft, wie um der Realität wenigstens den Bruchteil eines Moments Einhalt zu gebieten. Ohne Erfolg.

»Sie …«, beginnt er stockend, »Sie … haben eine Leiche exhumiert?«

»Nun ja, streng genommen haben nicht *wir* sie exhumiert«, sagt Ibrahim.

»Aber eine Leiche wurde exhumiert, richtig?«, sagt Chris.

Elizabeth und Joyce nicken. Elizabeth nippt an ihrem Sherry.

»Das ist der langen Rede kurzer Sinn, ja«, sagt Joyce.

»Und anschließend haben Sie an den Knochen eine forensische Analyse vorgenommen?«

»Wie schon gesagt, nicht wir persönlich. Und auch nur an ausgewählten Knochen«, sagt Ibrahim.

»Ja dann! Nur an ausgewählten Knochen!« Chris' Stimme klingt schneidend, und Donna wird klar, dass sie ihn noch nie so wütend erlebt hat. »Schönen Abend noch, die Herrschaften. Donna, wir gehen.«

»Ich wusste, dass Sie pathetisch werden würden«, sagt Elizabeth. »Können wir diesen Teil nicht einfach überspringen und zum Geschäftlichen übergehen?«

Donna schaltet sich ein.

»Pathetisch?«, wendet sie sich an Elizabeth. »Elizabeth, Sie haben eine menschliche Leiche exhumiert und es der Polizei verschwiegen. Das ist etwas anderes, als sich als Nonne auszugeben, der die Handtasche geklaut worden ist.«

»Wieso Nonne?«, fragt Chris.

»Ach, nichts«, sagt Donna rasch. »So was ist eine schwerwiegende Straftat. Darauf steht Gefängnis, Elizabeth.«

»Unsinn«, sagt Elizabeth.

»Ganz und gar kein Unsinn«, sagt Chris. »In was haben Sie sich da reingeritten? Und passen Sie jetzt gut auf, was Sie sagen! Also, warum haben Sie eine Leiche exhumiert? Und zwar Schritt für Schritt, wenn ich bitten darf.«

»Nun, wie bereits angemerkt, nicht wir haben die Leiche exhumiert. Sagen wir, unsere Aufmerksamkeit wurde auf die Tatsache gelenkt, dass eine Leiche exhumiert worden war«, sagt Ibrahim.

»Und das hat uns natürlich neugierig gemacht«, hilft Ron nach.

»Hellhörig«, präzisiert Ibrahim.

»Gerade angesichts des Mordes an Ian Ventham«, ergänzt Joyce. »Wir dachten, vielleicht ist es wichtig.«

»Aber auf die Idee, mich und Donna zu kontaktieren, sind Sie nicht gekommen?«, fragt Chris.

»Erstens, Chris, muss es heißen ›Donna und mich‹«, sagt Elizabeth. »Und zweitens wussten wir ja nicht, um was für Knochen es sich handelt. Wir wollten Ihre Zeit nicht verschwenden, ohne uns sicher zu sein, womit wir es zu tun haben. Wie hätten Sie es gefunden, den ganzen Weg hierherzukommen und dann vor einem Kuhgerippe zu stehen? Da hätten wir ja als schöne Deppen dagestanden!«

»Wir wollten Ihnen keine unnütze Arbeit machen«, sekundiert Ibrahim ihr. »Wir wussten ja, dass Sie schon zwei Mordfälle am Hals haben.«

»Also wurde eine Analyse veranlasst«, fährt Elizabeth fort. »Und jetzt haben wir das Ergebnis, ohne Kosten für den Steuerzahler auch noch, Menschenknochen, immer gut, so etwas bestätigt zu wissen. Ein Mann, gestorben in den Siebzigerjahren, Schussverletzung am Bein, aber ob er letztlich daran starb, ist unklar. Also laden wir Chris und Donna ein, damit sie sich ein Bild machen und das Ruder übernehmen können. Wir schalten die Profis ein. Man könnte auch der Meinung sein, dafür sind Sie uns einen Dank schuldig.«

Chris ringt noch um eine Antwort. Donna beschließt, dass das ihre Zuständigkeit ist.

»Jetzt tragen Sie mal nicht so dick auf, Elizabeth. Das zieht bei uns nicht. Sie wussten in der Sekunde, in der Sie die Leiche exhumiert haben, dass das Menschenknochen sind, weil Sie den Unterschied nämlich ganz genau kennen. Joyce, Sie waren vierzig Jahre lang Krankenschwester, können Sie Menschenknochen von Kuhknochen unterscheiden?«

»Schon, ja«, gesteht Joyce.

»Und sowie Sie das wussten, Elizabeth, saßen Sie und Ihr ganzer Hofstaat …«

»Wir sind nicht Elizabeths Hofstaat«, unterbricht Ibrahim sie.

Donna zieht nur die Brauen hoch, worauf Ibrahim in

stummem Einlenken die Hand hebt. »… saßen Sie alle miteinander tief, tief in der Patsche. Das ist kein Kavaliersdelikt. Das können Sie anderen vormachen, aber nicht mir. Sie sind keine tapferen Hobbydetektive, die es nur gut gemeint haben. Das hier ist eine echte Straftat. Eine folgenschwere Straftat. Und die endet nicht mit Friede, Freude, Sherry. Die endet im Gerichtssaal. Wie konnten Sie eine solche Dummheit begehen? Sie alle vier? Wir sind Freunde, und jetzt behandeln Sie mich so!«

Elizabeth seufzt. »Genau das habe ich gemeint, Donna. Ich wusste, dass Sie beide ein Riesentrara machen würden.«

»Ein Riesentrara!«, wiederholt Donna erbost.

»Ja, ein Riesentrara«, sagt Elizabeth. »Was ich ja auch verstehen kann, in Anbetracht der Umstände.«

»Ihr macht ja nur euren Job«, stimmt Ron ihr bei.

»Einen vortrefflichen Job, wenn Sie mich fragen«, ergänzt Ibrahim.

»Aber das Trara endet hier«, sagt Elizabeth. »Wenn Sie uns festnehmen müssen, nehmen Sie uns fest. Bringen Sie uns vier aufs Revier, befragen Sie uns, wenn es sein muss, die ganze Nacht und hören Sie sich die ganze Nacht lang die gleiche Antwort an.«

»Kein Kommentar«, sagt Ron.

»Kein Kommentar«, sagt Ibrahim.

»Wie bei *Vorläufig festgenommen*«, sagt Joyce.

»Sie wissen nicht, wer die Leiche exhumiert hat, und von uns werden Sie es nicht erfahren«, fährt Elizabeth fort. »Sie wissen nicht, wer die Knochen wegtransportiert hat, und auch das werden Sie von uns nicht erfahren. Sodass Sie dem Haftrichter nichts weiter werden sagen können, als dass vier Menschen in ihren Siebzigern und Achtzigern es unterlassen haben, den Fund einer Leiche zu melden. Warum hätten wir das tun sollen? Welche Beweise haben Sie, abgesehen von dem unzulässigen Geständnis, das Sie uns heute Abend abgenommen haben? Und Ihre vier Verdächtigen werden keinerlei Hemmungen haben, freudestrahlend auf die Richterin zuzumarschieren und so zu tun, als hielten sie sie für ihre Enkeltochter, die sie so lange schon nicht mehr besucht hat. Die ganze Prozedur wird kompliziert, teuer und zeitaufwendig sein und zu nichts führen. Niemand wird ins Gefängnis kommen, niemand wird zu einem Bußgeld oder auch nur zum Müllaufsammeln verurteilt werden.«

»Nicht mit meinem Rücken«, sagt Ron.

»Oder aber«, sagt Elizabeth, »Sie haben ein Einsehen und glauben uns, dass wir Ihnen nur helfen wollen. Dann können wir uns bei Ihnen für unseren Übereifer entschuldigen, denn wir wussten natürlich, dass wir uns nicht ganz korrekt verhalten, aber wir konnten einfach nicht anders. Ja, wir haben Sie vierundzwanzig Stunden im Dunkeln gelassen, und ja, dafür schulden wir Ihnen etwas. Und wenn Sie unsere Entschuldigung annehmen, dann können Sie gleich morgen früh aus einer spontanen Eingebung heraus den Garten der ewigen Ruhe durchsuchen lassen. Sie können die Leiche exhumieren, Sie können sie Ihren Kriminaltechnikern geben, die Ihnen sagen werden, dass es sich um einen Mann handelt, der höchstwahrscheinlich in den frühen Siebzigerjahren begraben wurde, und damit wären wir dann alle glücklich auf demselben Wissensstand.«

Dem folgt kurzes Schweigen.

»Haben Sie«, fragt Chris dann sehr langsam, »die Knochen etwa wieder vergraben?«

»Das schien uns das Beste«, sagt Joyce. »Wir wollten das Rampenlicht Ihnen überlassen.«

»Ich an Ihrer Stelle würde ja das Grab ganz oben rechts erst als viertes oder fünftes drannehmen«, schlägt Ron vor. »Sonst fällt es vielleicht auf.«

»Und bis dahin«, sagt Elizabeth, »machen wir uns hier einen netten Abend ohne Zank und Streit. Wir sagen Ihnen alles, was wir wissen. Damit Sie morgen früh gleich loslegen können.«

»Und sollten Sie das für angezeigt halten, könnten Sie uns natürlich auch das eine oder andere Bröckchen von Ihrem Wissen abgeben«, fügt Ibrahim bescheiden hinzu.

»Wie wäre es mit ein paar Bröckchen Wissen über die Freiheitsstrafen, die auf Behinderung der Justiz stehen? Oder auf Störung der Totenruhe?«, sagt Chris. »Bis zu zehn Jahre, falls es Sie interessiert.«

»Bitte, Chris, das haben wir doch gerade alles durchgekaut«, seufzt Elizabeth. »Kommen Sie, schlucken Sie Ihren Stolz runter. Außerdem behindern wir Sie nicht, wir helfen Ihnen.«

»Ich habe jedenfalls nicht bemerkt, dass einer von *Ihnen* eine Leiche exhumiert hätte«, sagt Ron.

»Wir haben Ihnen auf alle Fälle eine Menge Arbeit abgenommen«, setzt Ibrahim hinzu.

»Kurz gesagt«, fasst Elizabeth zusammen: »Entweder Sie verhaften uns, was wir alle verstehen könnten und was Joyce, wenn ich das richtig sehe, sogar herrlich fände.«

»Kein Kommentar«, sagt Joyce mit freudigem Nicken.

»Oder Sie verhaften uns nicht, und wir wenden uns endlich der Frage zu, warum jemand Anfang der Siebziger eine Leiche bei uns auf dem Hügel vergraben haben könnte.«

Chris sieht Donna an.

»Und wir können gemeinsam überlegen, ob dieser selbe Jemand eventuell auch Ian Ventham ermordet hat, damit sein Geheimnis nicht ans Licht kommt.«

Donna sieht Chris an. Chris hat eine Frage.

»Sie denken also, besagte Person könnte zwei Morde begangen haben? Mit fast fünfzig Jahren Abstand?«

»Eine interessante Frage, finden Sie nicht?«, sagt Elizabeth.

»Eine sehr interessante Frage, die uns gestern Abend höchst nützlich hätte sein können«, sagt Chris.

»Wenn wir da schon gewusst hätten, dass wir nach jemandem Ausschau halten sollten, der in den Siebzigerjahren hier war und es immer noch ist«, ergänzt Donna.

»Es tut uns wirklich schrecklich leid«, sagt Joyce. »Aber Elizabeth war eisern, und Sie kennen ja Elizabeth.«

»Schwamm drüber«, sagt Elizabeth. »Blicken wir nach vorn.«

»Haben wir eine Wahl, Elizabeth?«, fragt Chris.

»Entscheidungsfreiheit wird überschätzt, das werden auch Sie lernen, während die Jahre dahinfliegen«, sagt Elizabeth. »Also, an die Arbeit. Sagen Sie, was halten Sie von dem Priester, Pater Mackie? Könnte er schon hier gewesen sein, als das hier noch ein Kloster war?«

»Aus Ihrer Frage schließe ich, dass Sie über Pater Mackie noch nichts herausfinden konnten«, sagt Chris. »Ist es möglich, dass ich Sie bei einer Schwäche ertappt habe, Elizabeth?«

»Meine Erkundigungen laufen noch«, erwidert Elizabeth.

»Nicht nötig, Elizabeth, da waren ausnahmsweise wir schneller«, sagt Donna. »Er heißt *Dr.* Mackie. Kein Priester, war nie einer, wird nie einer sein. Ein irischer Arzt, der in den Neunzigerjahren hierhergezogen ist.«

»Wie außerordentlich seltsam«, sagt Elizabeth. »Warum gibt sich jemand als Priester aus?«

»Ich sag doch, der Mann ist ein falscher Fuffziger«, raunt Ron Ibrahim zu.

»Das heißt, als Mörder von Ian Ventham kommt er infrage«, sagt Donna. »Und er verschweigt uns eindeutig etwas. Aber ich bezweifle, dass es mit diesen Knochen von Ihnen zu tun hat.«

»Muss ich Sie darauf hinweisen, dass all dies strikt vertraulich ist?«, sagt Chris.

»Nichts gelangt außerhalb dieser vier Wände«, sagt Elizabeth. »Das wissen Sie doch, oder? Wollen wir nicht einfach vergessen, was passiert ist, diese ganze Sache mit den Knochen und so weiter, und unser Wissen bündeln?«

»Genug gebündelt für heute, Elizabeth«, sagt Donna.

»Ach ja?«, gibt Elizabeth zurück. »Dabei haben Sie uns doch noch nicht mal von dem Foto erzählt, das bei Tony Curran lag. Das mussten wir alles selbst herausfinden.«

Donna und Chris starren Elizabeth an. Chris stößt einen theatralischen Seufzer aus.

»Als Friedensangebot«, sagt Ibrahim, »wüssten Sie vielleicht gern, wer es geknipst hat?«

Chris schickt einen Blick zum Himmel empor. Beziehungsweise zu dem Strukturputz an Joyces Zimmerdecke. »Das wüsste ich leider tatsächlich sehr gern.«

»Ein Bursche namens Türken-Gianni«, sagt Ron.

»Der aber kein Türke ist«, ergänzt Joyce.

»Haben Sie das Foto gesehen, Ron?«, fragt Donna.

Ron nickt.

»Nettes Bild von Jason, oder?«

»Ich sag Ihnen jetzt was«, sagt Ron. »Schnappt euch Türken-Gianni oder Bobby Tanner, dann habt ihr den Mörder von Tony Curran.«

»Wenn wir hier schon alle die Hosen runterlassen«, sagt Chris, »kann Jason erklären, warum er Tony Curran am Morgen vor dem Mord anzurufen versucht hat? Oder warum sein Wagen zum exakten Zeitpunkt des Mordes am Tatort war?«

»Kann er«, sagt Elizabeth. »Ziemlich zufriedenstellend sogar.«

»Irgendetwas, von dem wir wissen sollten?«, fragt Donna.

»Keine Angst, ich sag ihm, er soll euch anrufen und euch die ganze Geschichte erzählen«, sagt Ron. »Aber vor allem müssen wir doch diesen Gianni-Typ und Bobby Tanner finden.«

»Überlassen Sie das einfach uns, ja?«, sagt Chris.

»Ich fürchte, das lässt sich nicht machen, Chris«, sagt Elizabeth. »Tut mir leid.«

»Möchten Sie nicht einen Sherry?«, fragt Joyce. »Er ist von Sainsbury, aber aus der ›Schmecken-Sie-den-Unterschied‹-Reihe.«

Chris lehnt sich in seinem Sessel zurück und gibt sich geschlagen.

»Wenn das meinem Vorgesetzten zu Ohren kommt, dann nehme ich Sie alle persönlich fest und schleife Sie vor Gericht, das schwöre ich Ihnen.«

»Chris, kein Mensch wird jemals davon erfahren«, sagt Elizabeth. »Wissen Sie, womit ich früher meinen Lebensunterhalt verdient habe?«

»Um ehrlich zu sein, nein.«

»Da sehen Sie's.«

Ein komplizenhaftes Schweigen senkt sich über den Raum, als endlich zum geselligen Teil übergegangen wird.

»Wir sind wirklich ein gutes Team, finde ich«, sagt Ibrahim. »Auf unsere Zusammenarbeit.«

77

Joyce

Ich bin froh, dass wir Chris und Donna von den Knochen erzählt haben. Jetzt habe ich ein besseres Gefühl. Und alle können gemeinsam die Augen offen halten. Wer war in den Siebzigerjahren hier und ist heute noch da? Damit sollten sie fürs Erste alle beschäftigt sein.

Beide Seiten sind jetzt auf dem gleichen Stand, das ist gerechter.

So. Wo sind Gianni und Bobby? Nachdem das mit den Knochen erst mal abgehakt ist, tüftelt Elizabeth sicher schon Pläne aus, wie wir sie aufspüren. So etwas ist genau ihr Fall. Ich werde morgen früh einen Anruf bekommen, und dann wird es heißen: »Joyce, wir fahren nach Reading«, oder: »Joyce, wir fahren nach Inverness, oder Timbuktu«, und nach und nach werde ich erfahren, warum, und ehe ich so recht weiß, wie mir geschieht, werden wir mit Bobby Tanner einen Tee trinken, oder einen Café au Lait mit Türken-Gianni. Warten Sie's ab. Morgen früh, noch vor zehn. Garantiert.

Normalerweise brauche ich meinen Pass nur, wenn ich ein Paket abholen muss, aber ich habe gerade nachgesehen, und er gilt noch drei Jahre. Ich weiß noch, als er damals neu war, dachte ich, vielleicht ist das der letzte in meinem Leben. Jetzt stehen die Chancen, dass ich noch mal einen neuen brauche, gar nicht so schlecht. Sagen will ich damit nur: Wenn Gianni oder Bobby Tanner irgendwo im Ausland sind, dann würde ich Elizabeth auch zutrauen, dass sie sich kurzerhand ins Flugzeug setzt. Nach Gatwick fährt man von hier gar nicht lang.

Ich könnte Joanna eine Postkarte schicken: »Rate, wo ich bin! Auf Zypern, einen flüchtigen Verbrecher fangen. Er könnte bewaffnet sein, aber mach dir keine Sorgen.« Aber Postkarten schreibt heutzutage ja niemand mehr. Joanna hat mir gezeigt, wie man Fotos mit dem Handy schickt, aber irgendwie klappt es bei mir nicht. Ich kriege immer nur diesen Kringel, der sich dreht.

Oder ich frage Bernard, ob er mitfährt. »Ein paar Tage Sonne tanken, last minute. Man wird schließlich nicht jünger.« Der arme Mann würde wahrscheinlich tot umfallen vor Schreck.

Ich gebe ja ungern auf, wenn ich an einer Sache dran bin, aber ich habe das Gefühl, Bernard entfernt sich immer weiter von mir. Er war ziemlich einsilbig beim Essen, und es sind jede Menge Steak und Nierchen übrig geblieben.

Und glauben Sie nicht, ich wüsste nicht, was die anderen denken. Welchen Verdacht sie haben. Sie werden nachforschen, ob Bernard vor fünfzig Jahren hier in der Gegend war. Zu mir hat keiner etwas gesagt, aber verlassen Sie sich drauf. Sollen sie nur machen, meinen Segen haben sie.

Timbuktu gibt es übrigens wirklich, wussten Sie das? Es kam erst neulich in einem Quiz vor. Ibrahim wird sich erinnern, wo es liegt, aber ich fand es auf jeden Fall hochinteressant.

78

Chris Hudson lässt seinen Whisky im Glas schwappen. Er mag Kaminfeuer, und im Pont Noir verwenden sie echte Holzscheite. Zum Essen war er noch nie hier, mit wem sollte er schon herkommen, aber er mag die Bar. Der Kamin ist mit Vintage-Kacheln eingefasst, sehr geschmackvoll. Hätte man ihn vor zwanzig Jahren gefragt, dann hätte er sich sein Wohnzimmer haargenau so vorgestellt. Lederner Ohrensessel, Glas Whisky dazu, seine Frau in dem Sessel gegenüber liest ein Buch. Irgendeinen preisgekrönten Roman, der ihm zu hoch wäre, aber sie schmunzelt beim Lesen in sich hinein. Eine Liebesgeschichte vor dem Hintergrund des kolonialen Indiens, so was. Während er Akten zu einem Mordfall studiert. Bedächtig der Lösung näher kommt.

Irgendwas hat Mackie auf dem Kerbholz, da ist er sich sicher. Es deutet alles darauf hin. Aber diese Knochen? Ändern sie etwas an der Sachlage? Hat es zwei Morde gegeben, im Abstand von fast fünfzig Jahren, der zweite zur Vertuschung des ersten? Wenn ja, dann ist Mackie nicht ihr Mann, denn sie haben sämtliche Unterlagen gesichtet, und er hat Irland erst in den Neunzigerjahren verlassen.

Seine Gedanken wandern zurück zu seinem Traumleben. Zu den Kindern, die oben schlafen. In neuen Pyjamas. Ein Junge und ein Mädchen, zwei Jahre auseinander. Gute Schläfer … Aber in der Realität gibt es nichts dergleichen, nur ein Kaminfeuer in einer Bar, in der nichts los ist, in einem Restaurant, in das er niemanden ausführen kann. Gefolgt von dem Heimweg zu Fuß, mit Zwischenstopp am 24-Stunden-Kiosk, wo er sich Schokolade kaufen wird, Cadbury's, die Zweihundert-Gramm-Tafel. Und schließlich der Wohnblock, Schlüsselbund gezückt, rauf in den dritten Stock, zu der Wohnung, die die Putzfrau sauber hält, der Küche, in der nie gekocht wird, dem Gästezimmer, in dem nie jemand schläft. Wenn er das Fenster aufmacht, kann er das Meer zwar hören, aber nicht sehen. Sagt das nicht schon alles?

Irgendwo gibt es ein Leben, das an Chris vorübergegangen ist. Familien, Einfahrten, Trampoline, Abendessen mit Freunden, all dieses Zeug aus der Fernsehwerbung eben. Ist das hier für immer sein Schicksal? Die einsame Wohnung mit den neutralen Wänden und Sky-TV? Vielleicht existiert ja ein Ausweg, aber im Moment wüsste Chris nicht, wo. Er wird auf der Stelle treten, immer dicker werden, immer weniger lachen. Ihm fehlt einfach der Antrieb. Ein Glück nur, dass er seinen Job liebt. Dass er gut in seinem Job ist. Chris fällt es nie schwer, morgens aufzustehen. Nur das Einschlafen nachts macht ihm Probleme.

Jetzt vergiss mal kurz Mackie, sagt er sich, und konzentrier dich auf Tony Curran. Jason Ritchie hat ihn vorhin angerufen. Ihm seine Geschichte erzählt. Was es mit den Anrufen auf sich hat, mit dem Auto. Wenn er gelogen hat, dann hat er überzeugend gelogen. Aber das war bei ihm ja zu erwarten, oder?

Von Bobby Tanner fehlt nach wie vor jede Spur. Nach Amsterdam taucht nirgends mehr ein Bobby Tanner auf. Aber irgendwo muss er sein. Vielleicht in Brüssel, unter einem falschen Namen, jede Menge Banden in Brüssel, die ihn gut gebrauchen können. Für die er das tun kann, was er immer getan hat – schmuggeln, schlägern, Handlangerdienste verrichten. Zu unbedeutend, als dass ihn irgendwer aus dem Weg räumen wollte. Zu sehr gebranntes Kind, um noch Risiken einzugehen. Eines Tages werden sie ihn kriegen, wenn er mit anderen Exil-Engländern vom Krafttraining kommt. Werden ihm die Hand auf die Schulter legen und ihn für ein paar kleine Fragen nach Hause fliegen.

Wobei es natürlich gut sein kann, dass auch Bobby Tanner tot ist. Steroide, eine Kneipenschlägerei, ein Sturz über die Reling, so viele Arten abzutreten, und die einzige Identifizierungsmöglichkeit ein gefälschter Pass. Aber Chris glaubt, dass Bobby sich noch irgendwo rumtreibt, und wenn er sich noch irgendwo rumtreibt, wer sagt dann, dass er nicht aus einem lang vergessenen Grund bei Tony Curran war? Aus Rache für seinen Bruder vielleicht, der mit dem Drogenboot untergegangen ist? Wer weiß?

Und dann der neue Name, Türken-Gianni. Zu ihm hat Chris mengenweise Einträge gefunden. Gianni Gunduz, so heißt er richtig. Hat sich Anfang des Jahrtausends ins Ausland abgesetzt, nach der Schießerei im Black Bridge und dem Mord an dem Taxifahrer. Irgendwie läuft es immer wieder auf diese eine Nacht hinaus. Auf diese selbe Bar, in der Chris jetzt sitzt.

Ist Gianni wieder in der Stadt?

Chris trinkt seinen Whisky aus und wirft einen letzten Blick auf die Kacheln. Schön, wirklich.

Zeit, nach Hause zu gehen.

79

Joyce

Nur ganz kurz zwei Dinge, dann muss ich schon los.

Erstens: Timbuktu liegt in Mali. Ich habe auf dem Rückweg vom Briefkasten Ibrahim getroffen und konnte ihn gleich fragen. Und Bernard habe ich gesehen, der langsam den Hügel hinaufstieg. Es gibt keinen Tag mehr, an dem er das nicht macht, aber egal.

Also, wie gesagt, Mali. Nur damit Sie Bescheid wissen.

Zweitens: Elizabeth rief um 9 Uhr 17 an, und wir fahren nach Folkestone. So wie es aussieht, steigen wir zweimal um, einmal in St Leonards und einmal an der Ashford International Station, deshalb müssen wir zeitig aufbrechen. Ich kenne Ashford nicht, aber ich kann mir kaum vorstellen, dass ein Bahnhof »International« im Namen hat, ohne dass es dort einen Marks & Spencer gibt. Oder sogar einen Oliver Bonas, toi, toi, toi.

Ich werde berichten!

80

In vielerlei Hinsicht sind seine Nachbarn Peter Ward zu Dank verpflichtet, und die meisten, muss man fairerweise sagen, wissen das auch.

Die Pearson Street war immer ein bisschen heruntergekommen. Ein Zeitungskiosk ohne Zeitungen, ein Minimarkt mit literweise Billigfusel hinterm Tresen, ein Reisebüro mit verschossenen Postern sonniger Strände, zwei Buchmacher, ein Pub, das schon bessere Zeiten gesehen hatte, ein Laden für Partyzubehör, ein Nagelstudio und ein Café mit zugenagelten Türen und Fenstern.

Und dann machte die Flower Mill auf, Peter Wards Blumengeschäft, eine kleine Farbexplosion, als wüchse in dieser grauen Straße ein Regenbogen aus dem Boden.

Und was der Mann für Blumen hatte! Peter Ward verstand sein Handwerk, und wenn in einer Kleinstadt jemand sein Handwerk versteht, dann spricht sich das schnell herum. Die Leute begannen, Umwege vom Stadtzentrum in Kauf zu nehmen. Und sie erzählten ihren Freunden davon, die es wiederum ihren Freunden erzählten, und schwuppdiwupp hatte eine Frau, die aus London zu Besuch kam, das leer stehende Café entdeckt und es gepachtet, und nun gab es schon zwei Gründe, in der Pearson Street vorbeizuschauen. Dann sah eine Braut, die bei Peter Blumen bestellt hatte und sich in dem Café einen Latte schmecken ließ, dass diese kleine Straße im Aufwind war, und überlegte, ob das nicht ein guter Ort sein könnte, um eine Eisenwarenhandlung zu eröffnen. Sodass es jetzt, neben der Flower Mill und gegenüber dem Casa Café, noch die »Werkzeugtruhe« gibt. Der Inhaber des Reisebüros sieht draußen plötzlich Leute vorbeigehen, verspürt den Drang, seine Poster zu erneuern, und die Leute kommen herein. Unter-Dreißigjährige hauptsächlich, die keinen Schimmer haben, was ein Reisebüro überhaupt ist. Die Londonerin mit dem Café pachtet das Pub noch dazu und zieht ein Restaurant auf. Terry vom Zeitungskiosk fängt an, mehr Zeitungen zu bestellen, mehr Milch, mehr von allem. Das Nagelstudio lackiert mehr Nägel, der Partyzubehörladen verkauft mehr Luftballons, der Minimarkt hält jetzt neben Wodka auch Gin vorrätig. John von der Fleischtheke im Supermarkt wagt den Sprung und macht seine eigene Metzgerei auf, und seine Kunden bleiben ihm treu. Künstler aus der Gegend mieten gemeinsam ein leer stehendes Ladengeschäft und kaufen sich gegenseitig ihre Werke ab.

Alles dank Peter Wards Orchideen und Wicken und Gerbera.

Die Pearson Street ist genau so, wie man sich eine Einkaufsstraße wünscht. Belebt, heiter, nachbarschaftlich und leger. So perfekt, denkt Joyce, dass es sicher kein halbes Jahr dauert, bis hier eine Costa-Filiale aufmacht und den Charme zerstört. Was schade wäre, wobei Joyce zugeben muss, dass auch sie ganz gern mal bei Costa einkehrt und somit einen Teil der Schuld trägt.

Joyce und Elizabeth sitzen im Casa Café. Peter Ward hat ihnen gerade zwei Cappuccinos geholt. Becky von der Werkzeugtruhe hat ein Auge auf seinen Laden, während er sich eine halbe Stunde freinimmt. Das ist der Geist, der hier herrscht.

Peter Ward wird schon grau und hat das Lächeln und

die Lockerheit eines Mannes, der in seinem Leben viele gute Entscheidungen getroffen hat. Ein Florist aus Folkestone, der sich durch lebenslange Güte und Gelassenheit Karmapunkte verdient hat und dank seiner guten Werke ein rundum glücklicher Mensch ist.

Dieser Eindruck täuscht. Die Narbe unter dem rechten Auge und der ausgeprägte Bizeps verraten es: Peter Ward ist Bobby Tanner. Oder hat Peter Ward Bobby Tanner hinter sich gelassen? Um das herauszufinden, sind Joyce und Elizabeth hergekommen. Ist der Schläger noch da? Vielleicht der Mörder? Ist er kürzlich das Stückchen Küste hoch nach Fairhaven gefahren, um seinen früheren Boss zu erschlagen? Elizabeth legt das Foto zwischen sie auf den Tisch, und Peter Ward greift danach, lächelnd.

»Das Black Bridge«, sagt Peter. »Ja, da waren wir damals öfter. Wie sind Sie da drangekommen?«

»Auf unterschiedlichen Wegen«, sagt Elizabeth. »Genau genommen auf zweien. Ein Abzug wurde Jason Ritchie zugeschickt, und einer lag neben der Leiche von Tony Curran.«

»Das von Tony hab ich gelesen«, nickt Peter Ward. »Wurde auch Zeit.«

»Sie haben dieses Foto noch nie gesehen?«, fragt Elizabeth.

Peter betrachtet es näher. »Nein, nie.«

»Sie haben keinen Abzug bekommen?«, erkundigt sich Joyce und trinkt ein Schlückchen Cappuccino.

Peter schüttelt den Kopf.

»Tja, das ist entweder Glück für Sie oder Glück für uns«, sagt Elizabeth.

Peter Ward zieht fragend eine Braue hoch.

»Entweder Glück für Sie insofern, als Tony Currans Mörder nicht weiß, wo Sie sind. Oder Glück für uns, weil

Sie Tony selbst umgebracht haben und wir nicht umsonst nach Folkestone gekommen sind.«

Peter Ward lächelt auch dazu ein bisschen und sieht das Foto erneut an.

»Völlig umsonst wären wir natürlich trotzdem nicht gekommen«, versichert Joyce. »Ich finde es sehr hübsch hier.«

»Die Polizei hält Jason für den Mörder von Tony Curran«, sagt Elizabeth. »Und vielleicht haben sie ja recht. Aber aus Gründen, die hier nichts zur Sache tun, wäre es uns lieber, sie hätten nicht recht. Haben Sie dazu eventuell eine Meinung, Bobby?«

Peter Ward hebt dic Hand.

»Peter, bitte.«

»Haben Sie dazu eine Meinung, Peter?«, wiederholt Elizabeth.

»Mich würde das sehr wundern«, sagt Peter Ward. »Jason hat um so was immer einen Riesenbogen gemacht. Er sieht gefährlich aus, aber im Grunde ist er ein Teddybär.«

Joyce hebt den Blick kurz von ihren Aufzeichnungen. »Ein Teddybär, der einen groß angelegten Drogenring finanziert hat?«

Peter antwortet mit einem Nicken.

Elizabeth tippt auf das Foto. »Wenn es also nicht Jason war, dann vielleicht Sie? Oder Türken-Gianni?«

»Türken-Gianni?«, sagt Peter.

»Er hat das Foto gemacht.«

Peter Ward denkt eine Weile nach. »Er war das? Keine Ahnung mehr, aber passen würde es natürlich. Sie kennen ja wahrscheinlich die Geschichte? Dieser Junge, der im Black Bridge von Tony erschossen wurde? Und der von dem Taxifahrer entsorgt wurde, den dann Gianni erschossen hat?«

»Die kennen wir, ja«, bestätigt Elizabeth. »Und daraufhin ist Gianni nach Zypern getürmt.«

»Ganz so einfach war es nicht«, sagt Peter Ward.

»Ich bin ganz Ohr«, sagt Elizabeth.

»Jemand hat Gianni an die Bullen verpfiffen. Sie haben seine Wohnung durchsucht, aber da war er schon über alle Berge.«

»Und wer hat ihn verpfiffen?«, will Elizabeth wissen.

»Keine Ahnung. Nicht ich.«

»Spitzel sind ja nicht sehr beliebt«, bemerkt Joyce.

»Wer es war, ist egal«, sagt Peter. »Aber Gianni hat bei seiner Flucht hundert Riesen von Tony mitgehen lassen.«

»Ach ja?«

»Geld, das bei ihm in der Wohnung versteckt war. Tonys Geld. Alles weg. Tony ist völlig durchgedreht. Hunderttausend, das war für Tony damals ein Vermögen.«

»Hat er Gianni zu finden versucht?«, fragt Elizabeth.

»Aber hallo. Ist sogar ein paarmal nach Zypern gefahren. Aber gefunden hat er ihn nicht.«

»Um das zu schaffen, muss man Einheimischer sein«, sagt Elizabeth.

»Das klingt, als hätten Sie Gianni auch nicht gefunden?«

Elizabeth schüttelt den Kopf.

»Wie sind Sie mir eigentlich auf die Spur gekommen?«, will Peter Ward wissen. »Wenn ich das fragen darf. Ich hätte ungern das Gefühl, leicht zu finden zu sein, wenn Gianni wieder im Lande ist und Fotos von mir neben Leichen platziert.«

Elizabeth nippt an ihrem Kaffee. »Der Friedhof in Woodvale, wo Ihr Bruder Troy begraben liegt?«

Peter Ward nickt.

»Ich habe mir Zugang zu den Aufnahmen der Videoüberwachung verschafft, über einen Bestatter, dessen Onkel ich im Zug einmal aus einer sehr unangenehmen Situation retten konnte«, sagt Elizabeth. »Und da habe ich Sie entdeckt.«

Peter Ward sieht Elizabeth an.

»Elizabeth, ich bin da zweimal im Jahr. Es ist ausgeschlossen, dass Sie mich auf den Videoaufnahmen entdeckt haben. Das wäre die Nadel im Heuhaufen.«

»Sie sind zweimal im Jahr dort, richtig«, räumt Elizabeth ein. »Aber an welchen Tagen?«

Peter Ward lehnt sich zurück, verschränkt die Arme, ehe er lächelt und nickt. Der Groschen ist gefallen.

»Zwölfter März und siebzehnter September«, fährt Elizabeth fort. »Troys Geburtstag und sein Todestag. Ich habe gehofft, an beiden Tagen dasselbe Auto zu sehen, mir das Kennzeichen zu notieren und dann über den Freund eines Freundes den Halter ermitteln zu lassen. Aber am zwölften März fiel mir der weiße Lieferwagen eines Blumenladens in Folkestone auf, was mir bei einem Friedhof in Brighton etwas ungewöhnlich vorkam. Nicht unmöglich, aber beachtenswert. Und sehr, sehr ungewöhnlich fand ich es, am siebzehnten September denselben Lieferwagen zu sehen. Das schien mir in der Tat höchst beachtenswert.«

»Verstehe«, nickt Peter Ward. »Und das Kennzeichen brauchten Sie gar nicht.«

»Weil Sie Namen, Adresse und Telefonnummer ja auf dem Wagen spazieren fahren«, sagt Elizabeth.

Das nötigt Peter stummen Beifall ab, den sie mit einer leichten Verneigung quittiert.

»Sehr schlau, Elizabeth«, sagt Joyce. »Sie ist wirklich unheimlich schlau, Peter.«

»Ich merke es«, sagt Peter. »Das heißt, niemand sonst weiß, wo ich bin? Niemand sonst findet mich?«

»Solange ich niemandem verrate, wo Sie sind«, sagt Elizabeth.

Peter Ward beugt sich vor. »Würden Sie mich denn verraten?«

Elizabeth beugt sich ebenfalls vor. »Nicht, wenn Sie morgen zu uns kommen, sich mit Jason und der Polizei zusammensetzen und ihnen erzählen, was Sie uns gerade erzählt haben.«

81

»Möchten Sie eine Walnuss?«, fragt Ibrahim.

Bernard Cottle sieht erst ihn an und dann die offene Tüte mit Walnusshälften, die ihm hingehalten wird.

»Nein danke.«

Ibrahim nimmt die Tüte wieder an sich. »Walnüsse haben fast keine Kohlenhydrate, müssen Sie wissen. In Maßen genossen, sind Nüsse sehr gesund. Nur Cashewnüsse nicht, die bilden eine Ausnahme. Ich störe Sie doch nicht, Bernard?«

»Nein, nein«, sagt Bernard.

»Und Sie genießen den Ausblick?«, fragt Ibrahim. Er spürt deutlich, wie wenig es Bernard behagt, die Bank teilen zu müssen.

»Ich genieße die Ruhe«, sagt Bernard.

»Hier möchte man auch gern begraben sein«, sagt Ibrahim. »Finden Sie nicht?«

»Wenn man schon begraben sein muss.«

»Da kommt ja leider keiner drum rum, nicht wahr? Da kann man Walnüsse essen, so viel man will.«

»Nehmen Sie's mir nicht übel, aber ich finde es eigentlich schön, hier schweigend zu sitzen«, sagt Bernard.

»Das kann ich verstehen.« Ibrahim nickt und isst eine Walnuss.

Die beiden Männer betrachten schweigend die Aussicht. Dann dreht Ibrahim den Kopf und sieht Ron den Weg heraufkommen, mit diesem leichten Humpeln, das er zu unterdrücken versucht. Er hat einen Stock, weigert sich aber, ihn zu benutzen.

»Ach, wie nett«, sagt Ibrahim. »Da kommt Ron.«

Bernard sieht kurz hin und presst fast unmerklich die Lippen zusammen.

Ron hat die Bank erreicht und setzt sich auf Bernards andere Seite.

»Morgen, ihr zwei«, sagt Ron.

»Morgen, Ron«, antwortet Ibrahim.

»Na, Bernard, alter Schwede«, sagt Ron. »Mal wieder auf Wache?«

Bernard schaut Ron an. »Wache?«

»Vor dem Friedhof. Wie der Schwarze Ritter. ›An mir kommt keiner vorbei‹, wissen Sie noch? Monty Python?«

»Bernard möchte die Ruhe genießen, Ron«, sagt Ibrahim. »Das hat er mir gerade gesagt.«

»Da ist er bei mir an der falschen Adresse«, sagt Ron. »Also sagen Sie schon, Bernard. Was haben Sie hier oben versteckt?«

»Versteckt?«, sagt Bernard.

»Dieses ganze Trauergedöns, das nehm ich Ihnen nicht ab. Glauben Sie mir, wir vermissen alle unsere Frauen. Hier ist doch was anderes im Busch.«

»Jeder trauert auf seine Weise, Ron«, sagt Ibrahim. »Bernards Verhalten ist in keiner Weise ungewöhnlich.«

»Also ich weiß nicht, Ib.« Ron schüttelt den Kopf und blickt hinaus über die Hügel. »Da wird dieser Kerl umgebracht, nur weil er den Friedhof einebnen will. Den Friedhof, vor dem Bernard sitzt, jeden Tag, rund um die Uhr. Das ändert die Sachlage für mich ein bisschen.«

»Ach, darum geht es?«, fragt Bernard, ohne Ron anzuschauen. Sein Ton ist ruhig, unbeteiligt. »Sie reden über den Mord?«

»Darum geht es, Bernard, gut erkannt«, sagt Ron. »Jemand da unten am Tor hat dem Mann eine tödliche Spritze verpasst. Und wir waren alle dicht an ihm dran. Jeder von uns hätte die Chance gehabt.«

»Wir versuchen nur, möglichst viele aus unseren Nachforschungen auszuschließen«, wirft Ibrahim ein.

»Vielleicht hatten Sie ja gute Gründe«, sagt Ron.

»Kann es einen guten Grund dafür geben, einen Menschen umzubringen, Ron?«, fragt Bernard.

Ron zuckt die Achseln. »Wieso nicht, wenn Sie da oben im Friedhof was versteckt halten? Sind Sie Diabetiker? Geübt im Spritzen?«

»Geübt im Spritzen sind wir alle, Ron«, sagt Bernard.

»Wo waren Sie in den Siebzigern, mein Lieber? Irgendwo hier in der Gegend?«

»Das ist eine merkwürdige Frage, Ron«, sagt Bernard. »Um es vorsichtig zu formulieren.«

»Egal, waren Sie hier?«, beharrt Ron.

»Wir versuchen nur, keine Eventualität außer Acht zu lassen«, sagt Ibrahim. »Wir befragen alle.«

Bernard dreht sich zu Ibrahim um. »Was spielen Sie hier? Guter Bulle, böser Bulle?«

Ibrahim denkt kurz nach. »Schon ein bisschen, ja, das ist die Idee dahinter. Psychologisch kann das sehr wirkungsvoll sein. Ich habe ein Buch darüber, falls Sie interessiert sind?«

Bernard stößt einen langen Atemzug aus und wendet sich wieder an Ron. »Ron, Sie haben meine Frau noch kennengelernt. Sie kannten Asima.«

Ron nickt.

»Und Sie waren immer sehr nett zu ihr. Asima mochte Sie.«

»Ich hab sie auch gemocht, Bernard. Sie hatten es gut getroffen mit ihr.«

»Alle mochten sie, Ron«, sagt Bernard. »Und Sie müssen trotzdem noch fragen, warum ich hier sitze? Das hat nichts mit dem Friedhof zu tun und nichts mit irgendwelchen Spritzen. Oder damit, wo ich vor fünfzig Jahren gelebt habe. Ich bin ein alter Mann, dem seine Frau fehlt. Punkt. Warum verschonen Sie mich nicht einfach?« Bernard steht auf. »Meine Herren, Sie haben mir den Tag verdorben. Ich an Ihrer Stelle würde mich schämen.«

Ibrahim sieht zu Bernard auf. »Bernard, ich nehme Ihnen das nicht ab. Ich kann's nicht, so gern ich es täte. Ihnen lastet noch etwas anderes auf der Seele. Aber falls Sie doch einmal Redebedarf haben, wissen Sie ja, wo Sie mich finden.«

Bernard schüttelt lächelnd den Kopf. »Um mich bei *Ihnen* auszusprechen?«

Ibrahim nickt. »Ja, reden Sie mit mir, Bernard. Oder auch mit Ron. Was immer vorgefallen ist, es totzuschweigen ist das Schlimmste, was Sie tun können.«

Bernard klemmt sich seine Zeitung unter den Arm. »Bei allem Respekt, Ibrahim, Ron, Sie haben keine Ahnung, was das Schlimmste ist, was ich tun kann.«

Spricht's und macht sich auf seinen langsamen Weg hügelab.

82

Joyce

Na, das war ja mal ein vergnüglicher Ausflug. Schon allein deshalb, weil ich noch nie vorher in Folkestone war.

Bobby Tanner heißt jetzt Peter Ward, aber wir mussten ihm Geheimhaltung schwören. Er betreibt einen Blumenladen.

Das heißt, ich habe heute zwei Themen. Wie ist Peter Ward zum Floristen geworden? Und, Florist hin oder her, wen hält er für Tony Currans Mörder?

Vielleicht schreibe ich auch noch etwas zu Bernard, aber wenn, dann erst zum Schluss, weil ich darüber noch nachdenken will, während ich den Rest aufschreibe.

Peter Ward – ich nenne ihn Peter – verließ Fairhaven kurz nach dem Tod seines Bruders, aus nachvollziehbaren Gründen. Er beschaffte sich einen neuen Pass. Das geht ganz leicht, wenn man Elizabeth und Peter reden hört, aber ich hätte keine Ahnung, wie ich es anstellen müsste, Sie etwa? Er landete in Amsterdam und übernahm dort Gelegenheitsarbeiten. Keine Gelegenheitsarbeiten, wie wir uns das vorstellen würden, Dachrinnen ausräumen oder Zäune neu streichen, sondern auf der Kanalfähre Kokain schmuggeln. Oder, aber das vermute ich nur, Leute einschüchtern. Irgendwie lässt sich das immer noch erahnen, unter der Oberfläche.

Er schloss sich einer Gang aus Liverpool an. Den Namen nannte er uns nicht – als ob ich damit irgendetwas anfangen könnte! Sie hatten sich darauf verlegt, Drogen in den Laderaum dieser großen Blumenlaster zu schleusen, die aus Holland und Belgien zu uns herüberkommen. Das war ihre »Tour«.

Anfangs war Peter für das Beladen zuständig. Ein Fahrer bekam eine bestimmte Summe dafür, dass er mit seinem Laster auf einem Rastplatz in Belgien anhielt, und Peter und ein, zwei Kumpane von ihm sprangen hinten auf und versteckten so viel es nur ging, wo es nur ging. Dann überquerten die Laster den Ärmelkanal, ein kurzer Stopp in Kent, und fertig war die Laube. Diese Laster fuhren die ganze Zeit hin und her. Sie waren jeden Tag unterwegs, zwangsläufig, weil sie ja Frischware transportierten. Von daher war es optimal.

Erst gaben sie nur hier und da einem Fahrer etwas mit, und das war alles. Bis ihnen dann ein Licht aufging und sie eine der Gärtnereien kauften. Der Betrieb lief ganz normal, aber Peter war vor Ort, um jede Ladung zu »inspizieren«, bevor sie herausging, und ihr das gewisse Etwas mitzugeben. Damit hatten sie jetzt drei Laster täglich, die über Zeebrugge nach England fuhren, und konnten mit ihnen machen, was sie wollten. Raffiniert, oder?

Peter war jeden Tag in der Gärtnerei, und der junge Mann, der sie leitete, kassierte Geld fürs Wegschauen. Sie spielten Karten und schwatzten und was immer sonst man in Belgien zum Zeitvertreib macht.

(Apropos Belgien, seit gestern hängt hier ein Aushang für eine Städtereise nach Brügge, und ich überlege, ob ich mich nicht anmelden soll. Joanna war vor ein paar Jahren dort, und ihr Fazit lautete: »Bisschen verkitscht, aber du fändest es herrlich, Mum«, also fasse ich mir vielleicht ein Herz. Ob Elizabeth eventuell Lust hätte?)

Das nur am Rande, denn als Nächstes passierte Folgendes: Etwas lief schief, wie und warum weiß keiner, zumindest Peter nicht, jedenfalls bekam ein kleiner Blumenladen in Gillingham zu seinen Begonien irrtümlich zwei Kilo Koks mitgeliefert und verständigte umgehend die Polizei.

Die Polizei, die manchmal doch recht helle sein kann, schlug nicht sofort zu und verhaftete den Fahrer, sondern hängte sich stattdessen an seine Fersen und brachte so heraus, wo er hinfuhr und wo seine Ware herkam. Es wurde ein eigenes Ermittlerteam auf den Fall angesetzt, und nach und nach kamen sie dahinter, wer welche Fäden zog, und verhafteten alle im großen Stil.

So wie Peter es darstellte, sahen er und der junge Bursche die Polizei schon aus einer Meile Entfernung herankommen (Belgien ist so flach wie Holland, sagt Peter) und versteckten sich sechs Stunden lang in einem Sonnenblumenfeld, während die Beamten jeden Winkel der Gärtnerei filzten. Kurze Zeit später wurde in Amsterdam einer der Liverpooler von einem Serben ermordet, und das war's.

Sie ahnen wahrscheinlich, worauf es hinausläuft. Peter war nie richtig in der Hierarchie aufgestiegen, dazu war er nicht der Typ, aber er hatte einiges Geld beiseitegelegt, und er hatte sehr viel über Blumen gelernt. Und er sah sie natürlich in ihrem prächtigsten Stadium. Er beschrieb uns die Farben und alles und geriet richtig ins Schwärmen dabei. Elizabeth musste ihn zum Schluss etwas bremsen.

Und so fährt nun tagtäglich einer dieser großen Laster in der Pearson Street vor, und Peter klettert in den Laderaum wie auch früher immer, aber jetzt lädt er nur seine Blumen aus und trägt sie in sein Geschäft. Und der Laster fährt weiter seine Runde und kehrt schließlich nach Belgien zurück, in die Gärtnerei von dem jungen Burschen, mit dem er seinerzeit Karten gespielt und sich in den Sonnenblumen versteckt hat.

Ist das nicht eine schöne Geschichte? In Amsterdam schießen sich die Liverpooler und die Serben gegenseitig tot, aber Peter hat seinen schönen Laden, in dieser netten Straße, wo jeder seinen Namen kennt. Oder eben nicht seinen Namen, aber Sie wissen, was ich meine. Und da er jetzt so ein braver Bürger ist, hatte auch niemand ihn je im Visier, niemand wollte ihn je verhaften und sich seinen Pass näher ansehen, sodass Peter Ward mit der Vergangenheit abschließen und seinen Frieden finden konnte, was nicht jeder schafft.

Um jeden Rest von Verdacht auszuräumen, hat Peter Elizabeth mit in den Laden genommen und ihr die Videoaufnahmen von Tony Currans Todestag gezeigt. Da stand er, Peter, meine ich, hinter seinem Ladentisch, ganz klar zu erkennen. Damit können wir ihn ausschließen, denke ich doch. Er ist überzeugt, dass Türken-Gianni unser Mann ist. Tony hat ihn an die Polizei verpfiffen, und Gianni hat Tony dafür um sein Geld erleichtert. Schon plausibel, oder?

Elizabeth und ich haben es im Zug noch einmal durchgesprochen. Und wir hatten eine halbe Stunde Aufenthalt an der Ashford International Station, wo es keinen einzigen Laden gab, ob Sie's glauben oder nicht. Vielleicht kommen die Geschäfte ja erst nach der Passkontrolle? Irgendwo müssen sie doch sein.

So weit die Geschichte von Bobby Tanner. Zeit fürs Bett, Joyce. Was wohl Ron und Ibrahim heute gemacht haben?

Ich wollte noch etwas zu Bernard sagen, ich weiß, aber die richtigen Worte sind noch nicht da, also lasse ich es lieber.

Ich habe Freesien aus Peter Wards Laden für ihn dabei. Ich wollte Peter gern etwas abkaufen, aber mir fiel niemand ein, dem ich sie schenken kann, also dachte ich, vielleicht freut Bernard sich ja. Schenken Frauen Männern Blumen? Nicht da, wo ich herkomme, aber das ist nicht mehr unbedingt der Ort, an dem ich heute bin. Darum stehen sie jetzt in der Spüle, und morgen früh gebe ich sie ihm.

Brügge könnte Bernard gefallen. Oder?

83

Der Weg ist holprig, aber indem er mit der Taschenlampe auf den Boden direkt vor ihm leuchtet, schafft er es hinauf zu den Parzellen, ohne Aufmerksamkeit auf sich zu ziehen. Es ist spät, wahrscheinlich schlafen ohnehin schon alle, doch wozu ein Risiko eingehen? Er erreicht den Schuppen. Ein Vorhängeschloss hängt daran, aber kein gutes, und mit der Haarnadel seiner Frau hat er es im Nu geöffnet.

Den Schuppen teilen sich alle Bewohner von Coopers Chase, die einen der Kleingärten hier bewirtschaften. Eine handverlesene Truppe. Mehrere Klappstühle für gutes Wetter stehen darin und ein Wasserkocher für kältere Tage. An einer Wand lehnen Säcke mit Dünger und Rindenmulch. Sie werden aus der Gemeinschaftskasse bezahlt, und Carlito trägt sie ihnen herauf, wann immer die Strecke des Minibusses über das Gartencenter führt. Über den Düngersäcken hängt die Satzung des Coopers-Chase-Kleingartennutzervereins. Sie ist umfangreich, und ihre Einhaltung wird mit scharfem Auge überwacht. Es ist kalt hier drin, selbst an einem Spätsommerabend. Der Strahl der Lampe wandert die Wände ab. Fenster gibt es keine, das vereinfacht die Sache.

Der Spaten lehnt an der hinteren Schuppenwand.

Ein Blick auf ihn, und er weiß Bescheid. Wusste es,

wenn er ehrlich ist, auch schon auf dem Weg hier herauf. Aber was hilft's? Wenigstens versuchen muss er es.

Er fasst ihn am Griff, lässt ihn aber gleich wieder sinken. Wann ist er derart schwach geworden? Was ist mit seinem Körper passiert? Besonders muskulös war er nie, aber dass er jetzt kaum mehr einen Spaten heben kann! Von graben gar nicht zu reden.

Was jetzt? Wer kann helfen? Wer wird ihn verstehen? Es ist hoffnungslos.

Bernard Cottle lässt sich auf einen Klappstuhl fallen und weint über das, was er getan hat.

84

Chris und Donna sitzen im Puzzle-Stübchen, vor ihnen Henkelbecher mit Tee. Ihnen gegenüber sitzen Jason Ritchie und Bobby Tanner. Bobby Tanner, den die Kriminalbeamten von acht Grafschaften nicht aufzuspüren vermocht haben. Elizabeth weigert sich konsequent preiszugeben, wo oder wie sie ihn gefunden hat.

Sowohl sie als auch Joyce haben den Beweis dafür gesehen, dass Bobby zum Mordzeitpunkt anderweitig beschäftigt war. Chris hat gefragt, ob er ihn ebenfalls sehen darf, und wurde von Elizabeth beschieden, dass er das in dem Augenblick darf, in dem er einen Durchsuchungsbeschluss vorlegt. Bobby wird ihnen alles sagen, was er weiß, so der Deal, und danach wieder abtauchen in seine Versenkung.

»Hundert Mille und ein paar Zerquetschte«, sagt Bobby Tanner. »Die hatte Gianni bei sich in der Wohnung, er hat öfter Geld für Tony aufbewahrt.«

»War es eine schöne Wohnung?«, erkundigt sich Joyce.

»Na ja, schon eine von den großen gleich vorn am Wasser«, sagt Bobby.

»Ah, mit den Panoramafenstern«, sagt Joyce. »Sehr schick.«

»Und Tony ist nach Zypern gefahren, um ihn zu suchen?«, fragt Chris.

»Sogar mehrere Male. Aber gefunden hat er ihn nicht. Danach war nichts mehr wie vorher. Du hast dir ja auch was anderes gesucht, Jason, oder? Diese Fernsehgeschichten und alles das?«

Nicken von Jason. »Ich musste da einfach raus, Bobby.«

Nicken von Bobby. »Ich hab ein paar Monate später die Biege gemacht, als mein Bruder tot war. Ab da hat mich hier nichts mehr gehalten.«

»Aber irgendwer müsste Gianni doch gesehen haben, oder?«, fragt Donna. »Wenn er zurückgekommen ist? Jemand müsste ihn gesehen haben, jemand müsste etwas wissen?«

Bobby überlegt. »Sehr viele von damals sind nicht übrig.«

»Schwer zu sagen, bei wem Gianni auflaufen würde, wenn er irgendwo unterkommen müsste«, meint Jason.

Bobby sieht Jason an. »Außer, Jase …?«

Jason erwidert Bobbys Blick, runzelt die Stirn und nickt dann. »Natürlich, klar. Außer …«

Er fängt an, eine Nachricht zu tippen.

»Darf man erfahren, was Sie vorhaben?«, fragt Elizabeth.

»Das ist bloß jemand, mit dem Bobby und ich reden müssen. Jemand, der ziemlich sicher Bescheid weiß. Lassen Sie da mal uns ran, ja? Es ist nicht fair, wenn Sie sämtliche Lösungen liefern, Elizabeth.«

»Vielleicht möchten Sie ja die Polizei einweihen?«, regt Donna an.

»Sonst noch Wünsche«, sagt Bobby lachend.

»Versuchen kann man's ja mal«, meint Donna.

Jasons Telefon plingt. Er schaut auf das Display, dann zu Bobby.

»Er könnte um zwei. Passt dir das?«

Bobby nickt, und Jason fängt wieder zu tippen an.

»Wo, ist ja klar, oder?«

85

Mittagessen im Pont Noir. Genau wie in alten Zeiten, und doch, wen wundert's, komplett anders.

»Astronaut?«, rät Jason Ritchie.

Bobby Tanner lacht und schüttelt den Kopf.

»Jockey?«, schlägt Jason vor.

Bobby Tanner schüttelt wieder den Kopf. »Ich würd's dir nicht sagen, selbst wenn du draufkommst.«

Ist ja gut, ist ja gut.

»Aber du bist zufrieden mit deinem Leben, Bobby?«, fragt Jason.

Bobby nickt.

»Sehr gut«, sagt Jason. »Du hast es verdient.«

»Wir haben es beide verdient«, stimmt Bobby Tanner ihm zu. »Auf unsere Art.«

»Das kann man so oder so sehen«, sagt Jason.

Bobby Tanner nickt. Auch wieder wahr.

Sie sind beim Nachtisch angelangt. Ihr Gast ist noch nicht da, dafür haben sie eine Flasche vom feinsten Malbec des Hauses geleert.

»Ich meine, es kann nur Gianni gewesen sein, oder?«, sagt Bobby. »Auch wenn ich eigentlich dachte, er ist tot.«

»Von dir dachte ich auch, du wärst tot«, sagt Jason. »Wobei ich froh bin, dass du es nicht bist.«

»Danke, Jase«, sagt Bobby.

Jason schaut auf die Uhr. »Bald werden wir's erfahren.«

»Meinst du, er weiß es?«, fragt Bobby.

»Wenn Gianni hier war, dann weiß er das. Bei wem hätte er sonst unterkommen sollen?«

»Ich vertrage mittags keinen Alkohol mehr, du?«, sagt Bobby.

»Wir sind beide alte Männer, Bob«, bestätigt Jason. »Schaffen wir noch eine Flasche?«

Sie kommen überein, dass eine Flasche gerade noch drin sein müsste. Auftritt Steve Georgiou.

86

Donna hat den Abend damit verbracht, die Passagierlisten sämtlicher Flüge von und nach Zypern aus den letzten zwei Wochen durchzugehen. Als ob Gianni Gunduz unter seinem richtigen Namen reisen würde. Aber sicher ist sicher.

So spannend die Listen auch sind, im Moment treibt sich Donna auf Instagram herum.

Toyota ist bereits wieder Geschichte, aber Carl ist nicht der Typ, der etwas anbrennen lässt. Wer ist seine Neue? Da ist die Detektivin in Donna gefragt. Datet er diese Arbeitskollegin von ihm, Poppy? Poppy, die er auf Facebook geliked hat? Und nicht nur geliked, sondern der er Zwinkersmileys schickt? Poppy, die sich ausschließlich von links und mit Schmollmund fotografieren lässt? Doch, sie ist genau Carls Typ. Donna hat sie im Polizeicomputer abgefragt, nur aus Spaß, aber natürlich nichts gefunden.

Eigentlich müsste sie langsam ins Bett, aber sie muss immer noch an Penny Gray denken.

Nach ihrem Treffen mit Jason und Bobby Tanner hat Elizabeth gefragt, ob sie Donna jemanden vorstellen darf, und sie hinüber nach Willows geführt, das an Coopers Chase angeschlossene Pflegeheim.

Donna sieht wieder die stillen beigefarbenen Korridore vor sich, die trüben Neonröhren, die Aquarelle, die das Meer zeigen. Eine furchtbare Bedrückung ging von allem aus, gegen die auch die optimistischen Blumensträußchen auf den billigen Multifunktionstischen nichts ausrichten konnten. Wer stellt diese Blumen Tag für Tag auf? So ein aussichtsloser Kampf, aber was ist die Alternative? Es hat Donna regelrechte Beklemmungen verursacht, kurzzeitig bekam sie kaum Luft. Willows ist ein Gefängnis, aus dem kein Weg herausführt, außer dem einen.

Sie traten ins Zimmer, und Elizabeth sagte: »Constable De Freitas, ich möchte Ihnen Detective Inspector Penny Gray vorstellen.«

Penny lag im Bett, bis zum Hals mit einem dünnen Laken zugedeckt; die Decke selbst war auf halbe Höhe zurückgeschlagen. Aus ihrer Nase und den Handgelenken kamen Schläuche. Mit der Schule war Donna einmal im Lloyd's-Hochhaus, bei dem auch alles, was nach innen gehört, außen war. Sie mag es lieber, wenn die Dinge verpackt sind.

»Ma'am«, sagte sie und stand stramm.

»Setzen Sie sich, Donna. Ich dachte, es könnte nett sein, wenn ihr beide euch kennenlernt. Ich glaube, ihr werdet euch verstehen.«

Worauf Elizabeth Donna einen Abriss von Pennys Laufbahn lieferte. Schlau, zäh und eigenwillig, konstant in ihrem Fortkommen behindert durch ihr Geschlecht und ihr Temperament. Oder richtiger, durch die nicht hinnehmbare Kombination aus beidem.

»Sie ist die Dampfwalze«, sagte Elizabeth. »Ich bin eher die Rasierklinge, wissen Sie. Aber Penny ist ein Kraftbündel. Ich weiß nicht, ob man davon jetzt noch etwas merkt.«

Donna sah Penny an und bildete sich ein, es zu merken.

»Hinlangen können, das galt damals bei der Polizei als

große Tugend«, fuhr Elizabeth fort. »Jedenfalls wenn man ein Mann war. Penny hat es kein bisschen genützt, sie hat es nie weiter als bis zur Kriminalkommissarin gebracht. Grotesk, wenn man sie kannte. Oder, John? Es war grotesk.«

John blickte auf und nickte. »Pure Verschwendung.«

»Sie war eine Quertreiberin, Donna«, sagte Elizabeth. »Und das meine ich im allerbesten Sinne. Deshalb war es ihr auch so ein Bedürfnis, diese alten Fälle durchzugehen. Da hatte sie endlich das Heft in der Hand. Konnte endlich durchgreifen, wie sie es wollte, statt immer nur gute Miene zu machen und über die Witze zu lachen und den Tee zu kochen.«

Donna beobachtete, wie Elizabeths Hand sich um die von Penny schloss.

Elizabeth sah sie an und nickte. »Aber wir kämpfen weiter, nicht wahr? Penny hat es alles aushalten müssen, sie hat eingesteckt, Tag um Tag, ohne sich zu beschweren.«

»Also, beschwert hat sie sich sehr wohl.« Das war John. »Bei aller Liebe, Elizabeth.«

»Gut, ja, sie konnte manchmal ziemlich wüten.«

»Und das außerordentlich zielgerichtet«, betonte John.

Als sie gingen, durch ein halbes Jahrhundert getrennt, aber Schulter an Schulter und im schönsten Gleichschritt, wandte sich Elizabeth an Donna und sagte: »Sie werden das besser wissen als ich, Donna, aber ich könnte mir vorstellen, dass noch nicht alle Schlachten geschlagen sind?«

»Das könnte man so sagen«, bestätigte Donna. Und in einträchtigem Schweigen verließen sie das Gebäude, beide gleich dankbar, wieder die Luft der freien Welt draußen atmen zu dürfen.

Jetzt, zu Hause – ist *das* jetzt ihr Zuhause? –, merkt Donna, dass sie sich nicht recht auf Instagram konzentriert. Der Besuch bei Penny hat sie stolz und traurig zugleich gemacht. Wie gern hätte sie Penny kennengelernt. Richtig kennengelernt. Es gibt etliche Gründe, warum Donna sich wünscht, bei dieser Ermittlung glänzen zu können, und ein weiterer Grund ist ab sofort, Detective Inspector Penny Gray Ehre zu machen.

Gianni als der Mörder von Tony Curran? Und Matthew Mackie als der von Ventham? Elizabeth hat ihr noch einen Bewohner von Coopers Chase genannt, den sie unter die Lupe nehmen sollten. Einen Bernard Cottle. Sie hat sich den Namen notiert.

Und die Knochen? Spielen die eine Rolle?

Was meinst du, Penny Gray?

Es wäre schön, wenn sie diejenige wäre, die Klarheit in die Sache bringt. Schön nicht zuletzt als Tribut an eine Vorkämpferin. Vielleicht sollte sie sich noch mal an ihre Passagierlisten setzen.

Donna scrollt durch ein paar letzte Fotos. Poppy war gerade Bungee-Jumping, für die Krebsforschung, was sonst? Sie meint sie jetzt schon in- und auswendig zu kennen.

87

Joyce

Ich schreibe nicht oft schon am Vormittag, ich weiß. Aber heute treibt es mich dazu. Also.

Das war hochinteressant gestern, nicht wahr? Diese jungen Männer und die ganzen Morde und Drogen und all der Rest. Sie hatten sich bestimmt jede Menge zu erzählen, als sie hernach zu zweit losgezogen sind. Mit wem sie sich wohl getroffen haben?

Doch, also für mich war das hochinteressant. Wirklich. Und dieser Gianni klingt doch, als könnte er sehr gut der Täter sein, finden Sie nicht?

Ich frage mich nur … Nein, hör auf, Joyce. Hör einfach auf. Du schiebst es vor dir her. Du willst es nicht hinschreiben.

Also gut. Es ist etwas sehr Schlimmes passiert, und zwar Folgendes:

Ich habe heute Morgen meinen Routineanruf bei Bernard gemacht.

Solche Anrufe machen ja viele Leute. Man tut sich mit jemandem zusammen, wählt um acht Uhr früh seine Nummer, lässt es zweimal klingeln und legt wieder auf. Und dann macht der andere es genauso. Sodass beide Seiten wissen, es ist alles in Ordnung, ohne dass es einen Penny kostet. Und reden muss man dabei auch nicht.

Also habe ich heute früh bei Bernard angerufen. Zweimal Läuten, einfach dass er weiß, alles gut, ich bin nicht gestürzt und auch sonst nichts. Aber er rief nicht zurück. Das kenne ich schon, er vergisst es manchmal, und dann laufe ich rüber und klingle bei ihm, und er schlurft im Bademantel zum Fenster und reckt schuldbewusst den Daumen hoch. Ich denke jedes Mal: »Lass mich rein, du dummer alter Mann, und wir frühstücken zusammen, dein Bademantel stört mich kein bisschen«, aber das ist nicht Bernards Stil.

Ich machte mich also auf den Weg. Wusste ich es da schon? Wahrscheinlich ja, aber doch auch wieder nicht, denn wie will man etwas derart Enormes wissen? Aber geahnt haben muss ich es, denn Marjorie Walters sah mich auf dem Weg zu ihm rüber und sagte, sie hätte gewinkt, aber ich hätte es nicht gesehen, ich sei völlig versunken gewesen, ganz untypisch für mich. Also wusste ich es wohl doch.

Ich klingelte und sah zu seinem Fenster hoch. Die Vorhänge waren zugezogen. Vielleicht schlief er ja noch? Hatte einen Anflug von Grippe und war im Bett geblieben. »Männergrippe«, hat neulich im Morgenprogramm jemand gesagt. Das fand ich lustig, und ich habe es Joanna erzählt, aber sie sagte, den Ausdruck gebe es schon viele Jahre, ob ich das wirklich noch nie gehört hätte? Sodass ich mal wieder die Dumme war.

Ich mache Ausflüchte, ich weiß. Also zur Sache.

Ich sperrte die Haustür mit dem Zweitschlüssel auf, stieg die Treppe hinauf und sah einen Umschlag, der mit Tesafilm an Bernards Tür geklebt war. Auf dem Umschlag stand in seiner Schrift »Joyce«.

Entschuldigung, aber ich kann nicht weiterschreiben.

In das O war sogar ein Smiley gemalt. Bernard war immer für eine Überraschung gut.

88

Joyce nimmt den Umschlag und holt einen handgeschriebenen Brief heraus. Drei oder vier Seiten. Sie ist dankbar, dass ihre Freunde zu ihr gekommen sind. Heute noch einmal hinauszugehen, brächte sie nicht über sich.

»Ich lese es einfach vor, ja? Nicht alles vielleicht, aber die relevanten Stellen. Es beantwortet ein paar Fragen, die wir hatten. Ich weiß, was ihr über ihn dachtet. Dass er vielleicht, nun ja … Ian Ventham. Jedenfalls …«

»Lass dir so viel Zeit, wie du willst«, sagt Ron und legt einen Moment seine Hand auf die von Joyce.

Joyces Stimme klingt ungewohnt wackelig, als sie zu lesen beginnt.

»›Liebe Joyce, verzeih, wenn ich Dir Unannehmlichkeiten bereite. Versuch nicht hereinzukommen, die Tür ist verriegelt. Das ist das erste Mal, seit ich hier wohne, dass ich den Riegel benutze. Du wirst wissen, was ich getan habe, und ich nehme an, es ist nichts, was Dir nicht schon Hunderte von Malen untergekommen ist. Ich werde im Bett liegen, wenn alles nach Plan läuft, und vielleicht werde ich friedlich aussehen, vielleicht aber auch nicht. Das Risiko möchte ich nicht eingehen, deshalb lasse ich lieber die Sanitäter entscheiden, ob Dir mein Anblick zuzumuten ist. Wenn Du Dich überhaupt verabschieden möchtest, heißt das.‹«

Joyce unterbricht sich für einen Moment. Von Elizabeth, Ron und Ibrahim kommt kein Wort. Sie schaut von dem Brief auf. »Sie haben mich ihn nicht sehen lassen. Das ist wahrscheinlich die Vorschrift, wenn man kein Angehöriger ist. Da lag er also schon mal falsch. Und es waren beides Sanitäter*innen.*«

Sie lächelt schwach, und ihre Freunde lächeln ebenso schwach zurück. Sie liest weiter.

»›Ich habe meine Tabletten hier, und ich habe eine Flasche Laphroaig, die ich mir für einen trüben Tag aufgespart hatte. Ich sehe, wie ringsum die Lichter ausgehen, und als Nächstes bin ich an der Reihe. Neben dem Bett stehen die schönen Blumen, die Du mir geschenkt hast. Sie sind in einer Milchflasche, mit Vasen ist das bei mir ja so eine Sache. Aber ehe ich gehe, solltest Du wohl besser die ganze Geschichte erfahren.‹«

»Welche ganze Geschichte?«, sagt Elizabeth.

Joyce legt den Finger an den Mund. Elizabeth schweigt wie befohlen, und Joyce fährt mit Bernards Abschiedsbrief fort.

»›Du weißt ja, Asima‹ – das ist seine Frau – ›starb kurz nach unserem Umzug nach Coopers Chase, was mich komplett aus der Bahn geworfen hat. Du erwähnst Gerry nicht oft, Joyce, aber ich weiß, dass Du das Gefühl kennst. Es war, als hätte mir jemand Herz und Lunge aus dem Körper gerissen und mir befohlen, trotzdem weiterzuleben. Trotzdem morgens aufzuwachen, zu essen, einen Fuß vor den anderen zu setzen. Wofür? Ich glaube, darauf habe ich nie eine Antwort gefunden. Du weißt, dass ich oft den Hügel hinaufgestiegen bin, um auf der Bank zu sitzen, auf der ich in der ersten Zeit immer mit Asima saß, und Du weißt, dass ich mich ihr dort nahe gefühlt habe. Aber ich hatte noch einen anderen Grund, den Hügel hinaufzusteigen, einen Grund, der mich mit tiefer Scham erfüllt. So tiefer Scham, dass ich nicht länger damit zu leben vermag.‹«

Joyce hält einen Moment inne. »Könnte ich vielleicht einen Schluck Wasser bekommen?«

Ron schenkt ihr ein Glas ein und reicht es ihr. Joyce trinkt und kehrt dann zu dem Brief zurück.

»›Du hast sicher davon gehört, dass viele Hindus ihre Asche in den Ganges streuen lassen. Heutzutage sind auch andere Flüsse akzeptiert, aber für eine bestimmte Generation muss es, das nötige Kleingeld vorausgesetzt, nach wie vor der Ganges sein. Das war vor vielen, vielen Jahren auch Asimas Wunsch, und unsere Tochter Sufi wusste davon seit ihrer Kindheit. An Asimas Einäscherung mag ich weder denken, noch will ich hier davon schreiben, aber zwei Tage später flogen Sufi und Majid – also meine Tochter und mein Schwiegersohn – nach Varanasi in Indien und verstreuten Asimas Asche im Ganges. Aber, Joyce – und hier kommen die Tabletten und der Whisky ins Spiel –, es war nicht ihre Asche.‹«

Sie hält ein und hebt den Blick.

»Gute Güte!«, sagt Ibrahim und beugt sich vor, während Joyce weiterliest.

»›Ich bin kein religiöser Mensch, wie Du ja weißt, Joyce. Aber in ihren späteren Jahren war auch Asima nicht mehr religiös. Ihr Glaube fiel von ihr ab, langsam, wie Blätter von einem Baum abfallen, bis nichts mehr davon übrig war. Ich habe diese Frau geliebt, mit allem, was ich hatte, und sie hat mich geliebt. Der Gedanke, sie so von mir gehen zu lassen, im Handgepäck, Joyce, und dann als Asche auf dem Fluss, das war, nur zwei Tage nach dem Abschied von ihr, mehr, als ich ertragen konnte. Eine Entschuldigung ist das nicht, aber vielleicht wenigstens eine Erklärung. Ich hatte die Asche bei mir daheim in dieser ersten Nacht. Sufi und Majid wohnten nicht bei mir im Gästezimmer, sie waren lieber in ein Hotel gegangen, trotz allem.

Vor langer Zeit hatten Asima und ich einmal in einem alten Antiquitätenladen gestöbert, und sic hatte eine Teedose in Form eines Tigers aus dem Regal genommen. »Das bist du«, sagte ich, und wir lachten beide. Ich nannte sie Kleiner Tiger, und sie nannte mich Großer Tiger, Du kennst so etwas ja sicher auch. Eine Woche später ging ich in den Laden, um ihr die Dose als Weihnachtsgeschenk zu kaufen, aber es gab sie nicht mehr. Und als ich an Weihnachten mein Geschenk von Asima auspackte, hielt ich die Tigerdose in den Händen. Sie war offenbar gleich zurückgegangen und hatte sie für mich gekauft, und ich habe sie immer behalten. Also nahm ich nun die Urne, füllte die Asche in die Tigerdose um und stellte sie zurück in den Schrank. Dann füllte ich die Urne mit einer Mischung aus Sägemehl und Knochenmehl, was erstaunlich echt wirkte, und versiegelte sie wieder. Und dieses Gemisch nahm Sufi mit nach Varanasi und streute es in den Ganges. Du musst mir zugutehalten, dass ich nicht klar denken konnte, Joyce, dass ich wie gelähmt war vor Trauer. Ich hätte noch ganz andere Dinge getan, damit meine Asima nicht von mir weggeschwemmt wurde. Nur vergaß ich in dem Moment völlig, dass sie auch Sufis Asima war. Am nächsten Tag, so bald nach Einbruch der Dunkelheit, wie ich nur wagte, holte ich einen Spaten aus dem Gartenschuppen und stieg den Hügel hinauf. Ich stach den Rasen unter der Bank aus, grub ein Loch und versenkte die Dose darin. Selbst da wusste ich, dass dies nur eine Zwischenlösung sein konnte, aber ich war einfach noch nicht bereit loszulassen. Das Gras richtete sich wieder auf, niemand bemerkte etwas – wie auch? –, und ich ging jeden Tag zur Bank und saß dort, grüßte die Leute, die vorbeigingen, und wenn niemand kam, redete ich mit Asima. Da war mir längst klar geworden, welches Unrecht ich begangen hatte, dass ich meine Tochter verraten hatte und dass ich es nie würde gutmachen können. Aber der Schmerz war so unfassbar groß.‹«

»Manche Menschen lieben ihre Kinder mehr als ihren Ehepartner«, sagt Ibrahim, »und manche lieben ihren Ehepartner mehr als ihre Kinder. Und alle miteinander können sie es nicht eingestehen.«

Joyce nickt zerstreut und schlägt eine Seite um.

»›Der ganz schlimme Schmerz vergeht, sosehr man vielleicht sogar wünscht, er möge bleiben, und die Ungeheuerlichkeit dessen, was ich getan hatte, wurde mir nur zu bald bewusst. Die Anmaßung, die grauenhafte Selbstsucht. Ich begann, nach Wegen zu suchen, wie ich das Unrecht wiedergutmachen konnte. Vielleicht könnte ich die Teedose wieder ausgraben, den Bus nach Fairhaven nehmen, einen Teil der Asche ins Meer streuen und einen Teil bei mir behalten. Sufi würde ich natürlich nie beichten können, was ich getan hatte, aber zumindest würde ihre Mutter in den Wellen sein und zurückkehren an den Ort, an den wir nach Sufis Glauben alle zurückkehren. Ich wusste, dass das nicht genug war, aber es war zumindest besser als nichts. Und dann stieg ich eines Morgens den Hügel hinauf und fand meine Bank von Arbeitern umringt, die ein Betonfundament gossen. Sie hatten den Boden aufgegraben, wenn auch nicht tief genug, um die Dose zu finden, und das Loch mit Zement aufgefüllt. Eine Sache von nur einer halben Stunde. So lachhaft im Grunde, aber damit war mir jeder einfache Weg, die Teedose wieder auszugraben, verbaut. Also stieg ich einfach weiterhin hoch zur Bank, um mit Asima zu reden, wenn niemand zuhörte, ihr meine Neuigkeiten zu erzählen und ihr zu sagen, wie sehr ich sie liebte und wie leid mir alles tat. Und ganz ehrlich, Joyce – und das sage ich nur Dir –: Was immer es ist, das uns zum Weitermachen befähigt, ich habe es nicht mehr. Da hast du die klägliche Wahrheit.«

Joyce hört zu lesen auf, starrt noch einen Augenblick auf den Brief, streicht mit den Fingerkuppen über die Tinte. Sie sieht ihre Freunde an und versucht ein Lächeln, das unvermittelt in Weinen übergeht. Aus dem Weinen wird haltloses Schluchzen, und Ron steht von seinem Stuhl auf, kniet sich vor sie hin und nimmt sie in den Arm. Das kann er wie kein Zweiter. Joyce vergräbt das Gesicht an seiner Schulter, wirft die Arme um ihn und weint um Gerry und um Bernard und Asima und um die vier Frauen, die zusammen in den *Jersey Boys* waren und die ganze Heimfahrt im Zug ihre Gin Tonics tranken.

89

Eigentlich ist es zu spät, um noch im Revier zu sein, aber weder Donna noch Chris haben etwas Besseres vor.

Chris kniet vor dem Fotokopierer und beseitigt den Papierstau. Knien ist dieser Tage keine leichte Sache für Chris, er bekommt Muskelkrämpfe davon. Woran das wieder liegt? An zu viel Salz? Zu wenig Salz? Eins davon wird es sein.

»Läuft wieder«, meldet er Donna.

Donna drückt auf »Start« und kopiert sämtliche Berichte, die die zypriotische Polizei ihr gefaxt hat.

»Am besten, ich hefte Ihnen die noch zusammen«, sagt sie. »Dauert zwar, aber das ist angenehmer für Sie.«

»Sehr nett von Ihnen, Donna«, sagt Chris. »Aber nach Zypern kommen Sie trotzdem nicht mit.«

Donna streckt ihm die Zunge heraus.

Auf Chris wartet in Zypern eine hochspannende Begegnung. Eine, die ein für alle Mal klären sollte, wo Gianni Gunduz steckt.

Giannis Name ist auf keiner der Passagierlisten aufgetaucht, durch die Donna sich geackert hat. Er war auf keinem Flug, keinem Schiff, in keinem Zug, weder nach noch von England. Aber Chris geht ohnehin nicht davon aus, dass Gianni unter seinem eigenen Namen firmiert. Nicht, nachdem ihm die Polizei damals wegen Mordes an dem jungen Taxifahrer im Nacken saß und Tony Curran wegen der hunderttausend gestohlenen Pfund.

Aber kein Mensch löst sich in Luft auf. Irgendwo muss eine Spur zu finden sein.

Chris fährt den Computer herunter. Gianni ist ihr Mann, da ist er fast sicher. Wenn man so lange im Geschäft ist wie er, dann hat man so etwas im Gefühl. Mit den Beweisen hapert es noch, aber da wird hoffentlich die Reise nach Nikosia Abhilfe schaffen.

»Packen wir's dann mal?«

»Kurzer Drink noch?«, fragt Donna. »Im Pont Noir?«

»Mein Flug geht um zehn vor sieben«, sagt Chris.

»Reiben Sie's mir nur rein.«

Chris steht auf und lässt die Jalousien herunter. Gianni ist eine Sache, aber Ian Ventham? Da ist die Lage undurchsichtiger. Kann der Schlüssel dazu wirklich ein fünfzig Jahre zurückliegender Mord sein? Eher unwahrscheinlich, oder? Wer könnte für so etwas überhaupt infrage kommen? Chris hat sogar zwei Mann darauf angesetzt, ehemalige Nonnen aufzuspüren, die sich vielleicht an etwas erinnern. Die eine oder andere muss es doch geben, die den Orden verlassen hat. Die ihre Berufung verloren hat und zurückgekehrt ist in die wirkliche Welt. Wie alt wird so jemand jetzt sein? Achtzig ja wohl mindestens. Die Jahrbücher sind lückenhaft, große Hoffnungen macht er sich nicht. Oder übersehen sie alle etwas viel Naheliegenderes?

»Wehe, ihr löst den Fall, während ich weg bin.«

»Ich kann nichts versprechen«, sagt Donna.

Chris nimmt seine Aktentasche. Zeit zum Nach-Hause-Gehen. Immer die kritischste Zeit. Chris' Lebenstraum ist und bleibt gute sechs Kilo entfernt. Aber in seiner Mappe warten eine Tüte Salt-&-Vinegar-Chips, ein Bounty und eine Cola Zero. Cola Zero? Wem macht er hier etwas vor?

Manchmal denkt Chris, er sollte sich vielleicht doch

auf einer Dating-Plattform anmelden. In seiner Vorstellung wäre das perfekte Date eine geschiedene Lehrerin mit einem kleinen Hund, die in einem Chor singt. Wobei er da keineswegs festgelegt ist. Nett und lustig, das ist eigentlich die Hauptsache.

Chris hält Donna die Tür auf und folgt ihr nach draußen.

Was für eine Frau könnte sich zu ihm hingezogen fühlen? Ist ein bisschen Bauch heutzutage wirklich so ein großes Hindernis? Wahrscheinlich schon, aber trotzdem. Er steht kurz vor dem Durchbruch in einem Mordfall, irgendwo in der Grafschaft Kent wird es doch wohl eine Frau geben, auf die das wirkt?

90

Joyce

Es hilft nichts, ich kann nicht schlafen. Bernard, Bernard, Bernard, was sonst? Ich denke jetzt schon an die Beerdigung. Ob er wohl hier begraben wird? Ich hoffe es. Ich weiß, ich kannte ihn nicht sehr lange, aber Vancouver fände ich schon furchtbar weit weg.

Also bin ich um zwei Uhr nachts wieder am Platz, um Ihnen das Neueste zu berichten. Keine Angst, es ist nicht schon wieder jemand gestorben.

Wir hatten uns ja alle gefragt, was aus uns hier in Coopers Chase wird. Wer uns nach Ian übernimmt. Richtig gesorgt hat sich, glaube ich, keiner; so profitabel, wie der Laden wirkt, war ja klar, dass es Interessenten geben wird. Aber wen?

Sie erraten sicher, wer die Antwort gefunden hat.

Elizabeth hat gestern »zufällig« Gemma Ventham getroffen, Ian Venthams bedauernswerte Witwe, und zwar in dem neuen Feinkostladen, der in Robertsbridge aufgemacht hat. Früher war dort Claires Friseursalon, bis Claire die Zulassung entzogen wurde. Spricht man bei Friseuren überhaupt von Zulassung? Jedenfalls hat sie der Frau des örtlichen Allgemeinarztes ein Stück Ohr abgesäbelt und war damit in Robertsbridge natürlich erledigt. Jetzt ist sie in Brighton, heißt es, was auch besser so ist.

Gemma war mit einem Mann da, den Elizabeth als den »Typ Tennistrainer« beschrieb, aber sie sagte selbst, dass »Typ Pilates-Lehrer« es heutzutage vielleicht eher trifft. Keine trauernde Witwe also, und wir waren uns alle einig, dass sie ein bisschen Glück verdient hat, hoffen wir also das Beste.

In jedem Fall hat sie gerade Unsummen an Geld verdient. Das hat Elizabeth ihr entlockt. Wie, weiß ich nicht, fest steht nur, dass sie dafür unter anderem eine Ohnmacht vortäuschen musste, weil sie sich dabei nämlich den Ellbogen aufgeschrammt hat. Egal wie, Elizabeth kommt an ihr Ziel.

Und so wissen wir jetzt, dass Gemma Ventham die Coopers Chase Holdings an eine Firma namens Bramley Holdings verkauft hat. Natürlich haben wir gleich versucht, mehr über Bramley Holdings zu erfahren, bisher allerdings ohne Erfolg. Wir haben sogar Joanna und Cornelius eingeschaltet, die aber auch nichts herausfinden konnten. Sie haben versprochen, an der Sache dranzubleiben, auch wenn Cornelius langsam etwas dünnhäutig zu klingen beginnt.

Aber es gibt noch etwas anderes, das mich vom Schlafen abhält. Der Name.

Bramley Holdings? Irgendwie kommt mir das bekannt vor, aber ich weiß nicht, woher. Elizabeth sagt, die Namen sind standardisiert, und sie hat sicher recht, aber in meinem Kopf schrillt eine Alarmglocke, die ich nicht abschalten kann.

Bramley? Wo habe ich das schon mal gehört? Und, ja, ich bin eine alte Frau, aber sagen Sie mir jetzt nicht, Bramleys sind Äpfel. Es ist irgendetwas anderes. Etwas Wichtiges.

Heute war Anne bei mir, die unseren Rundbrief herausgibt. Wenn man einen Freund verliert, kommen die Leute einen besuchen. In unserem Alter weiß man, was man in so einer Situation sagt. Wir haben alle ausreichend Übung.

Ich glaube nicht, dass sie es nur aus Nettigkeit vorgeschlagen hat, aber sie hat mich gefragt, ob ich Lust hätte, eine Kolumne für den Rundbrief zu schreiben. Sie weiß, dass ich gern schreibe, und sie weiß, dass ich gern überall mitmische, deshalb wollte sie wissen, ob ich etwas über das Kommen und Gehen in Coopers Chase schreiben würde. Ich habe gleich zugesagt, und wir nennen die Kolumne »Klatsch mit Joyce«, was mir gut gefällt. Sie braucht ein Foto von mir, darum will ich morgen meine Alben durchschauen und ein nettes heraussuchen.

Außerdem gehen wir morgen zu Gordon Playfair. Das ist der Bauer, der oben auf dem Hügel wohnt. Er ist der Einzige, der uns einfällt, der in den frühen Siebzigerjahren schon hier war und es immer noch ist. Er war nirgendwo in der Nähe, als Ventham ermordet wurde, deshalb können wir ihn nicht unter die Verdächtigen rechnen, aber vielleicht erinnert er sich ja an irgendetwas von früher, das uns weiterbringt.

Ich sollte es noch mal mit dem Schlafen versuchen.

91

»Idyllisch?«, wiederholt Gordon Playfair lachend. »Dieser Hof? Ein klappriger alter Kasten ist das, für einen klapprigen alten Mann.«

»Klapprig und alt sind wir alle, Gordon«, sagt Elizabeth.

Der Weg hinauf zum Hof der Playfairs hat länger gedauert als erwartet, weil der Garten der ewigen Ruhe von der Polizei abgeriegelt ist. Nach übereinstimmenden Aussagen haben gegen zehn Uhr zwei Streifenwagen und ein weißer Transporter, den man für den der Kriminaltechnik hält, vorsichtig geparkt, und eine Anzahl von Beamten in weißen Overalls sind mit Spaten den Hügel hinaufgestiegen. Martin Sedge, der eine der Dachwohnungen im Larkin Court hat, beobachtet das Ganze mit seinem Feldstecher, aber viel tut sich bisher nicht. »Die graben nur«, war seine jüngste Meldung.

»Der Hof und ich sind zusammen gealtert. Das Dachstroh wird dünn«, sagt Gordon und streicht sich über die paar Haarsträhnen, die er noch auf dem Kopf hat. »Alles ächzt. Und die Leitungen sind leck. Wir passen prima zueinander.«

»Wir stören Sie doch nicht zu sehr? Unsere Siedlung?«, erkundigt sich Elizabeth.

»Da hör ich keinen Pieps«, sagt Gordon. »Könnten genauso gut noch die Nonnen dort sein.«

»Sie sollten mal vorbeikommen und uns besuchen«,

sagt Joyce. »Wir haben ein Restaurant da, wir haben ein Schwimmbad. Und wir haben Zumba.«

»Früher hab ich oft unten vorbeigeschaut. Einfach auf einen Schwatz. War eine lustige Truppe, wenn sie nicht grade am Beten waren. Und wenn du dir einen Nagel durch den Daumen gehauen oder dir den Fuß in einem Karnickelbau verstaucht hattest, dann haben sie dich verarztet.«

Elizabeth nickt; jedem das Seine. »Sie haben Ian Ventham an dem Morgen gesehen, an dem er ermordet wurde?«

»Ja, leider. Nicht, wenn's nach mir gegangen wäre.«

»Nach wem ging es denn?«

»Nach meiner Jüngsten, Karen. Sie fand, ich soll ihn wenigstens anhören. Sie will, dass ich verkaufe. Klar will sie das.«

»Und worum ging es in dem Gespräch?«, fragte Elizabeth.

»Immer derselbe Unfug. Selbes Angebot, selbe blöde Art. Ich sag's mal höflich, ich hab diesen Ventham nicht leiden können. Ich kann's aber auch weniger höflich sagen.«

»Sie haben sich also nicht rumkriegen lassen?«

»Die haben's beide probiert. Karen hat schnell eingesehen, dass das nichts bringt, aber Ventham wollte nicht lockerlassen. Hat mir ein schlechtes Gewissen wegen den Kindern zu machen versucht.«

»Aber Sie sind nicht eingeknickt?«

»Das ist nicht meine Art.«

»Meine auch nicht«, sagt Elizabeth. »Und wie sind Sie verblieben?«

»Er hat mir gesagt, er kriegt mein Land schon, ob's mir passt oder nicht.«

»Und was haben Sie ihm geantwortet?«, fragt Joyce.

»Ich hab gesagt, nur über meine Leiche«, sagt Gordon Playfair.

»Recht haben Sie«, sagt Elizabeth.

»Aber inzwischen«, sagt Gordon Playfair, »hab ich ein anderes Angebot gekriegt. Und das nehm ich an, jetzt wo Ventham raus ist.«

»Umso besser«, sagt Elizabeth.

»Sagen Sie mal, ist das jetzt bloß ein Höflichkeitsbesuch?«, fragt Gordon Playfair. »Oder wollen Sie irgendwas von mir?«

»Also, wenn Sie schon fragen«, Elizabeth nickt, »wir haben uns gefragt, ob Sie viele Erinnerungen an die Gegend hier haben. Aus den Siebzigerjahren zum Beispiel?«

»Erinnerungen, und ob ich die habe«, sagt Gordon Playfair. »Und Fotoalben hätte ich auch ein paar, wenn das hilft?«

»Ein paar Fotos zu sehen, würde sicher nicht schaden«, meint Elizabeth.

»Ich warn Sie nur lieber gleich, auf den meisten sind Schafe. Wonach suchen Sie denn?«

92

Joyce

Wir haben Gordon Playfair von der Leiche erzählt. Und dann haben wir alle gemeinsam darüber beratschlagt, wer sie dort vor all diesen Jahren vergraben haben könnte. In den Zeiten, als Coopers Chase noch ein Kloster war und als hier, in diesem selben Hof auf diesem selben Hügel, ein junger Gordon Playfair mit seiner jungen Familie wohnte.

Ach, wo wir schon dabei sind: Das Angebot für sein Land kam natürlich von unseren mysteriösen Freunden bei Bramley Holdings. Der Name treibt mich nach wie vor um. Aber ich komme noch drauf. An Ian Ventham hat er jedenfalls rein aus Prinzip nicht verkauft, um ihn zu ärgern. Kaum war Ventham aus dem Spiel, hat er eingeschlagen.

Ich habe Gordon gefragt, was er mit dem Geld vorhat, und wie man sich denken kann, geht das meiste an die Kinder. Es gibt drei. Eine Tochter kennen wir ja: Karen, die in dem kleinen Häuschen auf der Nachbarwiese wohnt und die uns an dem Morgen neulich den Computervortrag halten sollte, bevor alles ganz anders kam.

Alleinstehend, aber das ist Joanna ja auch. Und ich auch, wenn man es genau nimmt.

Die drei können sich also schon mal freuen, aber Gordon meinte, er wird genug übrig haben, um sich etwas nettes Kleines zu kaufen, und vermutlich ahnen Sie es jetzt schon: Wir werden ihn in ein paar Tagen ein bisschen in Coopers Chase herumführen, wer weiß, vielleicht gefällt ihm ja etwas. Wäre das nicht nett? Gordon ist eher zerfurcht als gut aussehend im klassischen Sinn, aber er hat diese breiten Bauernschultern.

Aber zurück zu den Knochen: Gordon verstand jetzt natürlich, warum wir uns so für seine Erinnerungen an die Siebzigerjahre interessierten. Und warum wir so angelegentlich seine Fotoalben durchblätterten und Ausschau nach Bildern hielten, die er bei seinen Besuchen unten geknipst hatte. Falls bei irgendeinem Gesicht etwas bei uns klingelte.

Fündig wurden wir schließlich in dem zweiten Album. Es ging mit Hochzeitsfotos los, Gordon und Sandra (oder Susan, ich hatte mich ein bisschen ausgeklinkt, muss ich zugeben, Sie wissen ja, wie das mit fremden Hochzeitsfotos ist), dann, verdächtig kurz darauf, Bilder von einem Säugling, ihrer Ältesten, nehme ich an. Danach, und das ist keine Übertreibung, seitenweise Fotos von Schafen, alle, wenn man Gordon glauben will, völlig unterschiedlich. Und gerade als wir vom Wein und dem Kaminfeuer und dem Schafezählen schläfrig zu werden begannen, kamen wir zu den letzten Bildern im Album. Sechs Stück, alle schwarz-weiß. Alle bei einer Weihnachtsparty im Kloster aufgenommen. Gut, Party vielleicht nicht, aber auf jeden Fall Weihnachten.

Es war auf dem fünften Bild, einem Gruppenfoto. Auf den ersten Blick sah man es kaum. Fünfzig Jahre verändern jeden Menschen, ich bezweifle, dass ich Elizabeth erkennen würde oder sie mich. Aber wir studierten das Gesicht, mehrere Male. Und wir waren uns einig.

Damit haben wir jetzt unser Indiz, und wir haben einen Plan. Oder besser gesagt, Elizabeth hat einen Plan.

Apropos Fotos, ich habe ein nettes Bild für meine

Kolumne gefunden. Es ist ein altes, was natürlich ein bisschen geschummelt ist, aber man erkennt mich trotzdem auf Anhieb. Gerry ist auch drauf, aber Anne sagt, sie kann ihn mit dem Computer wegschneiden. Entschuldige bitte, Lieber.

93

In der Kapelle im Herzen von Coopers Chase steht noch immer ein Beichtstuhl. Er dient den Putzleuten als Abstellraum. Joyce hat Elizabeth geholfen, ihn leer zu räumen; die Kartons voller Bohnerwachs stapeln sich jetzt auf dem Altar, säuberlich hinter Jesus verborgen. Elizabeth hat alles gründlich entstaubt und sogar das Gitter poliert. Als Tüpfelchen auf dem i legt sie ein Paar Orla-Kiely-Kissen auf die harten Holzsitze.

Über die Jahre hinweg hat Elizabeth viele Verhöre durchgeführt, hat viele Male der Gerechtigkeit zu einer Art Sieg verholfen. Falls von diesen Verhören jemals Mitschnitte existierten, sind sie längst vergraben, gelöscht oder verbrannt. Das hofft sie zumindest inständig.

Anwälte? Nein. Einhaltung von Regularien? Ganz bestimmt nicht. Was immer den schnellsten Erfolg versprach.

Keine Gewaltanwendung, das war nie Elizabeths Stil. Sie weiß, so etwas kommt vor, aber es hat nie die gewünschte Wirkung. Psychologie ist der Schlüssel. Man muss das Unerwartete probieren, das Ziel auf Umwegen ansteuern, sich in seinem Stuhl zurücklehnen, als hätte man alle Zeit der Welt, und warten, bis sie von selbst zu erzählen beginnen. Als wäre die ganze Sache ihre eigene Idee. Und dafür braucht man den besonderen, den unerwarteten Ansatz. Einen Ansatz, der maßgeschneidert ist.

Einen Priester zum Beispiel lädt man zur Beichte ein.

Elizabeth hat Donna und Chris von Herzen gern. Der Donnerstagsmordclub hat wirklich großes Glück mit den beiden. Nicht auszudenken, mit welch trüben Tassen sie andernfalls geschlagen sein könnten. Doch selbst für Donna und Chris gibt es eine rote Linie, und diese rote Linie überschreitet sie jetzt massiv, das weiß sie. Aber sie weiß auch, wenn ihre Kunst bei Matthew Mackie Wirkung zeigt, dann werden die zwei ihr vergeben.

Und wenn der Erfolg ausbleibt? Wenn ihre Kunst nur noch in der Erinnerung besteht? Mit Ian Ventham als Mörder von Tony Curran hat ihr Instinkt sie schließlich auch getrogen.

Aber bei Matthew Mackie liegt der Fall anders. Hier haben sie es mit einem Mann zu tun, mit dem Ventham handgreiflich geworden ist. Einem Mann, den es niemals gab, aber den ein Foto hier in dieser Kapelle zeigt. Einem Mann, der ein Priester und doch kein Priester ist. Einem Mann, der seine Spuren verwischt hat.

Bis jemand beschlossen hat, einen Friedhof zu verlegen. Seinen Friedhof?

Und mit einem Mann, der in diesem Moment auf dem Weg hierher ist. Obwohl er viel bequemer zu Hause hätte bleiben können. Kommt er, um zu beichten? Um auszuloten, wie viel sie weiß? Oder kommt er mit einer Spritze voller Fentanyl?

Elizabeth hatte noch nie Angst vor dem Tod, dennoch denkt sie einen Augenblick lang an Stephen.

Es ist kalt in dem zeitlosen Dunkel der Kapelle, und Elizabeth schauert leicht zusammen. Sie knöpft ihre Strickjacke zu und sieht auf die Uhr. Was auch immer sie erwartet, sie wird es in Kürze herausfinden.

94

Chris Hudson sitzt in einer kleinen Zelle, ihm gegenüber ein großer Mann. Die kleine Zelle ist ein Besucherraum im Zentralgefängnis von Nikosia, und der große Mann ist Costas Gunduz. Gianni Gunduz' Vater.

Chris sitzt auf einem am Boden verschraubten Betonstuhl. Die Rückenlehne bildet einen Neunzig-Grad-Winkel. Es wäre der unbequemste Sitz, in dem Chris jemals gesessen hat, wenn er nicht gerade den Flug mit Ryanair hinter sich hätte.

Geschäftsreisen waren in Chris' bisheriger Laufbahn dünn gesät. Vor vielen Jahren durfte er Billy Gill aus Spanien zurückholen, einen siebzigjährigen Antiquitätenhändler aus Hove, der in einer Garage nahe am Hafen Ein-Pfund-Münzen fälschte. Es war ein prächtiges kleines Unternehmen, das viele Jahre praktisch unnachweisbar blühte und gedieh, bis Billy mit der Einführung des Zwei-Pfund-Stücks gierig wurde. Seine Münzen sahen tipptopp aus, aber die Mittelteile fielen heraus, und nach langwieriger Observierung eines Waschsalons in Portslade führte die Spur endlich zu Billys Präge, und Billy floh mit münzklirrenden Taschen gen Süden.

Von dieser Reise ist Chris nicht viel mehr in Erinnerung als ein beengter Charterflug von Shoreham Airport in irgendeine spanische Stadt mit A und dann eine Autofahrt durch sengende Hitze, ehe der Kastenwagen nach endlosen fünfundvierzig Minuten anhielt und Billy Gill in Handschellen auf den Sitz neben ihm bugsiert wurde. Bis ihr Rückflug ging, dauerte es sieben Stunden, und in der Zeit redete Billy Gill in einer Tour davon, dass es in Spanien kein Marmite zu kaufen gab.

Ein paar Jahre später wurde Chris zu einem IT-Kurs auf der Isle of Wight geschickt. Und das war's mit seiner Weltenbummelei.

Da ist Zypern schon eher das Wahre. Viel zu heiß natürlich, aber dennoch. Joe Kyprianou, der zypriotische Kommissar, der jetzt neben ihm sitzt, hat ihn am Flughafen von Larnaca abgeholt und in die Hauptstadt chauffiert. Das Gefängnis ist herrlich kühl, und wie Chris entdeckt hat, kann man auf einem Betonsitz nicht schwitzen. Kaum fällt die Zellentür zu, fühlt Chris sich bestens.

Auch Costas Gunduz ist nach Chris' Schätzung in den Siebzigern, wenngleich längst nicht so gesprächig wie Billy Gill.

»Wann haben Sie Gianni das letzte Mal gesehen?«, fragt Chris.

Costas erwidert seinen Blick und zuckt dann die Achseln.

»Letzte Woche? Letztes Jahr? Kommt er Sie besuchen? Mr Gunduz?«

Costas betrachtet seine Fingernägel. Auffällig gepflegte Fingernägel für einen Sträfling.

»Ich sag Ihnen jetzt was, Mr Gunduz. Wir haben Beweise dafür, dass Ihr Sohn am 17. Mai 2000 wieder nach Zypern eingereist ist. Mit einem Flug, der gegen vierzehn Uhr in Larnaca gelandet ist. Und danach, nichts mehr. Keine Spur. Was, meinen Sie, kann da passiert sein?«

Costas denkt kurz nach. »Was wollt ihr von Gianni? Nach so langer Zeit?«

»Ich möchte ihn zu einer Straftat in England befragen. Um ihn ausschließen zu können.«

»Muss eine schwere Straftat sein, wenn Sie deshalb hierherfliegen. Oder?«

»Eine schwere Straftat, Mr Gunduz, das ist richtig.«

Costas Gunduz nickt langsam. »Und ihr könnt Gianni nicht finden?«

»Ich weiß, wo er am 17. Mai 2000 um vierzehn Uhr war, und ab da tappe ich im Dunkeln«, sagt Chris. »Wo könnte er hingegangen sein? Bei wem hätte er sich gemeldet?«

»Bei mir«, sagt Costas und richtet sich noch etwas mehr auf in seinem Sitz. »Er hätte sich bei mir gemeldet.«

»Und hat er das?«

Costas beugt sich ein Stück vor. Er lächelt Chris an. Zuckt neuerlich die Achseln. »Besuchszeit ist um. Also viel Glück. Schöne Zeit noch in Zypern.«

Nun lehnt sich auch Joe Kyprianou vor und mustert Costas Gunduz.

»Costas und sein Bruder Andreas haben Motorräder gestohlen, Chris, hier in Nikosia, und sie in die Türkei verschoben. Ziemlich einfache Sache, wenn man in jedem Hafen einen Mann sitzen hat. Sie hatten eine kleine Werkstatt, wo sie die Seriennummer abgefeilt und die Kennzeichen ummontiert haben, stimmt's, Costas?«

»Vor hundert Jahren«, sagt Costas.

»Ab und zu waren auch Autos dabei. Aber die konnten auf dieselben Schiffe verladen werden, und dieselben Männer haben ein Auge zugedrückt, sodass alles gut lief für Costas und Andreas. Die Jahre gehen dahin, Motorräder und Autos, Autos und Motorräder. Und Autos, das heißt eine größere Werkstatt, einen größeren Laster und größere Transportkisten.«

»Und größere Gewinnspannen für Costas?«, fragt Chris, den Blick auf Costas gerichtet.

»Größere Gewinnspannen sowieso. Und alles ist ruhig und friedlich, alle freuen sich, Costas und Andreas verdienen bestens. Aber dann, 1974, marschieren die Türken ein. Sie kennen die Geschichte?«

»Ja«, sagt Chris. Das ist gelogen, aber Chris braucht dringend etwas zu essen, bevor sein Flug geht, und er hat so ein Gefühl, dass die Geschichte eine der längeren Art ist. Wenn nötig, wird er es auf Wikipedia nachschauen.

»Die Türken fallen also ein, sie annektieren Nordzypern, mehr oder weniger. Die Zyperngriechen im Norden ziehen runter in den Süden, die Zyperntürken im Süden gehen rauf in den Norden. Auch Costas und Andreas.«

»Das heißt, Costas ist in den Norden gezogen?«

Joe Kyprianou lacht. »Du bist in den Norden gezogen, was, Costas? Drei Straßen weiter nördlich, so ungefähr. Nikosia ist in zwei Hälften geteilt worden, der Nordteil türkisch, der Südteil griechisch. Sie mussten also nur nördlich der Pufferzone ziehen und waren in einer völlig neuen Welt.«

›Pufferzone‹ googeln, notiert sich Chris innerlich.

»Und in dieser neuen Welt gab es neue Möglichkeiten, stimmt's, Costas? Du hast ein neues Geschäftsmodell aufgezogen.«

»Drogen?«, sagt Chris. »Hab ich recht?«

Von Costas Achselzucken.

»Drogen«, bestätigt Joe Kyprianou. »Sie haben die richtigen Leute geschmiert. Die Drogen werden aus der Türkei nach Nordzypern eingeführt. Dann von Nordzypern aus weiter, wohin auch immer, an wen auch immer. Ein Riesengeschäft, in null Komma nichts, ohne jedes

Risiko. Grenzgebiet, verstehen Sie? Nach nur zehn Jahren haben die Brüder alles unter sich, sie sind die Könige des Nordens. Unberührbar, Chris, der ganze Clan. Sie richten Stiftungen ein, eröffnen Schulen, alles. Gunduz. Sie brauchen in Nordzypern nur den Namen zu sagen, dann sehen Sie es.«

Chris nickt, er ist im Bild. »Als Gianni 2000 hierher zurückkam, ist er nach der Landung verschwunden und seither nie wieder aufgetaucht. Es gab einen Haftbefehl, wir haben Beamte von uns runtergeschickt, die hiesige Polizei hat gefahndet, alles ohne Ergebnis.«

Joe nickt. »Das wundert mich gar nicht, Chris. Wenn Gianni schnell aus England wegmuss, dann ruft er seinen Vater an. Er landet am Flughafen, Costas schickt Leute, die ihn abholen, seinen Pass verbrennen, ihm einen neuen geben, zack, zack. Neuer Mann, neuer Name, heim in den Nordteil, wieder an die Arbeit. Schon am nächsten Tag, wetten? War es so, Costas?«

»Gar nichts war«, sagt Costas.

»Und die Fahndung?«, fragt Chris. »Unsere Jungs? Eure Jungs?«

»Keine Chance. Null«, sagt Joe. »Ich will nichts Schlechtes sagen, Chris, Sie wissen ja, wie es ist. Aber ich wette, die haben nicht mal gesucht. Nicht an den richtigen Stellen jedenfalls. Schauen Sie, ob es bei Ihnen Berichte gibt. Ihre Leute werden keinen Fuß nach Nordzypern gesetzt haben. 2000, Sie glauben gar nicht, wie viel Macht Costas da hatte. Du hast über alle und alles regiert, stimmt's, Costas?«

Joe sieht Costas an. Costas nickt.

»Und er regiert heute noch, sogar aus dem Gefängnis. Egal also, wie gut Sie als Kommissar sind, sparen Sie sich die Mühe. Gianni könnte hier sein, er könnte in der Türkei sein, in den Vereinigten Staaten, sogar wieder in England. Costas weiß garantiert, wo er ist, aber er wird Ihnen niemals helfen.«

Costas breitet die Hände aus.

»Sprich, er könnte nach England geflogen sein?«, fragt Chris. »Unter einem x-beliebigen Namen, Tony Curran umgebracht haben und wieder zurückgeflogen sein, ohne dass wir je dahinterkommen?«

Joe nickt. »Könnte er. Aber falls er nach England geflogen wäre, hätte er im Land Hilfe gebraucht. Gibt es irgendwelche Zyprioten bei Ihnen, an die er sich gewendet haben könnte? Bei denen er vielleicht gewohnt hat? Leute, die etwas von Costas hier zu befürchten haben?«

Chris zuckt die Achseln, speichert den Hinweis aber ab.

Costas hat genug. Er steht auf. »Sind wir fertig, Leute?«

Chris nickt, ihm fällt nichts mehr ein. Und er erkennt einen Profi, wenn er ihm gegenübersitzt. Er zieht seine Karte heraus und schiebt sie Costas über den Tisch hin.

»Meine Karte, falls Sie sich doch noch an etwas erinnern.«

Costas schaut die Karte an, schaut Chris an, dann wieder die Karte und lacht laut auf. Er sieht zu Joe Kyprianou hinüber und sagt etwas, was Chris nicht versteht. Joe Kyprianou lacht ebenfalls. Mit einem abschließenden Blick auf Chris schüttelt Costas den Kopf, entschieden, aber nicht unfreundlich.

Chris antwortet mit einem Schulterzucken. Auch er ist ein Profi.

Chris hat es schon im Vorfeld gegoogelt: Am Flughafen von Larnaca gibt es sowohl einen Starbucks als auch einen Burger King. Die Burger Kings werden langsam Mangelware. Worauf wartet er noch?

»Womit hat man Sie eigentlich drangekriegt, Costas?«, fragt er im Aufstehen. »Nach so langer Zeit?«

Costas lächelt kurz. »Ich hab mir aus den USA eine Harley-Davidson liefern lassen. Hab vergessen, sie zu verzollen.«

»Im Ernst? Und dafür gibt man Ihnen lebenslänglich?«

Costas Gunduz schüttelt den Kopf. »Zwei Wochen. Aber dann habe ich einen Gefängniswärter getötet.«

Chris nickt. »Der Apfel und der Stamm …«

95

Für Matthew Mackie kam Elizabeths Anruf völlig unerwartet. Und erst recht ihre Anfrage, ob er für ein Beichtgespräch zur Verfügung stehe. Er hatte im Garten gearbeitet und nachgedacht. Die Befragung durch die Polizei hatte ihn aufgewühlt, ihn noch ein Stück mehr aus der Bahn geworfen. Bis vor wenigen Monaten war sein Leben so einfach. Nicht unbedingt glücklich – glücklich war er schon seit vielen Jahren nicht mehr, aber doch im Reinen mit sich, oder? Er hatte einen Frieden gefunden, kann man das sagen? So weit, wie ihm das überhaupt noch möglich ist, nimmt er an.

Er hat sein Haus, seinen Garten, seine Pension. Nette Nachbarn, die ab und an vorbeischauen. Erst vor Kurzem ist gegenüber eine junge Familie eingezogen, und die Kinder kurven mit ihren Rädern auf dem Gehsteig herum. Wenn er das Fenster aufmacht, hört er die Klingeln und ihr Lachen. Bis zum Meer sind es nur ein paar Minuten zu Fuß. Er kann am Strand sitzen, den Möwen zuschauen und die Zeitung lesen, wenn es nicht zu windig ist. Die Leute kennen ihn, sie lächeln ihn an und wollen wissen, wie es ihm geht und ob sie ihn vielleicht kurz wegen ihres Nasenblutens um Rat fragen dürfen, oder wegen ihrer Hüfte oder ihrer Schlafprobleme. Es war ein Leben, es hatte einen Rhythmus und feste Abläufe, und es hielt die Geister in Schach. Was konnte man noch mehr verlangen?

Aber jetzt? Handgemenge, Polizeiverhöre, nicht aufhörende Sorgen. Wird er seinen Frieden je wiederfinden? Wird der Sturm sich legen? Er weiß, die Antwort ist Nein. Auch wenn die Zeit angeblich alle Wunden heilt: Manche Dinge im Leben zerbrechen und lassen sich nicht wieder kitten. Dieser Tage lässt Matthew Mackie seine Fenster zu. Es gibt kein Fahrradgeklingel mehr, kein Kinderlachen, und er ist alt genug, um zu befürchten, dass das vielleicht immer so bleiben wird.

Ihm ist, als wäre jede einzelne Nachricht, die er im letzten Monat erhalten hat, schlecht gewesen. Was also soll er nun von dem Anruf halten? Was wird daraus entstehen?

Ob er den Beichtstuhl in der St.-Michaels-Kapelle kenne, wollte sie wissen. Ob er ihn kennt! Bis heute sucht ihn der Ort in seinen Träumen heim, das Dunkel, das dumpfe Hallen, die Wände, die immer näher zu rücken scheinen. Der Ort, an dem sein Leben unkittbar in zwei Teile zerbrochen ist.

Soll er jetzt an ihn zurückkehren? Die Frage ist falsch gestellt. Er ist ihm nie wirklich entronnen. Er hat immer gewusst, dass er ihn eines Tages einholen wird. Gottes Sinn für Humor …

Er glaubt zu wissen, wer Elizabeth ist. Sie ist ihm bei der Baubesprechung aufgefallen, und an dem furchtbaren Tag des Mords ebenfalls. Sie sticht heraus. Was mag es sein, das ihr auf dem Gewissen lastet? Welche Sünde kann sie nicht länger verschweigen? Und warum wendet sie sich damit an ihn? Warum wählt sie ausgerechnet diesen Ort? Sie muss ihn am Tag des Mordes gesehen haben, denkt er. Muss das Kollar bemerkt haben, das bleibt vielen im Gedächtnis haften, bringt sie dazu, sich ihm öffnen zu wollen, ihm ihre Geheimnisse anzuvertrauen. An was in ihr hat er gerührt, dass sie nun zum

Hörer gegriffen hat? Und wie kommt sie überhaupt an seine Nummer? Er steht nicht im Telefonbuch. Vielleicht übers Internet? Irgendwo muss sie sie schließlich herhaben.

Dann heißt es also für ihn, zurück nach St. Michael. Zurück in den Beichtstuhl, diesmal mit Elizabeth. Zurück an den Ort, wo alles begann und wo alles endete. Welch makabres Zusammentreffen. Wenn sie ahnen würde …

Matthew Mackie steht schon am Bahnsteig in Bexhill, als ihm klar wird, dass Elizabeth offengelassen hat, wer von ihnen die Beichte ablegen wird.

Einen Augenblick lang erwägt er, auf dem Absatz kehrtzumachen. Aber die Fahrkarte ist schon gelöst.

Sie kann es nicht wissen. Oder?

96

Tja, denkt Chris, so viel also dazu. Gianni Gunduz ist verschwunden, der heimgekehrte verlorene Sohn, über den seine mächtige Familie die Hand hält. Und nun heißt es herausfinden, ob Gianni kürzlich nach England geflogen ist. Ob er die Stätten der Vergangenheit besucht hat. Aber unter welchem Namen? Und mit welchem Gesicht? Gianni kann kommen und gehen, wie es ihm gefällt.

Chris ist mit viel Vorlauf am Flughafen eingetroffen und gönnt sich jetzt einen Triple-Chocolate-Muffin von Starbucks. Keine gute Idee, das weiß er selbst, Kalorien pur und null Nährwert, aber darüber wird er erst nachdenken, wenn der Muffin aufgegessen ist. An sein Ohr dringt eine englische Stimme.

»Hier noch frei?«

Chris nickt, ohne aufzublicken, und erst dann wird ihm klar, dass er die Stimme kennt. Aber natürlich. *Natürlich!* Er hebt den Kopf.

»Hallo, Ron.«

»Grüß Sie, Chris«, sagt Ron und nimmt auch schon Platz. »So ein Muffin hat vierhundertfünfzig Kalorien, wussten Sie das?«

»Beschatten Sie mich, Ron?«, fragt Chris. »Für den Fall der Fälle?«

»Nein, mein Lieber, wir sind schon seit gestern hier«, sagt Ron.

»Wir?«

Ibrahim kommt mit einem Tablett. Er nickt Chris zu. »Wie reizend, dass wir uns über den Weg laufen, Detective Chief Inspector! Wir hatten schon gehört, dass Sie da sind. Ron, ich wusste das Wort für Nescafé nicht, deshalb sind es Caramel Frappuccinos geworden.«

»Danke, Ib.« Ron nimmt seinen Becher.

»Ob ich überhaupt fragen soll, was Sie beide hier machen?«, sagt Chris. »Vorausgesetzt, es sind nur Sie beide? Vielleicht deckt sich Joyce ja im Duty-free-Shop ein?«

»Nur wir Jungs«, sagt Ron. »Herrenausflug nach Zypern.«

»Interessant, so ein Gemeinschaftserlebnis«, fügt Ibrahim an. »Ich hatte nie engere Männerfreundschaften. Oder Frauenfreundschaften, so gesehen. Und Zypern ist für mich ebenfalls Neuland.«

»Elizabeth hat uns instruiert«, sagt Ron. »Sie kennt wen, der wen kennt, der wen kennt, also sind wir hergeflogen. Mit dem gleichen Erfolg wie Sie, schätze ich.«

»Eine extrem mächtige Familie«, sagt Ibrahim. »Sodass Gianni mühelos untertauchen konnte. Und eine neue Identität annehmen. Nirgends auch nur die geringste Spur von ihm.«

»Ein Geist«, sagt Ron.

»Ein Geist auf Rachefeldzug«, bestätigt Chris. Dann wird er den Rest seines Muffins eben nicht essen. Die Hälfte hat er schon intus, was macht das? Zweihundertzwanzig Kalorien? Wenn es bis zum Gate kein zu kurzer Weg ist, verbrennt er ein paar davon gleich wieder. Und isst eben im Flugzeug nichts.

»Wir haben gehört, dass Sie bei Giannis Vater waren«, sagt Ron. »Hat das was gebracht?«

»Von wem hören Sie so was?«, will Chris wissen.

»Ist das wichtig?«, kontert Ron.

Wahrscheinlich nicht. »Er weiß, wo Gianni steckt.

Aber nicht mal Elizabeth würde es aus ihm herausholen können.«

Die Männer nicken.

»Vielleicht Joyce«, ergänzt Chris, und wieder nicken sie alle, lächelnd dieses Mal.

»Sie lächeln nicht sehr oft, Detective Chief Inspector«, bemerkt Ibrahim. »Wenn ich das sagen darf? Nur eine Beobachtung.«

»Wenn Sie mir vielleicht auch eine Beobachtung gestatten?«, sagt Chris, der sich bewusst macht, dass Ibrahim recht hat, der sich aber hier und jetzt nicht damit auseinandersetzen mag, »wenn Elizabeth wen kennt, der wen kennt, der wen kennt, warum ist dann nicht sie hier? Warum schickt sie Starsky und Hutch, wenn Cagney und Lacey den Job selbst erledigen könnten?«

»Starsky und Hutch, sehr gut«, sagt Ibrahim. »Ich wäre auf jeden Fall Hutch. Der ist der methodischere.«

Der erste Boarding-Aufruf erfolgt, und die drei Männer klauben ihre Siebensachen zusammen. Zu denen bei Ron ein Krückstock gehört.

»Mit Stock hab ich Sie noch nie gesehen, Ron.«

Ron zuckt die Achseln. »Wenn man einen Stock hat, lassen sie einen als Erstes an Bord.«

»Wo sind denn nun Elizabeth und Joyce?«, hakt Chris nach. »Oder will ich das lieber nicht wissen?«

»Sie wollen es nicht wissen«, sagt Ibrahim.

»Na klasse!«, sagt Chris.

97

Kerzenlicht flackert in der Kapelle. Elizabeth und Matthew Mackie sitzen sich im Beichtstuhl gegenüber, nur durch wenige Handbreit voneinander getrennt.

»Ich will nichts beschönigen. Und mir geht es auch nicht um Vergebung, weder von Ihnen noch von Gott. Ich möchte nur, dass es festgehalten ist. Jemand soll Zeuge sein, bevor ich sterbe und all das zu Staub wird. Ich weiß, es gibt Vorschriften, selbst im Beichtstuhl, also verfahren Sie mit dieser Information bitte gemäß Ihren Regeln. Ich habe einen Mann getötet. Es liegt ein halbes Jahrhundert zurück, und falls das etwas ändert, es war Notwehr. Aber getötet habe ich ihn.«

»Sprechen Sie weiter.«

»Ich hatte meine eigene kleine Wohnung in Fairhaven. Aus Ihrer Sicht ist derlei vielleicht verwerflich, aber ich hatte ihn mit zu mir genommen. Nicht sehr klug von mir, sicher, aber immer waren Sie in Ihrer Jugend vielleicht auch nicht klug. Und dort ist er über mich hergefallen. Die Details sind sehr unschön, was aber keine Entschuldigung sein soll. Ich habe mich gewehrt, und ich habe ihn getötet. Ich war außer mir vor Angst, ich wusste ja, wonach es aussehen würde. Zeugen gab es keine, wer sollte mir also glauben? Es waren andere Zeiten damals, das wissen Sie bestimmt auch noch?«

»Das weiß ich, ja.«

»Ich habe den Leichnam in einen Vorhang eingeschlagen. Ich habe ihn zu meinem Auto geschleift. Und dort habe ich ihn liegen lassen, während ich überlegte, was ich jetzt machen soll. Es war alles so blitzschnell gegangen, verstehen Sie? Am Morgen war ich aufgewacht wie jeder andere Mensch auch, und dann ... Es hatte etwas so Surreales.«

»Wie haben Sie ihn getötet? Wenn ich das fragen darf?«

»Mit einem Schuss. Ins Bein. Ich hätte nie gedacht, dass man an so etwas stirbt, aber er blutete und blutete und blutete. So viel Blut, in so rasender Geschwindigkeit. Wenn er geschrien hätte – vielleicht wäre es dann anders gewesen. Aber er wimmerte nur, wohl im Schock. Und ich habe ihm beim Sterben zugeschaut, nicht weiter von ihm entfernt, als ich es jetzt von Ihnen bin.«

Schweigen im Beichtstuhl. Schweigen in der Kapelle. Elizabeth hat die Tür abgeschlossen und den Riegel vorgelegt. Niemand wird hereinkommen. Und natürlich wird auch niemand hinausgelangen. Sollten sich die Dinge in diese Richtung entwickeln.

»Und dann ... ja, dann saß ich da und weinte, denn was konnte ich sonst schon tun. Ich wartete auf die Hand, die sich auf meine Schulter legen und mich von dem ganzen Grauen wegführen würde. Es war so ungeheuerlich. Aber ich saß da und saß, und nichts geschah. Niemand klopfte an meine Tür, niemand schlug Alarm. Kein Blitz fuhr aus dem Himmel hernieder. Also kochte ich mir einen Tee. Und der Kessel blubberte, und der Dampf stieg auf, und in meinem Kofferraum lag immer noch ein Vorhang mit einer Leiche darin. Es war ein Sommerabend, also schaltete ich das Radio an und wartete, bis es dunkel war. Und dann fuhr ich hierher.«

»Hierher?«

»Nach St. Michael, ja. Ich hatte eine Zeit lang hier gearbeitet. Ich weiß nicht, ob Sie das wussten?«

»Nein, das ist mir neu.«

»Also fuhr ich durch das Tor, und auf dem Weg den Berg hinauf schaltete ich die Scheinwerfer aus. Die Schwestern gingen immer früh zu Bett. Ich fuhr weiter, vorbei an St. Michael und am Hospital, das Sträßchen hinauf zum Garten der ewigen Ruhe. Ist Ihnen der ein Begriff?«

»Ja.«

»Natürlich. Und ich hatte meinen Spaten dabei, und auf die Gefahr hin, dass jetzt rings um uns die Wände einstürzen: Ich habe ein Grab ausgesucht, das Grab einer der Schwestern. Es lag ganz hinten, an der Mauer, wo die Erde weich war, und ich fing an zu graben. Ich grub, bis mein Spaten an das Holz eines Sargdeckels stieß. Dann ging ich zum Auto zurück. Ich zog den Leichnam aus dem Kofferraum heraus und rollte ihn vom Vorhang herunter. Kleider musste ich ihm keine ausziehen, weil er nackt war, als … nun ja. Und dann zerrte ich den Leichnam den Pfad hinauf, zwischen den Grabsteinen hindurch. Es war furchtbar mühselig. Einmal fluchte ich und entschuldigte mich dann dafür. Irgendwie schaffte ich es, die Leiche bis zu dem Loch zu schleifen und sie in das Grab zu wälzen. Auf den Sarg. Dann nahm ich wieder den Spaten, schüttete das Loch zu und sprach ein Gebet. Und dann ging ich zurück zum Auto, packte den Spaten in den Kofferraum und fuhr heim. Mehr Worte will ich eigentlich gar nicht machen.«

»Verstehe.«

»Aber das Klopfen an der Tür blieb aus. Was vermutlich der Grund ist, warum ich es jetzt Ihnen erzähle. Niemand kam und klopfte an meine Tür, und das hätte nicht sein dürfen. In meinen Träumen klopft es jede

Nacht. Es muss doch Konsequenzen geben. Oder wie sehen Sie das? Bitte, seien Sie ganz ehrlich zu mir.«

»Ich soll ehrlich zu Ihnen sein?« Matthew Mackie stößt einen langen Seufzer aus. »Dann bin ich ehrlich. Ich glaube Ihnen kein Wort, Elizabeth.«

»Kein Wort?«, sagt Elizabeth. »Bei so vielen Details, Pater Mackie? Die Zeit, die Schusswunde im Bein, die Lage des Grabs. Warum sollte ich mir so etwas ausdenken?«

»Elizabeth, Sie haben vor fünfzig Jahren nicht hier gearbeitet.«

»Hmm. Aber Sie. Ich habe Fotos gesehen.«

»Ja, das ist wahr. Ich saß hier schon einmal. Auch an dem Platz, auf dem Sie jetzt sitzen.«

Elizabeth beschließt nachzulegen.

»Sie klingen so, als wollten Sie reden. Hat irgendetwas in meiner Erzählung Erinnerungen in Ihnen losgetreten? Ihnen das Gefühl gegeben, dass ich etwas wissen könnte?«

Matthew Mackie stößt ein trauriges Lachen aus. Elizabeth zieht die Schraube noch weiter an.

»Wenn es Ihnen nichts ausmacht, Pater Mackie, Sie sind sichtbar zusammengezuckt, als ich den Garten der ewigen Ruhe erwähnt habe.«

»Es macht mir etwas aus, Elizabeth, aber reden möchte ich, glaube ich, trotzdem. Danach sehne ich mich seit Jahren. Und da wir schon einmal beide hier sind, warum spielen Sie nicht Ihre richtigen Karten aus und schauen, wie weit uns das bringt?«

»Sicher?«

»Ich bin hier zu Hause, Elizabeth. Im Haus Gottes. Plaudern wir einfach ein bisschen, ja? Zwei alte Toren. Sie fangen an einem beliebigen Punkt an, und ich trage bei, was ich kann.«

»Wollen wir dann mit Ian Ventham anfangen? Uns ein bisschen über ihn unterhalten?«

»Über Ian Ventham?«

»Ja, wenigstens zum Einstieg. Und uns von da zurück arbeiten? Ich fange mit einer Frage an, Pater Mackie, wenn Sie nichts dagegen haben.«

»Fragen Sie nur. Und nennen Sie mich doch bitte Matthew.«

»Danke, gern. Also, das Wichtigste zuerst, Matthew. Warum haben Sie Ian Ventham getötet?«

98

Joyce

Die Anweisung war unmissverständlich, und Elizabeth ist schon zu lange weg. Ich wünschte, Ron und Ibrahim wären da. Ich schreibe das, während ich auf Donna warte, die hoffentlich sehr bald hier sein wird.

Zum ersten Mal fühlt sich das Ganze nicht mehr wie ein Spiel an. Nicht mehr wie ein spannendes Abenteuer, bei dem sich am Ende alle Rätsel aufklären, sodass man sich schon auf die Fortsetzung freut. Zwei Stunden, hat Elizabeth gesagt, und zwei Stunden sind es inzwischen. Mehr als zwei Stunden. Wie konnte ich mich nur auf so etwas einlassen? Es gibt so vieles, was wir Chris und Donna verheimlicht haben, aber das jetzt ist mit Abstand am gefährlichsten. Lügen liegt mir eigentlich sowieso nicht. Ich kann meine Geheimnisse genau so lange für mich behalten, wie niemand mich danach fragt.

Also habe ich Donna angerufen und ihr gesagt, wohin Elizabeth gegangen ist, und auch, dass sie noch nicht wieder zurück ist.

Donna war furchtbar wütend, und das verstehe ich auch. Ich habe ihr gesagt, wie leid es mir tut, dass ich sie angelogen habe, und sie sagte, gelogen hätte Elizabeth, ich wäre einfach nur feige gewesen. Dann nannte sie mich noch etwas, das ich hier nicht wiederholen will, das aber zugegebenermaßen nur verdient war.

Ich bin so erpicht darauf, von allen gemocht zu werden, dass ich mir einbildete, ihr genau in diesem Moment sagen zu müssen, wie gut mir ihr Lidschatten gefällt, und sie zu fragen, wo sie ihn kauft. Aber sie hatte schon aufgelegt.

Donna ist auf dem Weg hierher. Ich weiß, dass sie sehr in Sorge ist, und das bin ich auch. Ich dachte immer, Elizabeth ist gegen alles gefeit. Lieber Gott, mach, dass ich mich nicht täusche!

99

Elizabeth ist diesen Weg schon viele Male gegangen, erst den Schlängelpfad, dann die Allee hinauf zum Garten der ewigen Ruhe. Im Rücken spürt sie Matthew Mackies Hand, die sie leitet.

Es ist immer still hier, aber so stark hat sie die Stille noch nie empfunden. Selbst die Vögel sind verstummt. Als wüssten sie etwas. Es sieht nach Regen aus. Die Sonne tut ihr Möglichstes, um die Wolkendecke zu durchdringen, dennoch fröstelt Elizabeth. Bis vor ein paar Tagen war hier das Absperrband der Polizei gespannt. Ein Fetzen davon ist noch um einen Schössling gebunden, sein blau-weißes Schwänzchen flattert matt im Luftzug.

Da vorne ist Bernards Bank. Sie wirkt grotesk leer.

Bernard hätte sich gefragt, was die beiden wohl herführt, Elizabeth und den Priester, die mit ernsten Gesichtern den Berg hinaufschreiten. Bernard hätte von seiner Zeitung aufgeschaut, ihnen einen guten Tag gewünscht und sie für den Rest ihres Weges im Blick behalten. Aber Bernard ist von ihnen gegangen. Wie so viele vor ihm. Hat sich auf die Reise ohne Wiederkehr gemacht, und was bleibt? Eine leere Bank auf einem stillen Hügel.

Sie erreichen das Tor, und Matthew Mackie stößt es auf. Er lässt Elizabeth vorangehen, die Hand noch immer in ihrem Rücken, und sie hört die Angeln quietschen, als sich das Tor hinter ihnen schließt.

Matthew Mackie führt sie nicht den Weg hinauf bis zur rechten oberen Ecke des Friedhofs, wo die ältesten Gräber ihre Geheimnisse hüten. Stattdessen nimmt er die Hand von ihrem Rücken, schwenkt vom Hauptweg ab zwischen zwei Reihen neuerer Gräber, deren Steine blanker sind, weißer. Sein üblicher Weg. Elizabeth folgt ihm, bis er vor einem Grab haltmacht. Sie liest die Inschrift.

Schwester Margaret Anne

Margaret Farrell, 1948–1971

Elizabeth greift nach Matthew Mackies Hand und flicht ihre Finger durch seine.

»So ein schöner Platz, nicht wahr, Elizabeth?«, sagt er.

Sie blickt um sich, auf die weiten, welligen Felder jenseits der Mauer, die Hügel, die Bäume, die Vögel. Ein schöner Platz, allerdings. Jetzt freilich stört ein Tumult ein Stück weiter hügelab den Frieden, das Trappeln rennender Füße. Elizabeth sieht auf die Uhr.

»Das wird meine Rettungsmannschaft sein«, sagt sie. »Ich habe ihnen gesagt, wenn ich nach zwei Stunden nicht wieder zurück bin, sollen sie die Tür aufbrechen und die Kapelle stürmen.«

»Zwei Stunden?«, fragt Mackie. »Waren das jetzt wirklich zwei Stunden?«

Elizabeth nickt. »Es gab ja auch viel zu besprechen, Matthew.«

Er nickt ebenfalls.

»Sie werden es wahrscheinlich alles noch mal von vorne erzählen müssen, wenn mein Trupp hier anlangt.«

Chris Hudson kommt in Sicht, frisch vom Flughafen, wie sie vermutet, rennend, was das Zeug hält. Sie winkt ihm und sieht die Erleichterung auf seinem Gesicht. Erleichterung, dass sie noch am Leben ist, aber auch, dass er mit dem Rennen aufhören darf.

100

Durch den Kreuzwort-Kniffel-Club geht ein Riss. Nachdem Colin Clemences wöchentliches Preisrätsel zum dritten Mal in Folge von Irene Dougherty gewonnen wurde, hat Frank Carpenter unlauteren Wettbewerb unterstellt, und etliche haben sich dem Vorwurf angeschlossen. Am nächsten Tag fand Colin Clemence eine Rätselfrage lästerlichen Inhalts an seine Tür geheftet, und sowie er sie gelöst hatte, brach die Hölle los.

Als Konsequenz fällt das Treffen der Kreuzwort-Kniffler diese Woche aus, damit sich die erhitzten Gemüter erst einmal beruhigen können, und das heißt, dass das Puzzle-Stübchen gegen die Regel frei ist. Die Mitglieder des Donnerstagsmordclubs haben ihre üblichen Plätze eingenommen, und Donna und Chris haben noch zwei Stapelstühle aus der Lounge geholt. Matthew Mackie bekommt den Lehnstuhl in der Ecke. Alle Blicke ruhen auf ihm.

»Ich war noch nicht lange aus Irland herübergekommen. Aus Abenteuerlust in erster Linie. Damals konnte man sich an alle möglichen Orte schicken lassen, Afrika oder Peru, aber Missionieren, Bekehren, das ist nicht mein Fall. Und dann war diese Stelle ausgeschrieben, 1967, und ich nahm sie unbesehen. So groß war der Unterschied zu heute gar nicht. Sehr schön, sehr ruhig, an die hundert Nonnen, aber alle so still, dass man sie kaum bemerkte. Sie gingen mit so weichen Schritten. Das

Kloster war ein Ort des Friedens, aber es war auch ein Ort der Arbeit, und das Hospital war immer voll belegt. Und dazwischen spazierte ich herum. Ich predigte, und ich nahm die Beichte ab. Wenn die Menschen sich freuten, freute ich mich mit ihnen, weinte mit ihnen, wenn sie traurig waren, und mehr wurde von mir nicht verlangt. Fünfundzwanzig Jahre alt, komplett grün hinter den Ohren, ohne ein Fünkchen Weisheit in meinem Schädel. Aber das Amt konnte nur ein Mann bekleiden, und das war ich ja immerhin.«

»Und gewohnt haben Sie auch hier?« Chris stellt die Frage. Elizabeth hat verfügt, dass man das Fragen Chris und Donna überlässt; sie weiß nur zu gut, dass sie möglichst viele Pluspunkte sammeln sollte, bevor die große Abrechnung folgt.

»Es gab damals ein Torhaus, und dort hatte ich eine kleine Wohnung. Gar nicht schlecht, und um einiges bequemer als die Zellen der Schwestern. Keine Besucher natürlich. Das war jedenfalls die Vorschrift.«

»An die Sie sich gehalten haben?«, fragt Donna.

»Anfangs schon, sicher. Ich wollte ja alles gut machen, wollte es allen recht machen, nicht nach Hause geschickt werden et cetera.«

»Aber … die Vorzeichen ändern sich?«, fragt Chris.

»Die Vorzeichen ändern sich, ja. O ja. Ich hatte Maggie gleich zu Beginn kennengelernt. Sie putzte in der Kapelle. Es kamen immer vier Nonnen zum Putzen.«

»Aber nur die eine Maggie?«, sagt Donna.

»Nur die eine Maggie.« Matthew Mackie lächelt. »Kennen Sie das, wenn man einem Menschen zum ersten Mal in die Augen schaut, und die gesamte Welt gerät ins Schwanken? Und man denkt: ›Ja, natürlich, das ist es, worauf ich die ganze Zeit gewartet habe‹? So ging es mir mit Maggie. Anfangs war es nicht mehr als: ›Guten Morgen, Schwester Margaret‹ und ›Guten Morgen, Pater‹, und dann machte sie weiter mit ihrer Arbeit, und ich machte weiter mit meiner. Soweit man bei mir von Arbeit sprechen konnte. Aber ich lächelte, und sie lächelte, und bald wurde es dann: ›Welch ein schöner Morgen, Schwester Margaret, Gott meint es heute wirklich gut mit uns‹, und ›O ja, Pater, sehr gut meint er es mit uns‹. Und als Nächstes: ›Was nehmen Sie denn da für den Boden, Schwester Margaret?‹, und ›Das ist Bohnerwachs, Pater‹. So weit waren wir natürlich nicht gleich, ein paar Wochen kannten wir uns da bestimmt schon.«

Ron beugt sich vor und öffnet den Mund, aber Elizabeth durchbohrt ihn mit einem Blick, und er schließt ihn wieder.

»Jedenfalls muss ich einen guten Monat dort gewesen sein, als Maggie zu mir zur Beichte kam. Da saßen wir beide. Und keiner von uns brachte ein einziges Wort über die Lippen. Wir saßen nur und saßen, unsere Körper Zentimeter voneinander entfernt, nur die dünne Holzwand zwischen uns. Ich konnte sie atmen hören, und ich konnte mein Herz klopfen hören. Es schien mir schier aus der Brust springen zu wollen. Fragen Sie mich nicht, wie lange wir so saßen, ich habe keine Ahnung, aber schließlich sagte ich: ›Sie haben wahrscheinlich noch einiges zu tun, Schwester Margaret‹, und sie sagte: ›Danke, Pater‹, und mehr brauchte es nicht. Es war kein weiteres Wort nötig, und wir wussten es beide. Beide wussten wir, dass unsere Sünde die Beichte gewesen war und dass es mit dieser einen Sünde nicht getan sein würde.«

»Möchten Sie noch?«, fragt Joyce und hält die Thermoskanne mit dem Tee schräg. Mackie hebt abwehrend die Hand.

»Wir suchten nach Wegen, allein miteinander zu sein,

was nur selbstverständlich ist, ich weiß. Ich sah sie jeden Morgen, aber wir konnten natürlich nicht reden, da waren ja die anderen dabei. Also nahm ich ihr die Beichte ab, und danach unterhielten wir uns. Und auf diesen beiden Holzbänkchen lernten wir einander lieben. Maggie und Matthew. Matthew und Maggie. Mit einem Beichtgitter zwischen uns. Kann man sich eine totgeborenere Liebe vorstellen?«

»Und verzeihen Sie, aber nur fürs Protokoll: Maggie ist Schwester Margaret Anne?«, fragt Chris.

»Ja.«

»1948 bis 1971?«

Matthew Mackie nickt. »Für mich stand fest, dass wir von hier wegmussten. Es würde ganz leicht gehen. Ich würde eine Stelle finden, meine Examen hatte ich alle, Maggie konnte als Krankenschwester arbeiten, wir würden ein Häuschen am Meer haben. Wir sind beide an der Küste aufgewachsen.«

»Sie wollten Ihr Priesteramt also niederlegen?«

»Ja, sicher. Darf ich Sie fragen: Warum sind Sie zur Polizei gegangen, DCI Hudson?«

Chris überlegt einen Moment. »Ganz ehrlich? Ich hatte meinen Schulabschluss gemacht, meine Mutter sagte, jetzt musst du was lernen, und an dem Abend lief im Fernsehen *Juliet Bravo*.«

»Eben, so ist es doch«, sagt Matthew Mackie. »Wenn ich in einer anderen Stadt aufgewachsen wäre, in einem anderen Land, wäre ich vielleicht Pilot oder Gemüsehändler geworden, aber so hatten die Umstände eben dafür gesorgt, dass ich Priester wurde. Um die Wahrheit zu sagen, ich bin nicht sehr gläubig, und ich war es auch nie. Aber ich hatte mein Auskommen, ich hatte ein Dach über dem Kopf, und von zu Hause weg war ich auch.«

»Und Maggie?«, fragt Donna. »Wollte sie aus dem Orden austreten?«

»Maggie tat sich schwerer. Sie hatte noch ihren Glauben, bei ihr saß er tief. Aber sie war auf dem Weg dazu. Irgendwann wäre es so weit gewesen, da bin ich ganz sicher. Dann wäre sie jetzt bei mir in Bexhill, und ihre grünen Augen würden mich anblitzen. Aber für sie war es schwer. Mein Risiko war das eines jungen Mannes, und ihres war das einer jungen Frau, und das war in jenen Tagen ein ungleich größeres, nicht wahr?«

Joyce streckt den Arm aus und fasst seine Hand. »Was ist mit Ihrer Maggie passiert, Matthew?«

»Wir trafen uns bei mir. Nachts, um das ganz klar zu sagen. Im Torhaus. Es war leicht, sich wegzuschleichen, wenn alles schlief. Maggie war nicht auf den Kopf gefallen, sie hätte bestens in Ihre Runde gepasst, gar kein Problem. Dienstag und Freitag, da kam sie immer, da war es am sichersten. Ich zündete ihr eine Kerze an, in einem der oberen Fenster. Wenn keine Kerze brannte, hieß das, ich war irgendwohin abberufen worden oder hatte Besuch, und dann blieb sie weg. Aber wenn ich die Kerze anzündete, kam sie immer. Manchmal gleich, manchmal auch erst, nachdem ich schon eine Weile auf und ab gegangen war, aber sie kam jedes Mal.«

Mackie räuspert sich, die Falte zwischen seinen Brauen wird tiefer. Joyce drückt seine Hand.

»Fünfzig Jahre habe ich die Geschichte keinem Menschen erzählt und jetzt zweimal an einem Tag.« Er lächelt schwach und spricht dann weiter. »Es war ein Mittwoch, der 17. März, und ich hatte die Kerze angezündet und ging wartend auf und ab. Ein Dielenbrett im Wohnzimmer knarzte dreimal leise, wenn man darauf trat. Und ich ging auf und ab, auf und ab, und hörte pausenlos dieses ›Krrr-krrr-krrr, ›Krrr-krrr-krrr‹. Und von draußen kam irgendein kleines Geräusch, und ich dachte, das ist sie, und blieb stehen und lauschte, aber jedes Mal war da nur Schweigen. Irgendwann hatte ich so lange gewartet, dass ich anfing, mir Sorgen zu machen. War sie beim Hinausschleichen erwischt worden? Mit Schwester Mary war nicht zu spaßen. Mit etwas wirklich Schlimmem rechnete ich nicht; wenn man jung ist, gehen die Geschichten gut aus. Trotzdem stieg ich die Treppe hinauf, löschte die Kerze, stieg die Treppe wieder hinunter, zog meine Stiefel an und ging hinauf zum Kloster. Einfach, um etwas zu tun.«

Matthew Mackie starrt auf den Boden. Ein alter Mann, der die Geschichte eines jungen erzählt. Elizabeth fängt Rons Blick ein und tippt auf ihre Brusttasche. Ron nickt, langt in seine Jacke und bringt einen kleinen Flachmann zum Vorschein.

»Ich brauch jetzt einen Schluck Whisky. Sie lassen mich doch hoffentlich nicht allein trinken, Matthew?«

Und ohne eine Antwort abzuwarten, gießt Ron einen Schuss Whisky in Matthew Mackies Becher. Mackie dankt mit einem Nicken, die Augen noch immer zu Boden gerichtet.

»Und was haben Sie gefunden, Pater Mackie?«, fragt Donna.

»Im Kloster war alles dunkel, ein gutes Zeichen, dachte ich. Wenn sie auf dem Weg nach draußen erwischt worden wäre, hätte irgendwo Licht brennen müssen. In Schwester Marys Sprechzimmer etwa. Oder in der Kapelle, falls sie zum mitternächtlichen Bodenschrubben verdonnert worden war. Aber die einzig hellen Fenster waren die der Krankenstation. Ich wollte einfach nur eine Runde drehen, mich vergewissern, dass Maggie nichts fehlte. Mir fielen hundert gute Gründe ein, warum sie an dem Abend nicht zu mir gekommen war, aber ich wollte diese Unruhe loswerden. Ich beschloss, ein paar Unterlagen aus dem kleinen Büro zu holen, das ich hinter der Kapelle hatte. Wenn jemand mich gesehen hätte, dann hätte ich sagen können, ich könne nicht schlafen und wolle die Zeit zum Arbeiten nutzen. Ein bisschen durch die Gänge wandern. Wenn ich gekonnt hätte, dann hätte ich in die Schlafsäle geschaut, nur um sie da liegen zu sehen.«

»Dieser Raum, in dem wir sind«, sagt Joyce, »das war früher ein Schlafsaal.«

Matthew Mackie sieht sich um, nickt. Seine linke Hand tätschelt sacht die Armlehne, als er fortfährt.

»Ich hatte einen Schlüssel zur Kapelle. Sie kennen die Tür ja, sie ist so schwer, und das Schloss rasselt so, aber ich sperrte so leise auf, wie ich nur konnte, und zog die Tür dann hinter mir zu. Es war stockfinster da drin, aber ich kannte mich natürlich aus. In der Nähe des Altars stieß ich gegen einen alten Holzstuhl, der dort nicht hingehörte und entsetzlich laut über den Boden scharrte. Ich beschloss, eine der Lampen beim Altar anzuzünden, um mich nicht ganz so unruhig zu fühlen, nicht ganz so sehr wie ein Dieb. Ich zündete sie an, und es war ein sehr schwaches Licht, von außen hätte man es nie und nimmer sehen können. Kein heller Lichtschein, eher so ein trübes Glimmen. Nur, damit Sie eine Vorstellung haben.«

Matthew Mackie nimmt seinen Becher und nippt. Er stellt ihn wieder hin.

»Das war also die Lampe, die eine, die ich angezündet hatte. Sie beleuchtete gerade mal den Altar, alles andere waren Schatten, aber es hat gereicht. Es hat gereicht.«

Matthew Mackie fährt sich mit dem Handrücken über den Mund.

»Ich sah Maggie. Über dem Altar ist ein Balken. Jedenfalls war da ein Balken. Man konnte Weihrauchgefäße daran hängen oder Segenssprüche. Er gehörte zur Dachkonstruktion, glaube ich, aber wir nutzten ihn. Und Maggie hatte ein Seil daran festgemacht und sich erhängt. Und zwar nicht lange vor meinem Eintreffen. Vielleicht während ich mir die Stiefel geschnürt hatte. Oder als ich die Kerze ausgeblasen hatte? Aber sie war tot, da gab es keinen Zweifel. Deshalb war sie nicht gekommen.«

Kein Laut im Puzzle-Stübchen. Matthew Mackie trinkt wieder aus seinem Becher.

»Danke, Ron, das tat jetzt gut.«

Ron winkt bescheiden ab.

»Hatte sie einen Brief hinterlassen, Pater Mackie?«, fragt Chris.

»Nein. Ich schlug Alarm – leise natürlich, das war kein Anblick für eine große Zuschauerschaft. Ich weckte Schwester Mary und erfuhr den Rest von ihr.«

»Den Rest?«, wiederholt Donna.

Matthew Mackie nickt vor sich hin, und kurzfristig übernimmt Elizabeth.

»Maggie war schwanger.«

»Shit«, murmelt Ron. Matthew hebt den Kopf wieder und fährt mit seiner Erzählung fort.

»Sie hatte sich einer der anderen Novizinnen anvertraut. Welcher, das brachte ich nicht in Erfahrung. Wer immer es war, Maggie muss ihr vertraut haben, aber das hätte sie besser nicht getan. Die Novizin sagte es Schwester Mary, und gegen sechs, nach dem Angelus, rief Schwester Mary Maggie zu sich. Was zwischen ihnen gesprochen wurde, erfuhr ich nicht, aber ich kann es mir vorstellen, und für Maggie hieß es Koffer packen. Die Nacht hätte sie noch bleiben dürfen, aber gleich am Morgen sollte sie abtransportiert werden, auf direktem Weg heim nach Irland. Ich hatte meine Kerze gegen sieben angezündet. Maggie ging zurück in ihren Schlafsaal, vielleicht genau in den, in dem wir jetzt sitzen. Sie wusste, wie man sich wegstiehlt, also stahl sie sich weg. Aber an dem Abend kam sie nicht zu mir. Sie schlich sich in die Kapelle und steckte den Kopf in eine Schlinge. Und setzte ihrem Leben und dem unseres Kindes ein Ende.«

Matthew Mackie sieht die sechs Leute im Raum an.

»Da haben Sie meine Geschichte. Die nicht gut ausging, trotz unserer Jugend. Und nichts ist seitdem je wieder gut geworden.«

»Wie kommt's, dass sie trotzdem auf dem Friedhof oben liegt?«, fragt Ron.

»Das hatte ich mit Schwester Mary so vereinbart«, sagt Mackie. »Ich musste gehen, was ich auch tat, ohne ein Wort zu irgendeinem Menschen. Heim nach Irland. Man hat mir eine Stelle in Kildare besorgt, an einem Lehrkrankenhaus. Alle meine Papiere wurden vernichtet, neue ausgestellt, die Kirche konnte so etwas damals nach Gutdünken veranlassen. Sie wollten mich aus dem Weg haben, ohne Aufsehen, ohne Skandal. Niemand außer mir und Schwester Mary hat sie dort hängen sehen. Was für eine Geschichte sie letztlich daraus machten, weiß ich nicht, aber ein Priester, ein Kind und ein Suizid kamen sicherlich nicht darin vor. Und im Gegenzug bat ich mir aus, dass sie im Garten der ewigen Ruhe beigesetzt wurde. Nach Hause hätte sie nicht gewollt, und St. Michael war der einzige andere Ort, den Maggie kannte.«

»Und das hat Schwester Mary erlaubt?«, fragt Donna.

»Es sah auch für sie besser aus. Andernfalls hätte es Fragen gegeben. Mein plötzlicher Abgang, ein externes

Begräbnis, da hätte so mancher eins und eins zusammengezählt. Also schlossen wir unseren Handel, und der Wagen, der Maggie hätte abholen sollen, holte am nächsten Morgen mich ab. Wir fuhren durch bis zur Fähre in Holyhead. Ich kehrte nach Hause zurück, und dort blieb ich, bis ich hörte, dass Schwester Mary gestorben war. Sie ist auch hier oben bestattet, in dem Grab mit den Putten auf dem Stein. An dem Tag, an dem ich von ihrem Tod hörte, schloss ich meine Praxis, packte meine Sachen und kam hierher zurück, um zu bleiben. So nah bei Maggie, wie es nur geht.«

»Und deshalb haben Sie gegen die Verlegung der Gräber gekämpft?«

»Es war das Einzige, was ich für Maggie tun konnte. Ihr einen anhaltenden Frieden verschaffen. Sie alle kennen den Friedhof, darum verstehen Sie mich sicher. Es war meine Art, ihr zu sagen, wie leid es mir tut und wie sehr ich sie immer noch liebe. Ein paradiesischer Ort, für die eine Liebe in meinem Leben und für unseren kleinen Jungen. Oder unser kleines Mädchen, aber in meinem Herzen war es immer ein Junge. Ich habe ihn Patrick genannt, albern, ich weiß.«

»Ohne herzlos klingen zu wollen, Pater«, sagt Chris, »ich würde sagen, damit haben Sie ein ausgezeichnetes Motiv für den Mord an Ian Ventham.«

»Für Schonung ist heute nicht der Tag. Aber ich war es nicht. Meinen Sie, Maggie könnte mir jemals verzeihen, wenn ich Mr Ventham ermordet hätte? Sie kannten sie nicht, aber sie konnte ein ziemliches Temperament an den Tag legen, wenn es sein musste. All die Jahre hindurch habe ich mich von dem leiten lassen, was Maggie von mir gewollt hätte und was Patrick von einem Vater erwarten würde, auf den er stolz sein kann. Ich habe mit allen Mitteln gekämpft, die mir zu

Gebote standen, aber eines Tages werde ich Maggie wiedersehen, und ich werde meinen kleinen Sohn kennenlernen, und das gedenke ich reinen Herzens zu tun.«

101

»Mögen Sie Pilates?«, fragt Ibrahim.

»Schwer zu sagen«, sagt Gordon Playfair. »Was ist das?«

Die Führung durch Coopers Chase ist beendet; Ibrahim, Elizabeth und Joyce sitzen mit Gordon Playfair auf Ibrahims Balkon. Ibrahim hat einen Brandy vor sich stehen, Elizabeth einen Gin Tonic und Gordon ein Bier. Das Bier hält Ibrahim für Ron vorrätig, wobei der dieser Tage eher Wein zu trinken scheint.

Chris und Donna sind nach Fairhaven zurückgekehrt. Vor ihrem Aufbruch hat Chris ihnen noch ein wenig über Zypern und über den Gunduz-Clan berichtet. Er ist sich ziemlich sicher, dass sie ihren Kandidaten identifiziert haben.

Donna war eindeutig noch wütend auf sie, aber das wird sich schon geben. Die Sonne geht unter, und der Tag klingt aus.

Matthew Mackie ist heim nach Bexhill gefahren, zu den beiden Kerzen, die bei ihm immer brennen. Joyce hat versprochen, ihn dort einmal zu besuchen. Sie hat eine Schwäche für Bexhill.

»Pilates ist die Kunst der gezielten Muskelansteuerung«, erklärt Ibrahim.

»Hmmm«, sagt Gordon Playfair skeptisch. »Gibt's hier Darts?«

»Snooker«, sagt Ibrahim.

Gordon nickt. »Snooker geht auch.«

Sie blicken hinaus über Coopers Chase. Im Vordergrund Larkin Court, Elizabeths Wohnung mit den geschlossenen Vorhängen. Als Nächstes Ruskin Court, Willows und das Kloster. Und dahinter die schöne wellige Landschaft, Hügel bis zum Horizont.

»Daran könnte ich mich schon gewöhnen«, sagt Gordon. »Alkohol gibt es ja offenbar ausreichend.«

»Immer«, bestätigt Ibrahim.

Drinnen in der Wohnung klingelt das Telefon, und Ibrahim erhebt sich. Über die Schulter sagt er zu Gordon:

»Ich glaube, ich habe Pilates etwas einseitig dargestellt. Es ist auch sehr gut für die Tiefenmuskulatur und für die Beweglichkeit. Jedenfalls findet es immer dienstags statt.«

Gordon beobachtet die Bewohner, die unter dem Balkon vorbeigehen, und trinkt von seinem Bier. »Ganz im Ernst, falls von diesen Frauen eine damals schon hier war, würd ich's nicht wissen. Wie soll man das erkennen? Diese ganzen Nonnen. Wenn Sie mir sagen würden, Sie wären eine gewesen, würde ich's auch glauben, Joyce.«

Joyce lacht. »Die letzten Jahre war ich ganz bestimmt eine. Wenn auch nicht aus Überzeugung.«

Elizabeths Gedanken haben dieselbe Richtung eingeschlagen wie die von Gordon Playfair. Die Nonnen. Ist das die nächste Fährte, die sie aufnehmen müssen? Doch, vielleicht sollten sie bei den Nonnen ansetzen. Sie fühlt den Gin erste Wirkung entfalten. Ibrahim kommt vom Telefon zurück.

»Das war Ron. Er fragt, ob wir auf einen Drink zu ihm kommen. Anscheinend hat Jason uns allen Geschenke mitgebracht.«

102

»Bobby und ich sind von hier rüber ins Black Bridge gefahren, unser Wiedersehen begießen. Ins Pont Noir, meine ich natürlich.«

Jason Ritchie nimmt einen Zug aus seiner Bierflasche. Ron hat auch ein Bier vor sich, wie immer, wenn Jason da ist. Er nimmt seine Vorbildfunktion ernst.

»So grundsätzlich vertrauen wir uns ja irgendwie. Und ich glaube, wir haben uns beide eher positiv verändert über die Jahre. Bobby wollte mir partout nicht verraten, was er jetzt so treibt, aber er wirkt ja zufrieden, insofern … Von euch will mir nicht zufällig einer erzählen, was er macht?«

Jason richtet den Blick erwartungsvoll auf Elizabeth und Joyce, die beide den Kopf schütteln.

»Na gut«, sagt Jason, »Informanten leben ja auch gefährlich. Aber hundertprozentig sicher waren wir uns trotzdem nicht, versteht ihr? Dass es nicht doch einer von uns war. Sondern dass Gianni zurückgekommen ist. Dass er sich rächen wollte. Also habe ich einen Kontaktmann angerufen.«

»Ach ja? Wen denn?«, fragt Joyce.

Jason lächelt. »Wer lebt gefährlich, Joyce?«

Joyce nickt ergeben. »Informanten, Jason.«

»Sagen wir, es war ein Freund. Jemand, dem wir beide vertrauen, aber dem Gianni auch vertraut hätte, wenn auch aus anderen Gründen. Und er kam – gut, uns zweien hätte er schlecht einen Korb geben können –, und wir haben ihn knallhart gefragt: War Gianni hier? Hast du ihn gesehen? Nur unter uns, keine Silbe zu irgendwem?«

»Und – ja oder nein?«, fragt Elizabeth.

»Ja«, sagt Jason. »Gianni kam drei Tage vor Tonys Tod an und ist am Tag des Mordes wieder gefahren. Hat Tony beschuldigt, ihn damals hingehängt zu haben. Was ziemlich typisch für Gianni ist.«

Joyce nickt weise, und Jason fährt fort.

»Vielleicht schien ihm die Zeit jetzt einfach reif dafür. Und er wollte endlich die Rechnung begleichen. Manche Leute sind eben nachtragend.«

»Und Sie trauen dieser Quelle? Und Peter traut ihr auch?«, fragt Elizabeth.

»Peter?«

»Ups, Bobby«, sagt Elizabeth. »Da zeigt sich das Alter. Sie und Bobby trauen ihm beide?«

»Absolut«, sagt Jason. »Die ehrlichste Haut, die rumläuft. Und er hatte seine Gründe, Gianni zu helfen. Wenn eure Freunde bei der Polizei nicht rausfinden, wer er ist, dann helf ich ihnen auf die Sprünge, versprochen. Aber ich geh mal davon aus, dass sie's auch allein schaffen.«

»Warum hat Gianni Ihnen das Foto geschickt, Jason?«, fragt Ibrahim.

Jason zuckt die Achseln. »Wahrscheinlich, damit wir auch ja kapieren, dass er's war. Reine Angeberei. So war Gianni schon damals. An meine Adresse kommt man ja leicht, jeder hier kennt mich. Gianni musste immer alle seine Großtaten rumposaunen.«

»Und sah Gianni noch so aus wie früher? Wie heißt er inzwischen?«, forscht Elizabeth.

Jason schüttelt den Kopf. »Nicht unsere Sache. Wir

haben nicht groß nachgehakt. Wir wollten einfach nur Gewissheit. Das hat uns gereicht.«

»Wie schade«, sagt Elizabeth.

»Tja, wenn die Polizei ihn nicht kriegt, dann doch sicher ihr vier«, sagt Jason. »Und hört zu, ich und Bobby, wir wollten uns einfach bedanken. Dafür, dass ihr uns wieder zusammengeführt und uns auf die richtige Spur gebracht habt. Ohne euch wäre das alles nicht zustande gekommen. Ganz ehrlich, ohne euch säße ich jetzt wahrscheinlich in Haft. Deshalb habe ich euch allen eine Kleinigkeit mitgebracht, wenn das in Ordnung ist.«

Das ist definitiv in Ordnung. Jason öffnet den Reißverschluss der Sporttasche zu seinen Füßen und fördert seine Geschenke zutage. Ibrahim überreicht er ein Holzkistchen.

»Ibrahim, Zigarren. Kubanische natürlich.«

»Das ist der Inbegriff an Weltläufigkeit, Jason, besten Dank«, sagt Ibrahim.

Das nächste Geschenk geht an Ron.

»Dad, für dich einen Wein, und zwar keinen ganz schlechten. Damit du dich bei mir nicht immer als Biertrinker ausgeben musst.«

Ron nimmt sein Geschenk. »Ah, ein weißer. Danke, Jase.«

Joyce bekommt von Jason einen Umschlag in die Hand gedrückt. »Joyce, zwei Eintrittskarten für die Filmaufnahmen zu *Promis auf dem Eis* nächsten Monat.«

Joyce strahlt.

»In der VIP-Lounge natürlich. Ich dachte, vielleicht möchten Sie Joanna mitnehmen.«

»Joanna auf keinen Fall«, sagt Joyce. »Das ist ITV, und ITV lehnt sie ab.«

»Und, Elizabeth«, sagt Jason, der nun nichts mehr in

der Hand hält als sein Handy. »Mein Geschenk für Sie ist das hier.«

Er hält das Telefon hoch, wischt demonstrativ mit dem Finger über das Display und steckt es dann wieder ein. Er sieht Elizabeth an, die nicht weiß, wie sie reagieren soll.

»Schönsten Dank, Jason, auch wenn ich insgeheim auf ein Fläschchen Coco Chanel gehofft hatte«, sagt sie.

»Ich weiß etwas, über das Sie sich, glaube ich, noch mehr freuen werden«, sagt Jason. »Über die Gelegenheit, den Mörder von Ian Ventham zu schnappen.«

»Und diese Gelegenheit verschaffen Sie mir, Jason?«, fragt Elizabeth.

»Ich würde sagen, ja. Dad und ich sind gemeinsam darauf gekommen. Oder, Dad?«

Ron nickt. »So ist es, Junge.«

»Und ohne zu selbstherrlich klingen zu wollen«, sagt Jason, »ich bin mir ziemlich sicher, dass ein kurzer Swipe es bestätigen wird.«

103

Joyce

Wussten Sie, wie Tinder geht?

Ich kannte es nur aus dem Radio, und ich habe Witze darüber gehört, aber gesehen hatte ich es noch nie, bevor Jason es mir gezeigt hat.

Wenn Sie das alles schon wissen, können Sie die nächsten Absätze überspringen.

Also: Über Tinder datet man. Man postet Bilder von sich auf einer App. Eine App ist so etwas wie das Internet, nur auf dem Handy. Jason hat mir ein paar von den Bildern gezeigt. Die Männer stehen meistens auf einem Berg, oder sie fällen irgendwelche Bäume. Manche Bilder sind in der Mitte durchgetrennt, um einen früheren Partner wegzuschneiden. Dank meinem Foto für *Cut to the Chase* habe ich dafür jetzt einen Blick.

Die Frauen lassen sich gerne auf Booten fotografieren oder mit Gruppen von Freundinnen, sodass man nicht weiß, welche die Richtige ist, und die Katze im Sack kaufen muss.

Ich habe ihn gefragt, ob die Leute über Tinder auch »One-Night-Stands« suchen, und er sagte, die allerwenigsten suchen etwas anderes. Das klingt nach einem flotten Leben, könnte man meinen, aber mir kam es alles recht trostlos vor. Und je mehr lächelnde Gesichter ich sah, desto trostloser schien es mir.

Aber das geht vielleicht nur mir so. Ich habe Gerry bei einem Tanzabend kennengelernt, zu dem ich in letzter Minute gegangen war, um meine Mutter zu ärgern. Wenn ich nicht hingegangen wäre, hätten wir uns nie getroffen. Ich weiß, das ist nicht die effizienteste Art, nach der wahren Liebe zu suchen, aber bei uns hat es funktioniert. Ich sah ihn, und ab der Sekunde war sein Schicksal besiegelt. Manche Leute haben einfach Glück.

Gut, aber bei Tinder bekommst du Bilder von Singles präsentiert, die sich gerade in der Nähe aufhalten. Oder von Verheirateten, die sich gerade in der Nähe aufhalten. Ein Bild von Ian Ventham ist auch dabei, im Karate-Anzug, obwohl er doch tot ist.

Sooft du jemanden siehst, der dir gefällt, wischst du sein Bild nach rechts (oder nach links, das weiß ich nicht mehr). Dieses Wischen heißt Swipen. Andere Leute irgendwo in der Nähe wischen derweil ihrerseits durch die Bilder, und wenn du ihnen gefällst, swipen sie dein Bild nach rechts (oder links), und dann ist es ein Match.

Ganz ehrlich, es bricht einem das Herz, dieses Wischen. Es erinnert mich an die Fotos von entlaufenen Katzen, die so oft an Laternenpfosten hängen. Das muss dieses verzweifelte Hoffen sein.

Als Jason nach rechts (oder links) swipte, war er auf jeden Fall sicher, dass er ein Match erzielen würde. Und er war sich sicher, dass dieses Match der Mörder war. Bei Ersterem kann ich seine Siegesgewissheit verstehen, bei Zweiterem nicht so ganz.

Jedenfalls bildet sich Jason ein, den Fall aufgeklärt zu haben. Und vielleicht hat er das ja, obwohl ich es mir nicht vorstellen kann. Er sagt, es liegt auf der Hand, aber bei solchen Dingen ist die Lösung oft gerade nicht die auf der Hand liegende.

Zumindest weiß ich jetzt, dass Online-Dating nichts für mich wäre. Man kann auch zu viel Auswahl haben.

Und wenn jeder zu viel Auswahl hat, wird es entsprechend schwerer, erwählt zu werden. Und wir alle wünschen uns doch, Auserwählte zu sein.

Gute Nacht, meine Lieben. Gute Nacht, Bernard. Und gute Nacht, Gerry, mein Herz.

104

Nach einem Vormittag voller Erwartung, an dem sie sich für ihr Date fertig gemacht, Outfits anprobiert, mit Freundinnen gesimst hat, sitzt Karen Playfair jetzt allein in einem unvertrauten Sessel. Sie schüttelt den Kopf, denkt zurück an ihren Optimismus heute Morgen und dann an die Realität, das Mittagessen, das hinter ihr liegt.

Karen hatte schon einige üble Dates über Tinder. Aber des Mordes hat sie bisher noch niemand bezichtigt.

Das Match war gestern Abend auf ihrem Telefon aufgeplingt. Jason Ritchie. Schau einer an, dachte sie. So schnell kann's gehen. Er hatte geschrieben, sie hatte geschrieben, und ehe sie sich's versah, saßen sie im Pont Noir, bestellten einen Langustensalat mit Radicchio, und eine stürmische Romanze schien sich anzubahnen.

Karen schlägt die Beine andersherum übereinander und nimmt eine Zeitschrift von dem Stoß auf dem Couchtisch. Nein, eher einen Rundbrief. *Cut to the Chase*.

Zurück zu dem Date. Sie haben ein bisschen Small Talk gemacht, nicht sehr viel, da Karen sehr wenig über das Boxen weiß und Jason sehr wenig über IT. Leicht gesprudeltes Mineralwasser wurde serviert, und das war der Moment, in dem Jason den Namen Ian Ventham ins Spiel brachte. Karen wurde schlagartig klar, dass dies kein Date war, und wäre am liebsten im Boden versunken. Aber es kam noch viel schlimmer.

Jetzt hört sie Ron Ritchie drüben in der Küche, er

macht einen Wein auf. Jason ist auf der Toilette. Sie beginnt, in dem Heft zu blättern, aber ihre Gedanken wandern hartnäckig zurück zum *Pont Noir*.

Diese ganzen Fragen, mit denen Jason sie bestürmt hat. Ob sie nicht auch da gewesen sei an dem Morgen, an dem Ian Ventham getötet wurde? Ja, wieso? Ob es denn stimme, dass ihr Vater sich geweigert hatte, sein Land an Ian Ventham zu verkaufen? Schon, sicher, aber schau, da kommen unsere Langusten. Aber lieber wäre es ihr doch, das Land würde verkauft und sie bekämen das Geld, oder? Ja, dazu hatte sie ihrem Vater geraten, aber entscheiden musste es immer noch er. Aber *wenn* er verkaufte, käme doch ein Teil der Summe sicher auch ihr zu? Doch, höchstwahrscheinlich, Jason, aber warum sagst du nicht einfach, worauf du hinauswillst?

Also rückte er mit der Sprache heraus. Im Rückblick ist es ja beinahe komisch, denkt Karen. Sie hört die Spülung rauschen. Was hat er gleich wieder gesagt?

Jason hatte sich vorgebeugt, nicht vom Hauch eines Zweifels angefochten: Die Polizei suche nach jemandem, der in den Siebzigerjahren schon hier gelebt habe und es bis heute tat, und ganz falsch lägen sie damit ja nicht mal. Sie hätten die Knochen gefunden, und vielleicht habe es vor all den Jahren tatsächlich einen Mord gegeben. Nur hätten sie vor lauter Knochen das gängigste aller Motive übersehen: Habgier. Ventham stand zwischen Karen und ihren Millionen. Ihr Vater lehnte Ventham ab, also musste Ventham aus dem Weg geräumt werden. Jason erwähnte irgendeine Droge, die sich nur im Darknet beschaffen ließ, und Karen arbeite ja nun in der IT-Branche, also quasi an der Quelle. Fall gelöst. Jason hatte ihn aufgeklärt und rechnete fest mit einem Geständnis. Männer!

Umso größer seine Verblüffung, als ihm Karen ins Gesicht gelacht und gesagt hat, dass sie Netzadministratorin für eine Mittelschule ist und vom Darknet so wenig Ahnung hat wie von der Raumfahrt. Dass sie vorhin statt Fentanyl Ventolin verstanden und überlegt hat, ob er nun vollends verrückt geworden ist. Dass sie an einem der schönsten Flecken von ganz England lebt, und obwohl sie sich durchaus vorstellen kann, diesen Flecken gegen eine Million Pfund einzutauschen, will sie lieber dortbleiben und ihren Vater glücklich wissen, als in irgendeinem exklusiven Neubau in Hove zu sitzen, wo ihr Vater garantiert unglücklich wäre. Jason schien zu einer geistreichen Erwiderung ansetzen zu wollen, doch als er den Mund öffnete, kam nichts.

Jetzt kehrt er ins Zimmer zurück, und Karen erinnert sich wieder an seine bedröppelte Miene vorhin, als ihm klar wurde, dass sie die Wahrheit sagt. Dass er mit seiner kleinen Theorie falschlag. Er hat sich entschuldigt und sie gefragt, ob er gehen soll, worauf Karen vorschlug, sie sollten lieber das Beste draus machen und den Rest ihres Mittagessens genießen. Am Ende würde aus ihnen vielleicht ja doch noch ein Paar werden. Ob das nicht die beste »Und-wie-habt-ihr-euch-kennengelernt«-Geschichte überhaupt wäre? Was sie beide zum Lachen und dann ins Reden brachte, und aus dem verunglückten Date wurde ein ausgedehntes, lustiges Mittagessen mit jeder Menge Alkohol.

Und darum hat Jason sie im Anschluss auf ein Glas hierher eingeladen, damit sie die Sache auch seinem Dad erklären können.

Wie aufs Stichwort kommt Ron herein, in Händen eine Flasche Wein und drei Gläser.

Jason setzt sich neben Karen und nimmt seinem Vater die Gläser ab. Seit er ihr einen Mord in die Schuhe schieben wollte, ist er wirklich der Charme in Person.

Karen Playfair legt das Exemplar von *Cut to the Chase* auf den Stapel zurück. Und dabei fällt ihr Blick auf das Foto auf dem Titelblatt. Am unteren Ende der Seite. Sie hebt den Rundbrief wieder auf und studiert das Foto von Nahem. Nur um ganz sicher zu sein.

»Alles in Ordnung, Karen?«, fragt Jason, während Ron die Gläser vollgießt.

»Die Polizei sucht nach jemandem, der in den Siebzigern hier war und es jetzt auch ist?«, fragt Karen langsam und pointiert.

»Das ist ihre These«, sagt Jason. »Die ich ja für unsinnig gehalten habe, aber was bei so was rauskommt, haben wir gesehen.«

Er lacht, aber Karen lacht nicht mit. Sie sieht Ron an und tippt auf das Gesicht auf dem Foto. »Jemand, der in den Siebzigern schon hier war und es jetzt auch wieder ist.«

Ron starrt auf das Bild, aber sein Hirn weigert sich, die Information aufzunehmen.

»Sind Sie sicher?«, bringt er heraus.

»Es liegt lange zurück, aber ich bin mir vollkommen sicher.«

Rons Gedanken rasen. Das kann nicht sein. Er sucht nach Gründen, weshalb es ausgeschlossen sein muss, findet aber keine. Er stellt den Wein auf den Couchtisch und greift nach dem Heft.

»Ich muss zu Elizabeth.«

105

Steve's Fitness-Treff sieht aus wie sein Besitzer: mehr breit als hoch gebaut, auf den ersten Blick einschüchternd, dabei aber stets offen für jedermann.

Chris und Donna treten durch die Tür.

Nach der gestrigen Aufregung auf dem Friedhof sind sie zurück nach Fairhaven gefahren, um Joe Kyprianous' Verdacht betreffs der ursprünglichen Ermittlungen zu überprüfen. Kein kentischer Polizeibeamter hat seinerzeit einen Fuß nach Nordzypern gesetzt. Von Giannis Familienbeziehungen ist nirgends die Rede. Ernsthafte Nachforschungen haben praktisch nicht stattgefunden. Chris hat die Namen der beiden Kollegen gesehen, die nach Nikosia geschickt wurden. Kein Wunder. Sie dürften braun gebrannt und verkatert zurückgekommen sein, aber ansonsten mit leeren Händen.

Er hat mit Donna nochmals die Passagierlisten sämtlicher Flüge kontrolliert, die in der Woche vor dem Mord aus Larnaca in Heathrow und Gatwick gelandet sind. An die dreitausend Namen, fast alles Männer, fast alles Zyprioten.

Beim Durchforsten der Listen kam ihm Joe Kyprianous zweiter Tipp wieder in den Kopf: Wenn Gianni in England war, dann muss er dort eine Anlaufstelle gehabt haben, am ehesten bei einem Landsmann. Falls Chris also irgendwen weiß, der aus Zypern kommt …

Während Name um Name vor Chris' Augen vorbeizog, wurde ihm klar, dass es in der Tat jemanden gibt.

Donna und er haben sich erneut Tony Currans alte Akte vorgenommen. Kein Zweifel, in jenen Tagen war Steve Georgiou Teil von Tony Currans Tross. Hier und da taucht er in einem Bericht auf, aber etwas Konkretes anlasten konnte man ihm nie. Und was immer seine Verbindung zu Tony war, sie war nicht von langer Dauer. Er betreibt Steve's Fitness-Treff jetzt schon seit einer Ewigkeit und hat damit im wahrsten Sinne des Wortes eine starke Leistung hingelegt. Sowohl Chris als auch Donna kennen Beamte, die hier trainieren. Gute Leute, keine Idioten. Das Studio hat einen untadeligen Ruf, was sich beileibe nicht von allen Fitnessstudios behaupten lässt.

Selbst jetzt, Mittwochnachmittag, ist der Laden bummvoll. Es herrscht eine Atmosphäre harter, konzentrierter Arbeit, kein Macho-Gehabe, kein Herumgegockel. Chris will schon länger einem Fitness-Club beitreten, aber momentan wartet er noch darauf, dass der Schmerz in seinem Knie abklingt. Wozu es ohne Not reizen? Sobald sich die Beschwerden gelegt haben, wird er Mitglied. Packt den Stier bei den Hörnern. Im Arm hat er bei dem Spurt zum Friedhof hinauf ein kurzes scharfes Stechen gespürt. Bestimmt purer Zufall, aber trotzdem.

Steve hat sie an der Tür erwartet und mit schmerzhaft festem Händedruck und einem breiten Lächeln begrüßt. Jetzt sitzen sie bei ihm im Büro, Steve auf einem Yogaball.

»Hört mal«, sagt er, »das wisst ihr so gut wie ich, wir haben hier keinen Ärger, und wir machen auch keinen.«

»Das ist richtig«, bestätigt Chris.

»Eher im Gegenteil. Und das wisst ihr. Wir holen die

Leute ab, wir drehen sie um. Bei mir laufen keine krummen Deals, fragt, wen ihr wollt.«

»Ich komme gerade aus Zypern, Steve.«

Steve hört auf zu lächeln und wippt etwas auf und ab. »Okay …«

»Ich wusste vorher nicht viel über Zypern, ich kannte es mehr so als Ferienziel, wissen Sie.«

»Sehr schön da«, sagt Steve Georgiou. »Was ist das hier, Small Talk, oder was?«

»Was sind Sie, Steve, Zyperngrieche oder Zyperntürke?«, fragt Donna.

Ein Zögern, einen halben Takt lang nur, aber für einen guten Ermittler dennoch aufschlussreich. Steve schüttelt den Kopf. »Mit so was hab ich nichts am Hut. Alle Menschen sind gleich, sag ich immer.«

»Das sehen wir ganz genauso, Steve«, sagt Chris. »Trotzdem. Auf welcher Seite der Grenze waren Sie? Das können wir sicher auch auf anderem Weg herausfinden, aber wo wir schon mal hier sind …«

»Türke«, sagt Steve. »Zyperntürke.« Er zuckt die Achseln zum Zeichen, wie unwichtig ihm diese Dinge sind.

Chris nickt und notiert sich etwas, einfach, um Steve ein bisschen hinzuhalten. »So wie Gianni Gunduz?«

Steve Georgiou legt den Kopf schief und sieht Chris abwägend an. »Das ist ein Name von ganz früher.«

»Ja, nicht wahr?«, sagt Chris. »Aber wegen ihm war ich in Zypern. Wir sind auf der Suche nach ihm.«

Steve Georgiou lächelt. »Der ist längst über alle Berge. Gianni war verrückt. Ich wünsch ihm ja Glück, aber den hat garantiert irgendwer umgebracht. Jede Wette.«

»Das wäre zumindest eine Erklärung, warum wir ihn nicht finden. Aber wissen Sie, Steve, ich bin Polizist, und manchmal gibt es Dinge, die kommen einem einfach verdächtig vor.«

»Das ist der Job, oder?«, sagt Steve Georgiou.

»Ich stell mal eine Geschichte in den Raum«, sagt Chris. »Reine Gedankenspielerei, okay? Sie müssen gar nichts dazu sagen. Ich erwarte keine Reaktion, hören Sie einfach nur zu, ja? Einverstanden?«

»Ich sag's ganz ehrlich, ich bin hier mitten in der Arbeit, und ich weiß immer noch nicht, was ihr von mir wollt.«

Donna hebt einlenkend die Hand. »Sie haben recht. Aber hören Sie uns kurz an. Zwei Minuten, dann können Sie zu Ihrer Arbeit zurück.«

»Zwei Minuten«, räumt Steve ein.

»Sie sind sauber, Steve, das weiß ich«, sagt Chris. »Ich hab nie was Schlechtes über Sie gehört.«

»Na, immerhin etwas. Danke«, sagt Steve Georgiou.

»Aber wissen Sie, was ich befürchte?«, fährt Chris fort. »Ich befürchte, Sie haben vor ein paar Wochen eine Nachricht bekommen, oder vielleicht hat es auch bloß an der Tür geklopft, keine Ahnung. Jedenfalls war es Gianni Gunduz.«

»Nie im Leben.« Steve Georgiou schüttelt den Kopf.

»Und Gianni braucht Hilfe. Er hat hier etwas zu erledigen. Vielleicht sagt er Ihnen, was, vielleicht auch nicht. Und er erbittet einen kleinen Gefallen von Ihnen, um der alten Zeiten willen. Ein Bett für die Nacht? Vielleicht ist es nur das. Er will nicht, dass sein neuer Name irgendwo auftaucht. Niemand soll wissen, dass er da ist.«

»Ich hab Gianni Gunduz seit zwanzig Jahren nicht mehr gesehen. Er ist entweder tot, oder er sitzt, oder er ist in der Türkei«, sagt Steve Georgiou.

»Schon möglich«, sagt Chris. »Aber Gianni kann unangenehm werden, wenn er nicht kriegt, was er will. Er könnte Ihnen zum Beispiel Ihren Laden abfackeln, stelle ich mir vor. Und bei ihm ist so was keine leere Drohung, insofern hatten Sie vielleicht gar keine Wahl? Außerdem sind es ja nur zwei, drei Tage. Er muss ein paar Sachen abliefern, noch ein paar Dinge klären. Und dann haut er wieder ab. Wie klingt das für Sie, Steve?«

Achselzucken. »Ziemlich riskant.«

»Sie haben eine Wohnung über dem Studio?«, fragt Donna.

Steve nickt.

»Wen lassen Sie da rein?«

»Jeden, der einen Platz zum Übernachten braucht. Nicht alle, die hier trainieren, kommen aus einem stabilen Umfeld. Wenn ein Junge mir sagt, er kann nicht nach Hause, dann frag ich nicht nach dem Grund. Ich geb ihm einfach den Schlüssel. Hier passiert keinem was.«

»Wer hat am 17. Juni hier übernachtet?«, fragt Chris.

»Keine Ahnung, ich bin nicht das Hilton. Vielleicht einer von den Jungs, vielleicht ich.«

»Oder gar niemand?«, fragt Donna.

Neuerliches Achselzucken.

»Aber eher schon jemand?«, insistiert Chris.

»Kann sein.«

»Gianni ist extrem gut vernetzt, oder, Steve? In Zypern?«

»So was interessiert mich nicht.«

»Haben Sie noch Familie dort?«, fragt Donna.

»Ja«, sagt Steve Georgiou. »Haufenweise Familie.«.

»Steve, wenn Gianni Gunduz bei Ihnen aufgekreuzt wäre und Sie um einen Platz zum Schlafen gebeten hätte«, beginnt Chris, »wenn er Sie auf irgendeine Weise unter Druck gesetzt hätte. Oder Ihnen vielleicht Geld angeboten hätte? Und Sie Ja gesagt hätten. Wenn er am 17. Juni hier übernachtet hätte. Keine Chance, dass Sie mir das sagen würden?«

»Nein.«

»Weil es zu gefährlich werden könnte? Zu gefährlich für Ihre Familie in Zypern?«

»Das waren jetzt zwei Minuten, oder? Mehr als zwei.«

»Sie haben recht«, gibt Chris zu. »Danke, Steve.«

»Nichts zu danken. Und Sie sind hier immer willkommen. Ganz ernsthaft. Wir hätten diesen Bierbauch in null Komma nichts wegtrainiert.«

Chris lächelt. »Ich hab auch schon daran gedacht, Steve. Ich nehme nicht an, dass Sie mich einen Blick in die Wohnung werfen lassen, bevor wir gehen? Nur um mich zu vergewissern, dass Gianni nichts vergessen hat?«

Steve Georgiou schüttelt den Kopf. »Aber Sie könnten mir einen Gefallen tun.«

»Was denn?«

»Würden Sie das für mich beim Fundbüro abgeben? Das ist irgendwem vor ein paar Wochen aus der Tasche gefallen, und ich hab überall rumgefragt, aber ich krieg nicht raus, wem es gehört.« Steve langt in eine Schublade, zieht ein Kuvert aus durchsichtigem Plastik heraus, das randvoll mit Geldscheinen ist, und gibt es Chris. »Fünftausend Euro. Irgendein Tourist muss sich schwarzärgern.«

Chris schaut auf das Geld, schaut zu Donna hinüber, dann wieder zu Steve. Können da Fingerabdrücke drauf sein? Nicht anzunehmen, aber zumindest gibt Steve ihm zu verstehen, dass er richtigliegt. »Wollen Sie es nicht behalten?«

Steve Georgiou schüttelt den Kopf. »Nein, mir ist so was zu heiß.«

Chris reicht den Umschlag an Donna weiter, die ihn in den Asservatenbeutel steckt. Sie wissen beide, dass Steve Georgiou gerade große Tapferkeit bewiesen hat. Chris steht auf und gibt ihm die Hand.

»Ich weiß, Tony Curran war ein Arschloch«, sagt Steve Georgiou. »Aber das hat er nicht verdient.«

»Da gebe ich Ihnen recht«, sagt Chris. »Mit gewissen Einschränkungen. Also dann. Und beim nächsten Mal gehen wir meinen Bierbauch an.«

106

Stephen schläft, als Elizabeth aufbricht. Bogdan wird nach der Arbeit auf eine Partie Schach vorbeischauen. Sie hofft, sie werden beide da sein, wenn sie zurückkommt. Sie wird Gesellschaft nötig haben.

Bei der Tür des Schlafzimmerschranks ist der Knauf abgegangen, und Elizabeth lässt ihn wie zufällig auf dem Küchentisch liegen. Es würde sie wundern, wenn Bogdan nicht anbeißt und ihn richtet.

Ron war mit dem Foto bei ihr, das Karen Playfair ins Auge gesprungen ist. Karen muss damals ein kleines Mädchen gewesen sein, aber sie war sich ganz sicher. Elizabeth hat versucht, die Mosaiksteine im Kopf zusammenzusetzen. Im ersten Moment schien es absolut undenkbar. Aber je länger sie darüber nachdachte, desto unerbittlicher dämmerte ihr die Wahrheit. Sie hat die Schritte nachzuvollziehen versucht, einen nach dem anderen. Ibrahim ist vor einer Stunde zurückgekommen und hat das letzte Teil des Puzzles geliefert, und jetzt ist die Zeit da. Das Rätsel ist gelöst, nun muss der Gerechtigkeit Genüge getan werden.

Elizabeth tritt hinaus in die kühle Abendluft, ohne sich noch einmal umzuwenden. Es wird schon wieder früher dunkel, die ersten Schals werden aus den Schränken geholt. Noch hält der Sommer den Herbst in Schach, aber nicht mehr lange. Wie viele Herbste warten noch auf Elizabeth? Wie viele Jahre wird es noch geben, in denen sie mit ihren Halbschuhen durch das raschelnde Laub stapfen kann? Eines Tages wird es ohne sie Frühling werden. Die Narzissen werden Jahr für Jahr am Seeufer blühen, aber sie wird nicht mehr hier sein, um sie zu sehen. Das ist der Lauf der Welt; darum *carpe diem*.

Doch im Moment, so, wie sie nun gefordert sind, fühlt sich Elizabeth dem Spätsommer näher. Den Blättern, die noch nicht ans Abfallen denken, dem letzten Aufbäumen der Hitze, die das Feld nicht kampflos zu räumen gedenkt.

Da vorne kommt Ron, seine Miene düster, aber entschlossen. Er verkneift sich das Hinken, lässt sich die Schmerzen nicht anmerken. Was für ein wackerer Freund Ron doch ist, denkt sie. Welch großes Herz er hat. Möge es noch lange weiterschlagen.

Als sie um die Ecke biegt, sieht sie Ibrahim, der schon im Eingang wartet, den Aktenordner in der Hand. Das fehlende Puzzlestück. Wie gut er aussieht, so würdig gekleidet, bereit zu tun, was immer vonnöten ist. Dass Ibrahim je sterben könnte, erscheint Elizabeth eine absurde Idee. Er wird der Letzte sein, der geht. Der letzte Eichbaum im Wald, der nicht wankt und nicht weicht, während die Flugzeuge über ihn hinwegdonnern.

Wie es angehen? denkt Elizabeth. Wie auch nur den Einstieg finden?

107

Chris erhält grünes Licht. Gegen Gianni Gunduz ergeht ein internationaler Haftbefehl im Zusammenhang mit dem Mord an Tony Curran. Ein erfolgreicher Tagesausklang. An den Euros, die sie von Steve Georgiou bekommen haben, waren keine Fingerabdrücke, aber sie wurden drei Tage vor dem Mord an Tony Curran in einer Wechselstube in Nordzypern eingetauscht. Er hat Joe Kyprianou die Anschrift der Wechselstube durchgegeben, falls es Videoaufzeichnungen gibt, aber Joe hat einen Blick auf die Adresse geworfen und gelacht. Keine Chance.

Ob ihn die zypriotischen Behörden je finden werden? Wer weiß? Man sollte es meinen, aber wie ernst wird es ihnen nach dem ersten Adrenalinschub schon sein mit der Suche? Vielleicht springt ja für Chris noch mal ein Ausflug nach Zypern raus. Das wäre nett. So oder so hat er getan, was er konnte, alles Weitere liegt in der Hand der Zyprioten, wenn sie ihre Chance denn nutzen. Egal, wie es ausgeht, Chris wird gut dastehen.

Im Prinzip ein Grund zum Feiern, aber nach all den Jahren hat Chris schon zu viele Pubabende mit zu vielen Kripoleuten auf dem Buckel. Am liebsten würde er sich beim Inder ein Curry holen, Donna anrufen, ein bisschen Fernsehen mit ihr gucken, ein paar Gläser Wein dazu, und sie um zehn Uhr heimschicken. Dazwischen vielleicht ein bisschen über Ian Ventham reden. Was haben sie übersehen?

Vorhin ist ihm ein beunruhigender Gedanke gekommen. Ein ganz alberner eigentlich. Gehörte zu dem Kloster vor all den Jahren nicht auch ein Hospital? Und war Joyce nicht früher Krankenschwester? Vielleicht sollten sie den Namen Joyce Meadowcroft ja doch mal im Computer abfragen. Ob er mit Donna darüber reden kann?

Aber Donna hat heute ein geheimnisvolles Date. Das hat sie auf dem Rückweg von Steve's Fitness-Treff beiläufig einfließen lassen. Also fährt er einfach heim und isst sein Curry allein. Der Rest des Abends ist quasi vorprogrammiert. Auf Sky gibt es heute Darts.

Ist das nun eine traurige Aussicht, fragt sich Chris, oder nur eine, die Außenstehenden traurig vorkommen könnte? Ist er ein zufriedener Mann, der sich auch ohne Gesellschaft einen netten Abend machen kann? Oder ein einsamer Mann, der sich tapfer etwas vorlügt? Allein oder einsam? Diese Frage stellt sich ihm dieser Tage so oft, dass sich Chris der Antwort nicht mehr so sicher ist. Wenn er der Typ wäre, der wettet, würde er sein Geld allerdings eher auf einsam setzen.

Wo ist sein Date?

Wenn er jetzt gleich fährt, kommt er in den Berufsverkehr. Also schlägt Chris die Akte Tony Curran zu und öffnet stattdessen die Akte Ian Ventham. Wenn er schon am Morde-Aufklären ist, warum macht er dann nicht gleich weiter? Was übersieht er? Wen übersieht er?

108

Sie gehen den Korridor entlang, Elizabeth, Ibrahim und Ron, der noch rasch zwei Stühle geholt hat, dankbar um die Aufgabe.

Hinter ihnen wird eine Doppeltür aufgestoßen, und Joyce eilt ihren Freunden nach.

»Tut mir leid, dass ich so spät dran bin. Mein Ofen hat dauernd gepiepst, und ich konnte den Grund nicht herausfinden.«

»Manchmal reicht da ein ganz kurzer Stromausfall. Dann versucht sich der Timer neu einzustellen«, sagt Ibrahim.

Joyce nickt. Unwillkürlich greift sie nach Ibrahims Hand. Elizabeth vor ihnen hat Rons Hand genommen, und so gehen sie schweigend, bis sie vor der Tür angelangt sind.

Ungeachtet der Umstände klopft Elizabeth erst einmal. Wie sie es immer tut.

Sie öffnet die Tür, und da sitzt er. Der Mann, den Karen Playfair nach all diesen Jahren wiedererkannt hat. Auf dem Bild, das ihn neben Ron zeigt, auf dem Arm den von ihm geretteten Fuchs.

Dasselbe Buch wie stets, aufgeschlagen auf derselben Seite wie stets. Er schaut auf und wirkt nicht im Mindesten überrascht über ihren Anblick.

»Kommt herein. Die Truppe ist vollzählig angerückt, wie ich sehe.«

»Die Truppe ist vollständig angerückt, John«, bestätigt Elizabeth. »Dürfen wir uns setzen?«

John macht eine entsprechende Handbewegung. Er legt sein Buch weg und kneift sich leicht in den Nasenrücken. Ron sieht hinüber zu Penny in ihrem Bett. Nichts übrig von ihr, denkt er. Alles fort. Warum hat er sie in dieser ganzen Zeit nicht besucht? Warum musste es erst dazu kommen?

»Wie wollen wir es machen, John?«, fragt Elizabeth.

»Das überlasse ich dir, Elizabeth«, sagt John. »Auf dieses Klopfen an der Tür warte ich schon, seit ich es getan habe. Und jeden Tag mehr habe ich als Geschenk genommen. Trotzdem wünschte ich, ihr hättet länger gebraucht. Wie seid ihr letzten Endes auf mich gekommen?«

»Karen Playfair hat dich erkannt«, sagt Ibrahim.

John nickt, lächelt in sich hinein. »Die kleine Karen. Schau an!«

»Sie haben ihren Hund eingeschläfert, als sie sechs war, John«, sagt Joyce. »Sie sagt, Sie hätten so gütige Augen gehabt, die hätte sie nie vergessen.«

Elizabeth sitzt da, wo sie immer sitzt, am Fußende von Pennys Bett. »Möchtest du anfangen, John? Oder besser wir?«

»Soll ich den Anfang machen?«, sagt John und schließt die Augen. »Ich bin es im Geist so viele Male durchgegangen.«

»Wer liegt in dem Grab, John? Wem gehören die Knochen?«

Immer noch mit geschlossenen Augen, legt John den Kopf in den Nacken, seufzt dann und beginnt.

»Es muss in den frühen Siebzigern gewesen sein, vielleicht zehn Meilen von hier. Greyscott, eine von den Schaffarmen. Die gab es hier in rauen Mengen, wisst ihr noch? Das scheint jetzt eine Ewigkeit her. Ich glaube, ich habe 1967 angefangen, Penny wüsste es genau, jedenfalls irgendwann um den Dreh. Der Schafzüchter war ein älterer Mann, Matheson hieß er, und ich kannte ihn da schon recht gut. Er holte mich immer wieder mal. Dies und das. Diesmal war es eine Stute, die gerade gefohlt hatte. Das Fohlen war tot geboren, und die Stute quälte sich furchtbar. Sie litt unglaubliche Schmerzen, sie schrie regelrecht, und er hatte sie nicht erschießen wollen, was ich gut verstehen konnte, also gab ich ihr eine Spritze, und damit war Ruhe. Eine Routinesache, es war nicht mein erstes Mal und auch nicht mein letztes. Manche Bauern erschießen sie einfach, manche Tierärzte auch, aber nicht Matheson, und nicht ich. Hinterher hat er mir noch einen Tee gemacht, und wir unterhielten uns ein wenig. Ich war in Eile, wie meistens, aber er war ein sehr einsamer Mensch, das wusste ich schon. Er hatte keine Familie, niemanden, der ihm auf dem Hof half, und das Geld wurde auch knapp, deshalb war er immer ganz froh über etwas Gesellschaft. Es war ziemlich trostlos da oben, das empfand ich an diesem Tag sehr stark. Ich musste weiter, aber er wollte mich nicht fortlassen. Und ihr werdet mich dafür verurteilen, oder möglicherweise auch nicht, aber eines war mir an dem Tag plötzlich sonnenklar: Er quälte sich, er quälte sich furchtbar. Wenn Matheson ein Tier gewesen wäre, dann hätte er in einem fort geschrien. Das wusste ich einfach. Und so griff ich in meine Tasche und bot ihm an, ihn gegen die Grippe zu impfen, damit er gut durch den Winter kam. Die Fürsorge freute ihn, er krempelte den Ärmel hoch, und ich gab ihm seine Spritze. Die gleiche Spritze, wie ich sie auch der Stute verabreicht hatte. Und sie setzte dem Schreien ein Ende, und dem Schmerz ebenfalls.«

»Sie haben ihn von seinem Leiden erlöst, John?«, fragt Joyce.

»So habe ich das damals gesehen. Und sehe es noch so. Wenn ich Zeit zum Nachdenken gehabt hätte, dann hätte ich ein raffiniertes kleines Gebräu zusammengemischt, das bei der Obduktion nicht nachweisbar gewesen wäre, und ihn liegen lassen, damit ihn der Postbote fand oder der Milchmann oder wer immer als Nächstes bei ihm vorbeikam. Aber es war ein spontaner Entschluss, und so lag er da, vollgepumpt mit Pentobarbital, und ich konnte es nicht riskieren, dass jemand ihn näher unter die Lupe nahm.«

»Das heißt, du musstest ihn verschwinden lassen? Diesen Matheson?«, fragt Elizabeth.

»So ist es. Ich hätte ihn einfach irgendwo da oben begraben, aber ihr erinnert euch vielleicht, dass damals wie wild landwirtschaftliche Flächen parzelliert und Häuser gebaut wurden, und ich dachte, bei meinem Glück würde ich ihn genau da begraben, wo ihn einen Monat später die Bauleute wieder ausbuddeln würden. Und dann hatte ich eine Idee.«

»Der Friedhof«, sagt Ron.

»Es war der perfekte Ort. Ich kannte ihn von meinen Besuchen bei Gordon Playfair. Er lag nicht auf landwirtschaftlichem Grund, und ein Kloster würde ja nun bestimmt niemand kaufen. Ich wusste, wie ruhig es dort war, ich wusste, dass kaum Besucher kamen. Also bin ich ein paar Tage später hingefahren, in der Dunkelheit, ohne Licht. Und habe meinen Spaten genommen und die Sache zu Ende gebracht. Und das war's, bis ich eines Tages, vierzig Jahre später, die Anzeige für Coopers Chase sah.«

»Wo wir jetzt alle sind«, sagt Elizabeth.

»Wo wir jetzt alle sind. Ich habe Penny nahegelegt,

dass es doch ein wunderbarer Ruhestandsort sein müsste, und das ist es ja auch. Ich wollte die Lage einfach gern im Auge behalten. Man denkt ja, ein Friedhof wird nicht verlegt, aber heutzutage weiß man nie, und ich wollte in der Nähe sein, falls der Fall der Fälle doch eintrat.«

»Und er ist eingetreten«, sagt Joyce.

»Ich konnte die Leiche nicht wieder ausgraben, dazu bin ich zu alt und zu schwach. Und ich konnte nicht riskieren, dass das Grab geöffnet und der Leichnam gefunden wurde. Also habe ich Ventham in der Hektik neulich, diesem ganzen Chaos, als wir ihn alle festgehalten haben, eine Nadel in den Arm gestochen, und nur Sekunden später war er tot. Was in jeder Hinsicht unentschuldbar ist. Nicht zu verzeihen. Und seit diesem Augenblick warte ich darauf, dass ihr kommt und ich die Konsequenzen meiner Tat tragen muss.«

»Und durch welche wundersame Fügung hattest du eine Spritze mit Fentanyl dabei, John?«, will Elizabeth wissen.

John lächelt. »Die habe ich schon lange. Falls ich sie hier irgendwann brauche. Falls sie mir Penny wegnehmen wollen.«

Er sieht Elizabeth an. Seine Augen sind klar.

»Ich bin froh, dass wenigstens du es warst, Elizabeth, und nicht die Polizei. Ich bin froh, dass du dahintergekommen bist. Ich wusste, das ist nur eine Frage der Zeit.«

»Ich bin auch froh, John«, sagt Elizabeth. »Und danke, dass du uns deine Geschichte erzählt hast. Du weißt, dass wir es der Polizei sagen müssen?«

»Natürlich.«

»Aber das muss ja nicht jetzt sofort sein. Solange wir unter uns sind, können wir vielleicht noch zwei kleine Punkte abklären?«

»Sicher. Es ist lange her, aber ich helfe, wo ich kann.«

»Ich denke, du und ich sind uns einig, John, dass Penny höchstwahrscheinlich nicht mitbekommt, was in diesem Zimmer vor sich geht? Was wir ihr alles für Unsinn erzählen? Dass wir uns da etwas vormachen?«

John nickt.

»Aber ganz schließen wir nicht aus, dass sie es doch mitbekommt? Ganz eventuell nur? Dass sie alles hört?«

»Ganz eventuell«, stimmt John ihr zu.

»Was heißen würde, sie kann uns vielleicht auch jetzt hören, John?«

»Vielleicht.«

»Wenn auch nur die geringste Chance besteht, John. Die geringste Chance, dass Penny hört, was du gerade gesagt hast. Warum tust du ihr das an? Warum mutest du ihr das zu?«

»Nun ja, ich …«

»Du tätest es nicht, John, so ist es doch. Weil es Folter wäre«, sagt Elizabeth.

Ibrahim beugt sich vor. »John, du hast gesagt, dass du Ian Ventham umgebracht hast, war nicht zu verzeihen. Und ich glaube dir, dass du das genauso gemeint hast. Es war eine Tat jenseits all deiner Vorstellungskraft. Und jetzt verlangst du von uns, dir zu glauben, dass du diese Tat nur begangen hast, um deine eigene Haut zu retten? Tut mir leid, aber das nehmen wir dir nicht ab. Du hast sehenden Auges etwas auf dich geladen, das unverzeihlich ist. Und dazu kann dich unserer Meinung nach nur eines getrieben haben.«

»Die Liebe, John«, sagt Joyce. »Immer nur die Liebe.«

John blickt in die Gesichter der vier. Ein jedes unerbittlich.

»Ich habe Ibrahim heute Morgen gebeten, sich eine von Pennys Akten noch einmal anzusehen«, sagt Elizabeth. »Ibrahim?«

Ibrahim zieht einen kleinen braunen Aktenordner aus seiner Einkaufstasche und reicht ihn Elizabeth. Sie schlägt ihn auf ihrem Schoß auf.

»Wollen wir also zur Wahrheit kommen?«

109

Chris ist allein mit den Resten seines Currys. Michael van Gerwen hat Peter Wright mit sechs zu null weggeputzt und das Darts-Turnier frühzeitig beendet. Das heißt, es kommt nichts im Fernsehen, und keiner ist da, der es mit ihm guckt. Er überlegt, ob er sich in der Tanke nicht doch ein paar Chips holen soll. Um die Spannung ein bisschen abzubauen.

Sein Handy brummt. Besser als nichts. Es ist Donna.

Jason Ritchies Berühmte Stammbäume *läuft noch in der Mediathek. Wär das was? Bei mir?*

Chris sieht auf die Uhr, kurz vor zehn. Warum nicht? Wieder ein Brummen.

Und könnten Sie bitte das dunkelblaue Hemd anziehen? Das mit den Knöpfen.

Chris ist Donnas Art mittlerweile gewohnt, deshalb tut er, wie ihm geheißen. Wie immer zieht er sich um, ohne dabei in den Spiegel zu schauen, denn wer will so was schon sehen? Er schreibt zurück:

Yes, Ma'am. Was tut man nicht alles für Jason Ritchie.

Ein rauschender Erfolg war ihr Date offenbar nicht.

110

»Sie hat sie eingelagert, John«, sagt Elizabeth, den braunen Aktenordner in den Händen. »Ich weiß nicht, ob du mal dort warst. Die Akten von all ihren alten Fällen. Eigentlich sind Abschriften natürlich nicht vorgesehen, aber du kennst ja Penny. Sie hat sie alle kopiert, rein prophylaktisch.«

»Falls sie irgendwann später einmal helfen können, einen Mörder zu fassen«, ergänzt Joyce.

»Und nachdem Karen Playfair dich erkannt hatte, hat mich das auf einen Gedanken gebracht, und ich musste nur noch einen letzten Punkt in einer der Akten überprüfen.«

»Möchten Sie einen Schluck Wasser, John?«, fragt Joyce.

John schüttelt den Kopf. Er wendet den Blick nicht von Elizabeth, die nun aus der Akte zu lesen beginnt.

»Es gab diesen Fall in Rye, 1973. Penny muss damals noch fast eine Anfängerin gewesen sein. Das kann ich mir kaum vorstellen, Penny als Anfängerin, aber du siehst sie sicher noch vor dir. Als wäre es gestern wahrscheinlich. Der Fall betraf ein Mädchen namens Annie Madeley. Erinnerst du dich an Annie Madeley, Penny?«

Elizabeth sieht hinüber zu ihrer Freundin. Hört sie sie? Hört sie sie nicht?

»Annie stirbt an einer Stichwunde, die ihr ein Einbrecher beigebracht hat. Verblutet in den Armen ihres

Freundes. Eintrifft die Polizei, darunter Penny, das steht in der Akte. Findet zerbrochenes Glas auf dem Fußboden, wo unser Einbrecher eingedrungen ist, aber gestohlen ist nichts. Der Einbrecher war von Annie Madeley überrascht worden und hatte in seiner Panik ein Küchenmesser zu fassen bekommen, damit auf sie eingestochen und war geflohen. Das ist die offizielle Version, falls du sie lesen willst. Akte geschlossen. Aber Ron war der Erste, der Lunte gerochen hat; ihm kam das alles nicht koscher vor.«

»Es stank zum Himmel, Johnny«, sagt Ron. »Ein Einbrecher am helllichten Tag, mitten in einer Wohnsiedlung? Wenn die Leute alle zu Hause sind? Der bricht vielleicht noch Sonntagvormittag ein, während der Kirche, aber doch nicht Sonntagnachmittag, so blöd ist keiner.«

Elizabeth sieht ihre Freundin an. »Das hast du auch gedacht, oder, Penny? Dir war klar, dass der Freund auf sie eingestochen hatte, abwartete, bis sie tot war, und dann erst die Polizei holte.«

Sie betupft Pennys aufgesprungene Lippen.

»Wir haben schon vor Monaten angefangen, der Sache nachzugehen, John. Der Donnerstagsmordclub. Ohne Penny, aber wir haben weitergemacht. Ich habe mich gewundert, dass wir den Fall vorher noch nicht entdeckt hatten, dass Penny ihn nie mitgebracht hat. Wir haben uns die Akte vorgenommen, John, um zu sehen, ob die Polizei es sich damals vielleicht zu leicht gemacht hat. Ich habe das Gutachten zu der Stichwunde gelesen, und es kam mir komisch vor, also habe ich Joyce deswegen gefragt. Das war das erste Mal, dass ich dich etwas gefragt habe, kann das sein, Joyce?«

»Ja«, bestätigt Joyce.

»Ich habe ihr die Wunde beschrieben und sie gefragt,

wie lange es dauert, bis man daran stirbt, und sie sagte, um die fünfundvierzig Minuten, was in krassem Gegensatz zur Aussage des Freundes stand. Angeblich war er dem Einbrecher ein Stück nachgelaufen – wofür es aber keine Zeugen gibt, John –, dann zurück in die Küche geeilt, wo er Annie Madeley in die Arme nahm und sofort die Polizei rief. Ich habe Joyce als Nächstes gefragt, ob ein Mensch mit irgendeiner Art medizinischer Vorbildung sie hätte retten können, und was hast du darauf geantwortet, Joyce?«

»Ich habe bestätigt, dass es nicht weiter schwer gewesen wäre. Das wissen Sie als Tierarzt ja auch, John.«

»Der Freund war Soldat, John, und ein paar Jahre zuvor wegen Dienstuntauglichkeit aus der Armee entlassen worden. Er hätte sie also ohne jeden Zweifel retten können. Aber in diese Richtung wurde überhaupt nicht ermittelt. Ich würde ja gern sagen können, dass mit solchen Fällen damals laxer umgegangen wurde als heute, aber höchstwahrscheinlich wäre er jetzt genauso ungeschoren davongekommen. Man hat nach dem Einbrecher gefahndet, aber ohne Erfolg. Die arme Annie Madeley wurde beigesetzt, und die Welt drehte sich weiter. Der Freund verschwand kurz darauf bei Nacht und Nebel, Miete offen, Akte geschlossen.«

»Wir waren mitten in unseren Recherchen, aber dann haben die Ereignisse uns überrollt«, sagt Ibrahim. »Mr Curran, Mr Ventham, der Tote auf dem Friedhof. Also haben wir den Fall vorerst ad acta gelegt, um uns den echten Morden zu widmen.«

»Aber wir wissen alle, dass das noch nicht das Ende der Geschichte ist, nicht wahr, John?«, sagt Ron.

Elizabeth tippt auf den Aktenordner.

»Also habe ich Ibrahim gebeten, sich die Akte noch einmal vorzunehmen, mit einer ganz konkreten Fragestellung. Kannst du dir denken, was die Frage war, John?«

John starrt sie an. Elizabeth richtet den Blick auf Penny.

»Penny, wenn du uns hören kannst, dann errätst du die Frage. Peter Mercer, so hieß der Freund, Peter Mercer. Ich habe Ibrahim gebeten herauszufinden, warum Peter Mercer ausgemustert wurde. Und wenn du dir die Frage nicht denken konntest, dann doch auf jeden Fall die Antwort, oder, John? Trau dich nur, es ist sowieso alles zu spät.«

John vergräbt den Kopf in den Händen, fährt sich mit allen zehn Fingern übers Gesicht und schaut dann hoch. »Ich nehme an, Elizabeth, es war eine Schusswunde im Oberschenkel?«

»Ganz genau, John.«

Elizabeth rückt ihren Stuhl näher zu Penny heran, nimmt ihre Hand und spricht nun leise und nur zu ihr: »Fast fünfzig Jahre sind es jetzt, seit Peter Mercer seine Freundin ermordet und sich dann in Luft aufgelöst hat. Und alle dachten, er sei ungestraft davongekommen. Aber so leicht kommt man mit Mord eben doch nicht durch, stimmt's, Penny? Nicht immer. Manchmal wartet die gerechte Strafe gleich um die Ecke, so wie bei Peter Mercer, als du ihm in einer dunklen Nacht einen Besuch abgestattet hast. Und manchmal wartet sie fünfzig Jahre, bevor sie an einem Krankenhausbett sitzt und einer Freundin die Hand hält. Hattest du so jung schon zu viele solche Fälle gesehen, Penny? Und hattest das ewige Wegschauen satt? Das Wegschauen und Weghören?«

»Wann hat sie es Ihnen gesagt, John?«, fragt Joyce.

John beginnt zu weinen.

»Nachdem sie krank wurde?«

John nickt. »Es war keine Absicht. Dass sie es mir gesagt hat. Erinnerst du dich, wie es bei ihr anfing, Elizabeth? Mit diesen Mini-Schlaganfällen?«

»Ja«, sagt Elizabeth. Die ersten waren kaum merklich. Nichts, was einen groß beunruhigen musste, wenn man nicht wusste, was daraus werden würde. Aber der arme John hat genau gewusst, was daraus werden wird.

»Sie hat alle möglichen Dinge erzählt. Alle möglichen Dinge gesehen. Vieles davon waren Hirngespinste, und dann trat die Gegenwart zunehmend in den Hintergrund, und ihr Geist wanderte weiter und weiter zurück in die Vergangenheit. Spulte immer weiter rückwärts, bis er auf etwas Vertrautes stieß, so stelle ich es mir vor. Suchte nach irgendetwas, das einen Sinn ergab, denn die Welt rings um sie hatte aufgehört, Sinn zu ergeben. Also erzählte sie mir Geschichten, manchmal aus ihrer Kindheit, manchmal aus der Zeit, als wir uns kennenlernten.«

»Und manchmal aus ihrer Anfangszeit bei der Polizei?«, hilft Elizabeth nach.

»Zu Beginn lauter Sachen, die ich schon kannte. Sachen, an die ich mich erinnerte. Alte Vorgesetzte. Kleine Tricksereien, die sie sich erlaubt hatten, eine frisierte Spesenabrechnung, Pub statt Gerichtstermin, lauter Dinge, über die wir immer miteinander gelacht hatten. Ich spürte sie von mir wegdriften, und ich wollte sie so lange festhalten wie nur irgend möglich, versteht ihr?«

»Das verstehen wir alle, John«, sagt Ron. Natürlich verstehen sie es.

»Also ermutigte ich sie zum Erzählen. Manchmal dieselben Geschichten immer wieder von vorn. Eine brachte sie auf die nächste und die wiederum auf die nächste, die sie wieder an die erste erinnerte, und so ging es im Kreis. Aber dann …«

John hält inne und sieht seine Frau an.

»Du sagst, du glaubst nicht, dass Penny dich hören kann, John?«, sagt Elizabeth.

John schüttelt den Kopf. »Nein.«

»Und trotzdem kommst du jeden Tag. Du sitzt bei ihr. Und du redest mit ihr.«

»Welche andere Option habe ich denn, Elizabeth?«

Elizabeth nickt. »Sie hat dir also Geschichten erzählt. Geschichten, die du kanntest. Und dann, eines Tages …?«

»Ja, eines Tages kamen dann Geschichten, die ich noch nicht kannte.«

»Geheimnisse«, sagt Ron.

»Geheimnisse. Nichts Schlimmes. Lappalien eigentlich. Sie hatte irgendwann Geld angenommen. Bestechungsgeld. Alle anderen hatten es auch angenommen, und sie fühlte sich unter Zugzwang. Sie erzählte es mir so, als hätte sie es mir schon x-mal erzählt, aber das hatte sie nicht. Tja, wer verschweigt nicht irgendwelche Dinge?«

»Ja, wer nicht?«, stimmt Elizabeth zu.

»Sie hatte vergessen, was eine lustige Anekdote war und was ein Geheimnis. Aber irgendetwas muss trotzdem noch standgehalten haben, ein letztes Schloss an einem letzten Tor. Die letzte Bastion.«

»Das finsterste Geheimnis von allen.«

John nickt. »Und sie hielt es mit aller Kraft unter Verschluss. Sie war schon hier drin. Du erinnerst dich, wie sie sie hierher verlegt haben?«

Ja, Elizabeth erinnert sich. Penny war da schon mehr oder weniger weggetreten. Statt Gesprächen Gesprächsfetzen, unzusammenhängend, teils aggressiv. Wie lange noch, bevor Stephen hier landet? Sie muss heim zu ihm. Das hier hinter sich bringen und heimgehen und ihrem schönen Ehemann einen Kuss geben.

»Sie hat mich nicht mehr erkannt. Doch, erkannt

schon, aber sie konnte mich nicht einordnen. Dann kam ich eines Morgens zu ihr herein. Etwa zwei Monate muss das her sein, und sie saß aufrecht im Bett. Es war das letzte Mal, dass ich sie aufrecht gesehen habe. Und sie sah mich, und sie wusste, wer ich war. Sie fragte mich, was wir denn nun machen sollten, und ich wusste nicht, was sie meinte, und ich fragte sie, wovon sie sprach.«

Elizabeth nickt.

»Und sie sagte es mir, und sie tat es in sehr nüchternem Ton. Als ginge es um etwas oben im Speicher, das ich ihr herunterholen sollte. Nicht mehr als das. Nicht mehr als das. Ich konnte nicht zulassen, dass jemand erfährt, was sie getan hat, verstehst du, Elizabeth? Das verstehst du, oder? Ich musste es irgendwie verhindern.«

Elizabeth nickt.

»Wir hatten früher manchmal oben am Hügel gepicknickt«, fährt John fort. »So ein schöner Ort. Ich habe mich immer gefragt, warum wir nicht mehr hingingen.«

Schweigend sitzen sie da. Das einzige Geräusch sind die leisen elektronischen Fieptöne von Pennys Geräten. Nur das ist von ihr noch geblieben, diese Signale, wie ein Leuchtturm, der übers Meer hinausblinkt.

Dann bricht Elizabeth behutsam das Schweigen. »Ich würde jetzt Folgendes vorschlagen, John. Die anderen sollen dich heimbegleiten. Es ist spät, schlaf ruhig noch einmal in deinem eigenen Bett. Wenn du Briefe zu schreiben hast, schreib sie. Ich komme dann morgen früh mit der Polizei. Du wirst da sein, das weiß ich. Wir warten einen Moment draußen, damit du dich von Penny verabschieden kannst.«

Die vier Freunde treten auf den Gang, und durch den klaren Rand des Milchglasfensters in Pennys Tür sieht Elizabeth, wie John seine Frau in die Arme nimmt. Sie wendet den Blick ab.

»Ihr seht zu, dass John gut nach Hause kommt, ja? Wenn ich noch kurz bei Penny bleibe?«, fragt sie die anderen und erhält Nicken zur Antwort. Sie öffnet die Tür wieder. John zieht seine Jacke über.

»Zeit zu gehen, John.«

111

Bei Donna sind die Lichter gedimmt, und aus den Lautsprechern dringt Stevie Wonder. Chris, entspannt und zufrieden, hat die Schuhe ausgezogen und die Füße hochgelegt. Donna schenkt ihm Wein ein.

»Danke, Donna.«

»Gern geschehen. Schönes Hemd, das Sie da anhaben.«

»Oh, danke. Das lag zufällig so rum.«

Chris lächelt zu Donna hinüber, und Donna lächelt zurück. Etwas bahnt sich an, sie spürt es ganz deutlich, und es freut sie unsagbar.

»Mum?« Donna hält die Flasche in Richtung ihrer Mutter.

»Danke dir, Herzchen, ein Schlückchen nehme ich.«

Donna füllt ein Glas und reicht es ihrer Mutter, die neben Chris auf dem Sofa sitzt.

»Ganz ehrlich, man würde Sie eher für Schwestern halten, Patrice«, sagt Chris. »Und das sage ich nicht, weil Donna so rapide altert.«

Donna tut so, als müsste sie sich übergeben, aber Patrice lacht.

»Madonna hat mir schon erzählt, wie charmant Sie sein können.«

Chris stellt sein Glas hin, und über sein Gesicht kommt ein verzückter Ausdruck. »Wie bitte? Wer hat Ihnen erzählt, ich könnte charmant sein?«

»Madonna.« Sie deutet mit dem Kopf auf ihre Tochter.

Chris schaut Donna an. »Sie heißen *Madonna*?«

»Wenn Sie mich je so anreden, verpass ich Ihnen eins mit dem Elektroschocker«, sagt Donna.

»Das wäre es mir wert«, sagt Chris. »Patrice, ich bin Ihnen jetzt schon verfallen.«

Donna verdreht die Augen und greift nach der Fernbedienung. »Sollen wir jetzt Jason Ritchie anschauen?«

»Klar, können wir«, sagt Chris zerstreut. »Und was machen Sie beruflich, Patrice?«

»Ich bin Lehrerin. Grundschule«, sagt Patrice.

»Nein, wirklich?«, sagt Chris. Lehrerin, singt im Chor, liebt Hunde – die Checkliste seiner Träume.

Donna schaut Chris herausfordernd an. »Und sonntags singt sie im Kirchenchor.«

Chris erwidert Donnas Blick nur kurz und wendet sich wieder Patrice zu.

»Halten Sie mich bitte nicht für sonderbar, wenn ich das frage, Patrice, aber mögen Sie Hunde?«

Patrice trinkt von ihrem Wein. »Hundeallergie, leider.«

Chris nickt, nippt an seinem Glas und hebt es dann fast unmerklich in Donnas Richtung. Zwei von drei, auch schon was. Wie gut, dass er das richtige Hemd anhat.

»Was ist aus Ihrem Date geworden?«, fragt er Donna.

»Ich habe nur gesagt, dass ich zu einem Date muss. Ich habe nicht gesagt, dass es mein Date ist«, gibt Donna zurück.

Ihr Handy brummt. Sie schaut auf das Display.

»Elizabeth fragt, ob wir morgen Vormittag kommen können. Nichts Eiliges.«

»Sie werden den Mörder erwischt haben.«

Donna lacht. Hoffentlich ist mit ihrer Freundin alles in Ordnung, denkt sie.

112

Die Lampe an Pennys Bett ist so weit heruntergedreht, wie es nur geht, gerade genug Licht für zwei alte Freundinnen, die einander gut kennen. Elizabeth hält Pennys Hand in ihrer.

»Wie siehst du das, Liebste, ist irgendwer ungestraft davongekommen? Tony Curran ja schon mal nicht. Jemand hat ihn ins Jenseits befördert. Gianni, denken alle, wobei ich zu dem Thema eine Theorie habe, die ich mit Joyce besprechen muss. Schade ist es jedenfalls nicht um ihn. Und Ventham? Tja, dafür muss John bezahlen. Ich werde die Polizei morgen zu ihm bringen, und sie werden seine Leiche finden, das wissen wir beide. Ein kleiner Schlummertrunk, sobald er daheim ist, und das war's. So routiniert, wie er ist, wird er zumindest friedlich gehen, meinst du nicht?«

Elizabeth streicht Penny übers Haar.

»Und was ist mit dir, du Liebe, Schlaue? Bist du mit deiner Tat durchgekommen? Ich weiß, warum du es getan hast, Penny, ich kann nachvollziehen, warum du selbst richten zu müssen glaubtest. Ich billige es nicht, aber nachfühlen kann ich es. Ich war nicht dabei, ich stand nicht vor der Wahl, mit der du konfrontiert warst. Aber bleibst du deshalb ungeschoren?«

Elizabeth legt Pennys Hand aufs Bett zurück und steht auf.

»Das kommt darauf an, nicht wahr? Ob du mich

hören kannst oder nicht. Wenn du hören kannst, Penny, dann weißt du, dass der Mann, den du liebst, gerade in die Nacht hinausgegangen ist, um zu sterben. Und zwar deshalb, weil er dich beschützen wollte. Vor den Konsequenzen der Entscheidung, die du vor all diesen Jahren getroffen hast. Und ich glaube, das ist Strafe genug, Penny.«

Sie nimmt ihre Jacke vom Stuhl.

»Wenn du allerdings nicht hören kannst, dann bist du ihnen allen durch die Lappen gegangen, Liebe. Bravo!«

Elizabeth hat ihre Jacke fertig zugeknöpft. Sie legt ihrer Freundin die Hand an die Wange.

»Ich weiß, was John getan hat, als er dich im Arm gehalten hat, Penny, ich habe die Spritze gesehen. Du bist auch am Gehen, und das hier ist der Abschied. Liebste, ich habe länger nichts mehr von Stephen erzählt. Mit ihm geht es dahin, und ich tue mein Möglichstes, aber ich verliere ihn Stück um Stück. Du siehst, auch ich habe meine Geheimnisse.«

Sie küsst Penny auf die Wange.

»Gott, werde ich dich vermissen, du Idiotin. Träum süß, meine Liebste. Was für eine Hatz!«

Elizabeth verlässt das Gebäude und tritt hinaus in die Dunkelheit. Eine stille, wolkenlose Nacht. Eine Nacht von solcher Schwärze, dass man meinen könnte, es würde nie wieder Tag.

113

Chris fährt mit dem Taxi nach Hause und verschmäht den Lift in den dritten Stock. Ist das der Alkohol, oder ist er eine Spur leichter auf den Füßen?

Er öffnet seine Tür und lässt kritische Blicke schweifen. Kräftig aufräumen muss er auf jeden Fall, den Recycling-Müll wegbringen, noch ein paar Kissen anschaffen, vielleicht eine Kerze? Die Badezimmertür schabt beim Öffnen jedes Mal kurz über den Boden, aber mit Schmirgelpapier und genug körperlichem Einsatz wird das schon zu beheben sein. Und zu Tesco sollte er gehen und Obst kaufen, das er in eine Schale auf dem Esstisch drapieren kann. Nicht dass er schon eine Schale hätte. Und das Bettzeug muss er reinigen lassen. Und die Zahnbürste austauschen. Was ist mit Handtüchern?

Aber ansonsten … Wichtig ist ja erst mal nur, dass Patrice ihn für ein normales menschliches Wesen hält, nicht für einen Mann, der sich aufgegeben hat. So viel fehlt da nicht. Dann kann er ihr eine SMS schicken und sie zu sich zum Essen einladen, solange sie in Fairhaven ist.

Blumen? Wieso nicht? Das volle Programm.

Chris fährt den Computer hoch und öffnet sein Postfach. Eine schlechte Angewohnheit, dieses nächtliche E-Mail-Abrufen. Alles Taktiken, um das Schlafen hinauszuzögern. Drei neue Mails, nichts, das so wirkt, als könnte er sich damit länger aufhalten. Einer seiner Sergeants nimmt an einem Triathlon teil, ein Hilferuf, für den er auch noch Spenden einheimsen will. Eine Einladung für die Verleihung der diesjährigen Polizeiorden, gültig für zwei Personen. Ob das als Date zählen würde? Eher nicht, Donna wird es wissen. Als Letztes eine Mail von einem Absender, der Chris nichts sagt. Das passiert ihm selten, Chris gibt seine private Mailadresse an so wenige Leute heraus, wie das heutzutage möglich ist. »KypriosLegal«, Betreff: »Privat und streng vertraulich«.

Aus Zypern? Ist Gianni gefasst worden? Feuern seine Anwälte einen ersten Warnschuss an die Polizei ab? Aber warum dann an sein Privatkonto? Niemand in Zypern kennt diese Adresse.

Chris öffnet die Mail.

Sehr geehrte Damen und Herren,

anliegendes Schreiben leiten wir im Auftrag unseres Mandanten Mr Costas Gunduz an Sie weiter. Wir weisen Sie darauf hin, dass sämtliche Inhalte dieses Schreibens als strikt vertraulich zu behandeln sind. Eine eventuelle Antwort richten Sie bitte an unsere Kanzlei.

Hochachtungsvoll, Gregory Ioannidis
Kyprios Associates

Costas Gunduz? Der nur gelacht hat, als Chris ihm seine Karte gegeben hat? Der Abend entwickelt sich zum echten Highlight. Chris klickt den Anhang an.

Mr Hudson,

Sie sagen, mein Sohn ist 2000 zurückgekommen nach Zypern. Sie haben Beweise dafür. Ich muss Ihnen sagen, ich habe ihn nicht gesehen 2000 und nicht

heute. Niemals. Ich habe meinen Sohn nicht gesehen, mein Sohn hat nicht telefoniert oder an mich Briefe geschrieben.
Mr Hudson, ich bin alt, Sie waren da und haben es gesehen. Sie suchen Gianni, ich suche Gianni auch, so wie Sie.
Ich spreche nicht mit Polizeicop, niemals, aber ich frage heute um Hilfe. Wenn Sie Gianni finden oder Information über Gianni haben, ich habe hohe, hohe Belohnung für Sie. Ich befürchte, Gianni ist tot.
Er ist mein Sohn, und ich will ihn sehen, bevor ich sterbe, oder ich will trauern können um ihn. Ich hoffe, Sie fühlen dies mit mir. Ich bitte Sie sehr.

Mit Grüßen
Costas Gunduz

Chris liest den Text mehrmals durch. Netter Versuch, Costas. Erwartet er, dass Chris dieses Schreiben an die zypriotische Polizei weitergibt? An Joe Kyprianou? Davon kann man ausgehen. Heißt das, die Zyprioten sind Gianni auf den Fersen? Und das hier soll sie von seiner Fährte abbringen?

Oder ist der Brief das, wofür er sich ausgibt? Die Bitte eines alten Mannes, seinen Sohn für ihn ausfindig zu machen? Früher hätte sich Chris davon vielleicht einwickeln lassen. Aber er hat schon zu viel gesehen, er weiß, wozu die Menschen fähig sind, wenn sie die eigene Haut retten wollen. Und er weiß, wo Gianni am 17. Juni war.

Gianni ist nicht tot. Gianni hat sich mitsamt Tony Currans Geld in die alte Heimat abgesetzt. Er hat einen neuen Namen, eine neue Nase und was immer der Reichtum seines Vaters ihm sonst noch erkaufen konnte, und lässt es sich gut gehen. Irgendwo an einem Strand, mit sich und der Welt zufrieden. Ohne einen Feind auf dieser Erde, nun da Tony Curran ausgeschaltet ist.

Costas Gunduz wird keine Antwort von ihm bekommen.

Chris fährt den Computer herunter. Was haben die Leute bloß immer mit ihren Triathlons?

114

Elizabeth bleibt lange aus, aber Bogdan und Stephen sind anderweitig beschäftigt.

Bogdan schiebt die Unterlippe seitlich vor beim Grübeln. Seine Finger klopfen leicht auf den Tisch, während er den nächsten Zug überlegt. Er schaut zu Stephen hinüber, dann wieder auf das Brett. Wie schafft dieser Mann es, so zu spielen? Wenn Bogdan nicht höllisch aufpasst, dann wird er verlieren. Und Bogdan kann sich nicht erinnern, wann er das letzte Mal verloren hätte.

»Bogdan, darf ich Sie etwas fragen?«, sagt Stephen.

»Immer«, sagt Bogdan. »Wir sind Freunde.«

»Es bringt Sie auch nicht aus dem Tritt? Wo ich Sie doch gerade ein bisschen am Haken habe. Vielleicht wollen Sie sich lieber konzentrieren?«

»Stephen, wir spielen, wir reden. Es bedeutet mir beides viel.« Bogdan zieht mit seinem Läufer. Er sieht Stephen an, der von dem Zug überrascht, wenn auch vorerst nicht beunruhigt ist.

»Danke, Bogdan, mir bedeutet auch beides viel.«

»Dann fragen Sie eine gute Frage.«

»Ich wollte nur gern etwas wissen. Äh – wie hieß dieser Mann noch mal?« Stephen attackiert Bogdans Läufer, hat aber das deutliche Gefühl, einer Finte aufzusitzen.

»Welcher Mann, Stephen?«, fragt Bogdan, den Blick auf das Brett gerichtet, dankbar für den Lichtstrahl, der eben aufgeblitzt ist.

»Der als Erster getötet wurde. Der Bauunternehmer.«

»Tony«, sagt Bogdan. »Tony Curran.«

»Den meine ich«, sagt Stephen. Er reibt sich das Kinn, als Bogdan seinen Läufer sichert und mit dem Zug gleichzeitig das Feld neu öffnet.

»Was ist die Frage?«, sagt Bogdan.

»Nun ja, ich wüsste nur gern, und vergeben Sie mir, wenn ich meine Kompetenzen überschreite, aber nach allem, was ich so über die Sache höre, kommt es mir vor, als hätten Sie ihn getötet. Elizabeth redet mit mir, müssen Sie wissen.« Stephen rückt mit einem Bauern vor, sieht aber gleich, dass ihn das nicht weiterbringt.

Bogdan lässt den Blick durchs Zimmer wandern und heftet ihn dann wieder auf Stephen.

»Hab ich, ja. Aber es ist ein Geheimnis, nur einer außer mir weiß es.«

»Oh, meine Zunge schweigt, von mir erfährt es keiner. Ich würde nur gern verstehen, warum. Doch sicher nicht wegen Geld, das scheint mir nicht Ihr Stil.«

»Nein, nicht wegen Geld. Mit Geld musst du aufpassen. Ihm nicht zu viel Macht geben.« Bogdan zieht mit einem Springer, und Stephen begreift endlich, worauf er abzielt. Ein makelloser Spielzug.

»Weswegen dann?«

»Ganz einfacher Grund. Ich hatte einen Freund, mein bester Freund, als ich herkam, und er fuhr Taxi. Eines Tages hat er was gesehen, was Tony gemacht hat.«

»Was hat Tony gemacht?« Stephen überrumpelt Bogdan, indem er mit seinem Turm zieht. Bogdan lächelt kurz. Was für ein trickreicher alter Herr!

»Diesen Typ erschossen, so ein junger Bursche aus London. Wegen irgendwas, keine Ahnung. Drogensachen.«

»Tony hat also Ihren Freund getötet?«

»Das Taxiunternehmen gehörte diesem Mann, Gianni. Türken-Gianni, haben alle gesagt, aber er war aus Zypern. Gianni und Tony haben Geschäfte gemacht, aber Tony war der Boss.« Bogdan studiert das Brett, lässt sich Zeit.

»Und Gianni hat Ihren Freund umgebracht?«

»Gianni hat meinen Freund umgebracht, aber auf Befehl von Tony. Mir egal, ist das Gleiche für mich.«

»Da stimme ich Ihnen zu. Und was ist mit Gianni passiert?«

Bogdan sieht sich gezwungen, seinen Springer zurückzuziehen. Ein vertaner Zug, aber so etwas kommt vor.

»Hab ich auch umgebracht. Ziemlich sofort.«

Stephen nickt. Eine Weile starrt er schweigend auf das Brett. Bogdan denkt schon, der Faden sei abgerissen, aber er hat gelernt, Geduld mit Stephen zu haben. Und richtig:

»Wie hieß Ihr Freund?« Stephen mustert weiter das Brett, versucht ihm etwas abzuringen, das nicht da ist.

»Kaz. Kazimir«, sagt Bogdan. »Gianni sagt Kaz, er soll ihn in den Wald fahren, er muss da was vergraben und er braucht Hilfe. Sie gehen in den Wald, sie graben und graben, damit das Loch tief genug wird. Er war fleißig, Kaz, und nett, Sie hätten ihn gemocht. Und dann erschießt Gianni ihn, ein Schuss, peng, und vergräbt ihn in dem Loch.«

Stephen schiebt seinen Bauern noch weiter vor. Bogdan sieht kurz zu ihm hoch, nickend, lächelnd. Dann wieder auf das Brett, seine Stirn leicht gefurcht.

»Ich denke, Kaz ist getürmt, vielleicht nach Hause, muss vielleicht kurz abhauen, denke ich. Aber Gianni ist dumm, nicht wie Tony, und gibt bei seinen Freunden damit an, er hat diesen Mann im Wald erschossen, und der Mann hat selber das Loch gegraben, witzig, oder? Und ich höre das.«

»Also sind Sie tätig geworden?«, fragt Stephen.

Bogdan nickt, den Blick zweifelnd auf seinen Springer gerichtet. Was mag Stephen im Schilde führen? »Ich sage Gianni, ich muss mit ihm reden. Heimlich, ohne Tony, ohne die anderen. Ich sage, ein Freund arbeitet in Newhaven, im Hafen, und es könnte Geld für ihn drin sein, interessiert ihn das? Und es interessiert ihn, also treffen wir uns im Hafen, früh um zwei.«

»Und es ist kein Wachdienst da?«

»Doch, aber der Wachmann ist der Cousin von meinem Freund Steve Georgiou. Guter Mann. Er arbeitet wirklich im Hafen. Lügen ist leichter, wenn die Wahrheit dabei ist. Also kommt Steve auch mit. Steve kannte Kaz. Steve hat Kaz so gemocht wie ich. Und wir gehen rüber zur Hafentreppe und steigen in ein kleines Motorboot, und Gianni, er ist dumm, er denkt nur an das Geld, und wir fahren los, ziemlich weit raus, und es ist wellig, und ich erklär ihm den Plan, dass wir in dem Boot Leute schmuggeln wollen, und Steves Cousin wird wegschauen, und wir werden alle sehr reich. Dann zieh ich eine Knarre raus und sag ihm, knie dich hin, und er denkt, es ist ein Witz, und ich sage ihm, du hast Kazimir umgebracht, damit er weiß, warum, und plötzlich ist es kein Witz mehr für ihn, und ich drück ab.«

Bogdan zieht endlich mit seinem Springer, und nun ist Stephen mit dem Stirnrunzeln an der Reihe.

»Ich nehm seine Schlüssel und die Karten. Wir tun ihm Ziegel in die Taschen und werfen ihn über Bord, weg ist er. Dann fahren wir zurück nach Newhaven, sagen Steves Cousin Danke, kein Wort mehr über die Sache. Und dann fahren Steve und ich zu Gianni, sperren auf, nehmen seinen Pass, packen einen Koffer mit seinen

Kleidern, überall liegen Geldhaufen rum, Drogengeld, und das nehmen wir auch, alles Wertvolle, was wir finden. Das meiste war Tonys Geld, fast alles davon, also noch mal besser.«

»Wie viel Geld?«, fragt Stephen.

»So hunderttausend. Fünfzigtausend hab ich Kazimirs Familie geschickt.«

»Sehr gut.«

»Den Rest hab ich Steve gegeben. Er wollte ein Fitnesscenter aufmachen, und ich dachte, das ist gut angelegt. Er ist ein guter Mann, er macht keinen Unsinn. Dann bringe ich Steve nach Gatwick, er bucht mit Giannis Pass Flug nach Zypern, keiner schaut hin. Einfach. Und in Zypern, Steve fliegt sofort wieder nach England, jetzt mit eigenem Pass. Ich ruf die Polizei an, anonym, aber ich weiß genug, dass sie mir glauben. Ich sage ihnen, Gianni hat Kaz umgebracht, und sie suchen in seiner Wohnung.«

»Wo sie weder seinen Pass finden können noch seine Kleider.«

»Genau.«

»Worauf sie die Häfen und Flughäfen überprüfen und feststellen, dass er sich nach Zypern abgesetzt hat.« Stephen schlägt Bogdans Springer mit einem Bauern. Genau, wie Bogdan sich erhofft hat.

»Und eine Zeit lang suchen sie in Zypern, aber Gianni ist verschwunden, und zum Schluss überlassen sie es der Polizei dort. Und es gibt keinen Beweis, dass Gianni wen umgebracht hat, und kein Drogengeld bei ihm im Haus, also vergessen sie ihn am Ende einfach. Machen weiter wie vorher.«

»Aber bei Curran sind Sie es langsamer angegangen.«

»Ich hab auf die beste Zeit gewartet. Auf den besten Plan. Ich wollte nicht, dass ich erwischt werde.«

»Das ist vermutlich das Letzte, was Sie wollten, erwischt werden«, sagt Stephen.

»Aber vor zwei Monaten, da hab ich ihm das Überwachungssystem eingebaut, Kameras, Alarm, alles. Und ich baue es ihm so ein, dass nichts funktioniert. Keine Aufnahmen, nichts.«

»Verstehe.«

»Und ich denke mir, jetzt ist die Zeit. Ich kann ins Haus, ich hab eigenen Schlüssel, niemand sieht mich.« Bogdan schlägt Stephens Bauern, wodurch sich eine Flanke auftut, die Stephen lieber gesichert sähe.

Stephen nickt. »Schlau.«

»Und gleich danach klingelt es an der Tür, ein paar Mal, aber ich bleibe ganz ruhig, ganz ohne Sorge.«

Wieder nickt Stephen, zieht in stummer Verzweiflung mit einem Bauern. »Chapeau. Aber wenn man Ihnen doch auf die Spur kommt?«

Bogdan zuckt die Achseln. »Weiß nicht. Ich glaub's nicht. Wer denn?«

»Elizabeth wird Ihnen auf die Schliche kommen, mein Lieber. Wenn sie es nicht schon getan hat.«

»Ich weiß, aber ich denke, sie versteht.«

»Ich auch«, gibt Stephen ihm recht. »Bei der Polizei hätten Sie allerdings schlechtere Karten. Die bringen für so etwas nicht so viel Verständnis auf wie Elizabeth.«

Bogdan nickt. »Wenn sie mich kriegen, dann kriegen sie mich. Aber ich habe eine gute falsche Fährte gelegt, glaube ich.«

»Eine falsche Fährte? Die da wäre?«

»In der Nacht bei Gianni, da haben wir auch eine Kamera mitgenommen, und auf der …«

Bogdan bricht ab, als sie den Schlüssel im Schloss hören. Elizabeth, die spät von einer ihrer Unternehmungen zurückkommt. Bogdan legt den Finger an die Lippen, und Stephen antwortet mit der gleichen Geste. Elizabeth tritt ins Zimmer.

»Hallo, ihr zwei.« Sie küsst Bogdan auf die Wange, nimmt dann Stephen fest in die Arme. Unterdessen zieht Bogdan mit seiner Dame und lässt die Falle zuschnappen.

»Schachmatt.«

Elizabeth lässt Stephen los, und er betrachtet lächelnd erst das Brett und dann Bogdan. Er streckt den Arm aus, schüttelt ihm die Hand.

»Ein schlauer Hund ist das, Elizabeth. Ein dermaßen schlauer Hund.«

Elizabeth schaut hinab auf das Schachbrett. »Gut gespielt, Bogdan.«

»Danke«, sagt Bogdan und stellt die Figuren neu auf.

»Ich hab euch etwas zu erzählen«, sagt Elizabeth. »Möchten Sie einen Tee, Bogdan?«

»Ja, gern«, sagt Bogdan. »Milch und sechs Zucker, bitte.«

»Für mich einen Kaffee, mein Herzblatt«, sagt Stephen. »Wenn es nicht zu viel Mühe macht.«

Elizabeth geht in die Küche. Sie denkt an Penny, die inzwischen im Zweifel schon tot ist. So endet es also, mit einem Liebesdienst. Dann denkt sie an John, der sich bereit macht für seinen letzten Schlaf. Er hat Penny beschützt, aber um welchen Preis? Ist er im Frieden mit sich? Erlöst von seinem Unglück? Sie denkt an Annie Madeley und all das Leben, das sie verpasst hat. Für jeden ertönt irgendwann der Schlusspfiff. Ist man einmal im Spiel, bleibt keine andere Tür als der Ausgang. Sie greift nach Stephens Temazepam, hält dann inne und stellt es wieder in den Schrank.

Sie geht zurück zu ihrem Mann. Sie nimmt seine Hand in ihre und küsst ihn auf den Mund. »Ich glaube, du solltest nicht mehr ganz so viel Kaffee trinken. Dieses ständige Koffein. Das kann auf die Dauer nicht gut sein.«

»Recht hast du«, sagt Stephen. »Was immer du für das Beste hältst, mein Herz.«

Stephen und Bogdan beginnen ein neues Spiel. Elizabeth kehrt in die Küche zurück, und keiner der Männer sieht ihre Tränen.

115

Joyce

Tut mir leid, dass ich so lange nicht mehr geschrieben habe, aber hier war einfach furchtbar viel los. Aber jetzt habe ich einen Stachelbeer-Crumble im Ofen und dachte, ich nutze die Zeit und bringe Sie auf den neuesten Stand.

Penny und John wurden vorletzten Dienstag beerdigt. Es war eine sehr stille Angelegenheit, und es regnete, was irgendwie passte. Ein paar ehemalige Kollegen von Penny waren auch da. Erstaunlich viele eigentlich, unter den Umständen. Die Zeitungen hatten über die beiden berichtet, Penny und John. Sie kannten natürlich nicht die ganze Geschichte, aber sehr viel fehlte nicht. Es war außerdem durchgesickert, dass Penny mit Ron befreundet war. *Kent Today* brachte ein Interview mit ihm, das später sogar in den Nachrichten kam. Die *Sun* schickte auch ein Team, aber da gerieten sie bei Ron an den Falschen. Er ließ sie vor dem Larkin Court parken und verpasste ihnen dann Parkkrallen.

Elizabeth fehlte bei der Beerdigung. Wir haben nicht darüber gesprochen, deshalb weiß ich dazu leider nicht mehr. Ob sie sich schon vorher verabschiedet hat? Höchstwahrscheinlich doch, oder?

Ich weiß noch nicht mal, ob Elizabeth Penny verziehen hat. Ich neige ja leider zu der alttestamentarischen Sicht und finde Pennys Vorgehen völlig richtig. Das ist nur meine private Meinung, nichts, was ich laut sagen würde, aber ich bin froh, dass sie es getan hat. Ich hoffe nur, Peter Mercer hat noch lange genug gelebt, um zu begreifen, was es für ihn geschlagen hatte.

Elizabeth ist um einiges gescheiter als ich und wird sich dazu mehr Gedanken gemacht haben, aber ich kann mir nicht vorstellen, dass sie Penny für ihre Tat ernsthaft verurteilt. Hätte Elizabeth gehandelt wie sie? Ich vermute fast, ja. Nur wäre es bei ihr wahrscheinlich bis zum Schluss unentdeckt geblieben.

Aber ich glaube, Elizabeth nimmt es schwer, dass sie nichts davon wusste. Da waren die beiden Mädchen, Elizabeth und Penny, und ihre Geheimnisse, und die ganze Zeit über trug Penny das größte Geheimnis von allen mit sich herum. Das muss Elizabeth kränken. Vielleicht reden wir eines Tages noch darüber.

Penny hat Peter Mercer getötet und es John ihr Leben lang verheimlicht. Bis die Demenz stärker war als sie. Und als John es einmal wusste, musste er sie beschützen. So ist das in der Liebe. Gerry hätte nichts anderes getan. Peter Mercer hat Annie Madeley umgebracht, deshalb hat Penny Peter Mercer getötet. Und weil Penny Peter Mercer getötet hat, musste John Ian Ventham töten. Eins ergab das andere. Und jetzt ist es zu Ende gebracht. Ich wünsche Penny und John Frieden, und der armen Annie Madeley auch. Aber Peter Mercer soll für alles, was er verschuldet hat, in der Hölle schmoren.

Türken-Gianni ist der Polizei übrigens immer noch nicht ins Netz gegangen, aber sie fahnden nach ihm. Chris und Donna waren ein paarmal da. Chris hat neuerdings eine Damenbekanntschaft, aber er will nicht mit der Sprache herausrücken, und Donna kriegen wir auch nicht zum Reden. Chris sagt, sie werden Gianni schon irgendwann finden, aber Bogdan, der neulich hier war, um meine Massagedusche zu richten, meinte, dafür sei Gianni zu schlau.

Wenn Sie meine Meinung hören wollen, dann ist Gianni eine viel zu bequeme Lösung. Gianni soll eingeflogen sein und Tony umgebracht haben, weil der ihn vor zig Jahren verpfiffen hat? Warum hätte Tony ihn verpfeifen sollen? Seinen Helfershelfer bei dem Mord, den er selber begangen hatte? Das ergibt für mich keinen Sinn.

Nein, der einzige Mensch hier in Reichweite, der zu schlau ist, um sich kriegen zu lassen, ist Bogdan.

Meinen Sie nicht, dass er Tony Curran umgebracht hat? Ich schon. Ich bin sicher, dass er einen guten Grund dafür hatte, und ich habe fest vor, ihn irgendwann danach zu fragen. Aber erst, wenn er mir mein neues Fenster eingebaut hat, nicht dass er sich auf den Schlips getreten fühlt. Ob Elizabeth ihn auch im Verdacht hat? Zumindest hat sie letztens nicht mehr davon gesprochen, dass wir Gianni aufspüren müssen, insofern könnte es durchaus sein.

Ich muss bald nach meinem Crumble sehen. Sollen wir zu den froheren Nachrichten kommen?

Mit Hillcrest geht es voran, auf dem Berg sind schon Kräne und Bagger zugange. Dem Vernehmen nach hat Gordon Playfair 4,2 Millionen Pfund für sein Land kassiert, und mit »dem Vernehmen nach« meine ich Elizabeth, die Information ist also hieb- und stichfest. Er hat dem Haus, in dem er siebzig Jahre wohnte, Lebewohl gesagt und seine Habseligkeiten in einen Land Rover mit Anhänger geladen. Den hat er die gut vierhundert Meter hinunter zum Larkin Court gefahren und dort alles in seine hübsche neue Dreizimmerwohnung gepackt.

Die Wohnung hat er von Bramley Holdings zum

Kaufpreis dazubekommen. Was mich zur nächsten Neuigkeit bringt.

»Bramley Holdings«? Mit Äpfeln hat es, wie ich schon dachte, nichts zu tun. Ich habe ja gesagt, bei dem Namen klingelt etwas bei mir, und jetzt weiß ich, warum.

Als ganz kleines Kind hatte Joanna einen Plüschelefanten, rosa mit weißen Ohren, der nie in die Wäsche durfte. Ich mag gar nicht daran denken, wie viele Bazillen auf ihm herumgewimmelt sein müssen, aber bei Kindern ist das ja nicht zwingend etwas Schlechtes. Und wie hieß der Elefant? Bramley. Es war mir völlig entfallen. Sie hatte so viele Stofftiere, und ich bin nun mal keine gute Mutter.

Aber Sie ahnen vielleicht schon, wo das hinsteuert?

Sie erinnern sich, dass wir mit Venthams Büchern zu Joanna gefahren waren, ganz am Anfang, als Elizabeth ihn noch als Tony Currans Mörder in Betracht zog?

Und Joanna und Cornelius hatten die Geschäftsberichte durchgesehen und uns gesagt, was sie davon hielten, und damit war die Sache für uns erledigt.

Aber nicht für Joanna. Bei Weitem nicht.

Auf Joanna und Cornelius hatten Venthams Bücher einen hervorragenden Eindruck gemacht. Und besonders gefallen hatte ihnen, was sie über Hillcrest gelesen hatten. Also präsentierte Joanna den anderen Vorstandsmitgliedern das Projekt – an dem Flugzeugflügeltisch, stelle ich mir vor – und sie kauften die Firma. Joanna hatte sie ursprünglich Ian Ventham abkaufen wollen, aber so kaufte sie sie eben von Gemma. Ist das nicht ein Ding?

Sodass hier jetzt alles Joanna gehört. Beziehungsweise ihrer Firma, aber das ist ja letztlich dasselbe, oder?

Das bringt mich zu Bernard, und Sie werden gleich sehen, warum.

Joanna und ich hatten nie über Bernard gesprochen, aber sie kam und fuhr mit mir zur Beerdigung. Ob Elizabeth ihr einen Wink gegeben hat? Oder wusste sie einfach Bescheid? Ich glaube, sie wusste einfach Bescheid. Sie kam also, und sie hielt meine Hand, und in einem ganz schwachen Moment lehnte ich den Kopf an ihre Schulter, und das tat gut. Nach der Beerdigung erzählte sie mir dann von Bramley Holdings. Ich tat so, als wäre mir das von Anfang an klar gewesen, weil ich mich schämte, dass ich den Elefanten vergessen hatte, aber Joanna kennt mich zu gut.

Aber wir redeten über die Sache, und ich sagte, ich hätte gedacht, das sei nicht die Art von Firma, in die sie normalerweise investierten, was sie bestätigte, aber sie meinte, es sei »ein Sektor, in den wir schon länger einsteigen wollten«, aber ich kenne sie auch zu gut, und sie gab zu, dass das gelogen war. Es sei eine sehr lukrative Angelegenheit, das sagte sie ganz offen, aber sie hatte auch noch einen anderen Grund für ihre Entscheidung, und den verrate ich Ihnen jetzt.

Joanna saß auf dem Liegesessel, den sie mir gekauft hat und der bei IKEA nur ein Zehntel so viel gekostet hätte, vor dem Laptop, den sie mir gekauft hat und den ich nie irgendwohin mitnehmen werde, und was sie sagte, war Folgendes:

»Weißt du noch, als du hierhergezogen bist und ich dir gesagt habe, dass das ein Fehler ist? Dass das dein Ende sein würde? Hier nur im Sessel zu sitzen, zwischen lauter Leuten, die wie du auf ihr Lebensende warten? Ich lag völlig falsch. Für dich war es der Anfang, Mum. Ich dachte, du würdest nie wieder froh werden, nachdem Dad gestorben war.«

(Darüber haben wir nie geredet. Meine Schuld genauso wie ihre.)

»Deine Augen sind wach, du lachst wieder wie früher, und das verdanken wir Coopers Chase und Elizabeth und Ron und Ibrahim und Bernard, Gott hab ihn selig. Und deshalb habe ich das alles gekauft, die Firma, das Land, den ganzen Laden. Und ich habe es aus Dankbarkeit gekauft, Mum. Ich weiß schon, was du jetzt fragen willst, aber ich verspreche dir, ich werde ganz nebenbei auch Millionen daran verdienen, also keine Panik.«

Gut, Panik hätte ich jetzt keine gehabt, aber genau die Frage war mir natürlich auf der Zunge gelegen.

Noch ein paar Dinge, die Sie sich wahrscheinlich schon gefragt haben. Der Garten der ewigen Ruhe bleibt, wo er ist. Joanna sagt, Hillcrest allein wird mehr als genug Geld abwerfen, darum ist das Woodlands-Projekt in aller Stille begraben worden. Der Friedhof steht jetzt unter Schutz, selbst wenn Coopers Chase weiterverkauft wird (Joanna sagt, früher oder später werden sie verkaufen, das gehört zum Geschäft). Aber wehe, jemand kauft es und versucht, den Friedhof anzutasten. Er wird sich an den Vertragsbestimmungen die Zähne ausbeißen.

Übrigens. Als ich gerade gesagt habe, dass wir nie über Gerry gesprochen haben, sei meine Schuld genauso wie Joannas? Das ist natürlich Unsinn. Es ist ganz allein meine Schuld. Verzeih mir, Joanna.

Vor ein paar Tagen hatten wir noch eine Zeremonie hier. Elizabeth hatte Matthew Mackie zum Mittagessen eingeladen, und diesmal kam er ohne Kollar. Wir sagten ihm, dass Maggie nun nichts mehr passieren kann, und machten uns auf Tränen gefasst, aber er weinte nicht, er bat nur, das Grab sehen zu dürfen. Wir stiegen mit ihm den Hügel hinauf und blieben dann auf Bernards und Asimas Bank sitzen, während er durch das eiserne Tor ging und beim Grab niederkniete. Da flossen die Tränen, wie es beim Anblick des Grabsteins nicht ausbleiben konnte.

Ich war ein paar Tage vorher dabei gewesen, als Bogdan einen halben Vormittag lang behutsam die Inschrift »Margaret Farrell, 1948–1971« säuberte, bevor er darunter »Patrick, 1971« eingravierte. Es gibt wirklich nichts, was Bogdan nicht kann.

Als Pater Mackie das sah, war es um seine Fassung natürlich geschehen, also schickten wir Ron zu ihm hinein, und die beiden blieben eine ganze Weile weg. Elizabeth, Ibrahim und ich saßen so lange auf der Bank und genossen die Aussicht. Ich mag es, wenn Männer weinen. Nicht zu viel, aber das war gerade das richtige Maß.

Maggies Grab ist jetzt immer reichlich mit Blumen geschmückt. Ich habe auch einige beigesteuert, und Sie können sicher erraten, woher sie kommen.

Ach ja, und die Bank, das interessiert Sie wahrscheinlich auch noch. Unser tüchtiger Bogdan hat den Beton nämlich mit einem Presslufthammer aufgemeißelt und dann gegraben, bis er auf die Tiger-Teedose stieß, die er mir gab.

Bernards Abschiedsbrief enthielt ein sehr bewegendes PS, in dem er darum bat, seine Asche von der Hafenmauer in Fairhaven ins Meer zu streuen. Es lautet so:

»Ein Teil von mir und ein Teil von Asima wird stets hier vereint sein. Doch sie wird von heiligen Wassern getragen, darum lasst auch mich mit der Flut hinaustreiben, bis ich sie eines Tages wiederfinde.« Sehr poetisch, Bernard, wirklich.

Zu poetisch.

Sie und ich kennen Bernard gut genug, um zu wissen, dass er solch sentimentalen Blödsinn nicht ohne Hintergedanken schreibt. Es war eine Botschaft an mich, und groß chiffriert war sie auch nicht. Hielt Bernard mich wirklich für so begriffsstutzig, oder wollte er nur einfach ganz sichergehen? Egal, ich hatte meine Anweisungen erhalten und wusste, was ich zu tun hatte.

Nach der Trauerfeier übernachteten Sufi und Majid im Flughafenhotel, so sind sie nun mal, und ich hatte mich erboten, Bernards Asche bei mir aufzubewahren, bis sie damit nach Fairhaven aufbrachen. Manche Leute werden nie klüger.

Ich hatte die Teedose mit Asimas Asche, und ich hatte Bernards Asche in einer schlichten Urne aus Holz. Ich holte meine Waage heraus. Eine richtige, altmodische Waage, den elektronischen traue ich nicht.

Ich füllte die Asche sehr vorsichtig um, denn so lieb mir Bernard war, wollte ich ihn doch nicht überall auf der Arbeitsplatte haben. Innerhalb von Minuten, mithilfe zweier Tupperschüsseln zur Zwischenlagerung (da plagt mich mein Gewissen etwas), war es geschafft.

In der Tiger-Teedose, mit der sie sich gegenseitig zu Weihnachten überraschen wollten, war nun zur Hälfte Bernard und zur Hälfte Asima. Am nächsten Tag begruben wir die Dose wieder unter der Bank, wo sie hingehört. Wir baten Matthew Mackie, einen Segen darüber zu sprechen, und ich glaube, er fühlte sich geehrt von der Bitte und machte es alles ganz wunderschön.

Und in der Urne halb Asimas Asche und halb die von Bernard. Die Sufi und Majid, die zwei Ahnungslosen, am nächsten Tag in Fairhaven von der Hafenmauer streuten, sodass Asima nun endlich in den Wellen treibt, frei, aber in der Umarmung des Mannes, den sie liebte. Wir kamen nicht mit, wir wollten nicht stören.

Ich weiß nur ganz ehrlich nicht, was ich mit der Tupperware machen soll. Wenn man zwei Tupperschüsseln dafür hergenommen hat, die Asche eines lieben Freundes mit der Asche seiner geliebten Frau zu mischen, ist es dann pietätloser, sie weiterzubenutzen oder sie wegzuwerfen? Über so etwas musste ich mir vor meinem Umzug nach Coopers Chase nie den Kopf zerbrechen. Elizabeth wird Rat wissen.

Apropos Elizabeth, sie rief vorhin an, um mir zu sagen, dass jemand eine höchst interessante Nachricht unter ihrer Tür durchgeschoben hat. Was darin steht, wollte sie nicht verraten, aber sie sagte, sie müsse noch rasch jemandem einen Besuch abstatten, und dann würde sie es mir erzählen. Einem so den Mund wässrig zu machen!

Es ist Donnerstag, deshalb muss ich jetzt aufhören. Nach der Sache mit Penny hatte ich schon Angst, wir würden uns vielleicht gar nicht mehr treffen oder es würde sich anders anfühlen als bisher. Aber so funktioniert das hier in Coopers Chase nicht. Hier geht das Leben weiter, bis es am Ende angekommen ist. Der Donnerstagsmordclub trifft sich, geheimnisvolle Nachrichten werden unter Türen durchgeschoben, und Mörder bauen einem Fenster ein. Möge es lange so bleiben.

Nach dem Treffen wollte ich noch auf einen Sprung im Larkin Court vorbeischauen und nach Gordon Playfair sehen. Einfach als nachbarliche Geste, bevor Sie auf irgendwelche Gedanken kommen.

Und da, pünktlich auf die Minute, ist auch mein Crumble fertig. Ich halte Sie auf dem Laufenden.

Danksagung

Danke zuallererst Ihnen, liebe Leser des *Donnerstagsmordclubs*. Es sei denn, Sie haben das Buch gar nicht gelesen, sondern direkt zur Danksagung vorgeblättert, was zugegebenermaßen auch möglich ist. Jeder nach seiner Fasson.

Die Idee zu *Der Donnerstagsmordclub* kam mir vor einigen Jahren, als ich das Vergnügen hatte, eine Seniorensiedlung zu besuchen, die voll war von außergewöhnlichen Menschen mit außergewöhnlichen Geschichten – und die selbstredend auch ein Restaurant mit einem »gehobenen, zeitgemäßen Ambiente« hatte. Die Bewohner dieser Seniorensiedlung wissen, wer sie sind, und ich danke ihnen für ihre Unterstützung. Kommt jetzt aber bitte nicht auf die Idee, Euch gegenseitig umzubringen, ja?

Einen Roman zu schreiben ist Knochenarbeit. Ich nehme an, das erleben alle Autoren so, aber wer weiß? Vielleicht ist es für Salman Rushdie ja ein Spaziergang. Jedenfalls waren mir viele Menschen, wissentlich oder auch unwissentlich, eine große Hilfe auf diesem Weg. Es ist ein schönes Gefühl, ihnen hier öffentlich danken zu können.

Ganz oben auf meiner Liste steht Mark Billingham. Ich hatte schon lange einen Roman schreiben wollen, und bei einem sehr lustigen Mittagessen im Skewd Turkish Restaurant in Barnet (köstlich, hervorragendes

Preis-Leistungs-Verhältnis, probieren Sie unbedingt die Chicken Wings) bekam ich von Mark genau die Ermutigung, die ich brauchte, und das genau zur rechten Zeit. Er sagte mir außerdem, für das Krimi-Schreiben gebe es keine Regeln, um mir gleich darauf zwei Regeln zu nennen, die Gold wert waren und die ich während des Schreibens immer im Kopf behalten habe. Mark, ich bin Dir auf ewig zu Dank verpflichtet.

Ich war lange abgetaucht, um den *Donnerstagsmordclub* schreiben zu können, und danke einer Reihe von Leuten, die mich während dieser Zeit bestärkt und vom Kapitulieren abgehalten haben. Dank an Ramita Navai, die beste Freundin, die sich ein Mensch nur wünschen kann, an Sarah Pinborough, die mir immer aufs Neue bestätigte: »Ja, es ist normal, dass es so schwer geht«, an Lucy Prebble und ihr Mantra »Erst das Schreiben, dann der Schliff«, an Bruce Lloyd, der das Boot auf Kurs gehalten hat, und an Maryan Keyes für den Beistand und die Kerze.

Und ganz besonderen Dank an Sumudu Jayatilaka, die meine erste Leserin war. Du glaubst nicht, wie viel mir das immer bedeuten wird.

Irgendwann kommt der Punkt, ab dem ein Buch mehr oder weniger existiert, und dann braucht man kluge, begabte Menschen um sich, die es besser machen. Zu den wenigen, die meine frühesten Fassungen zu Gesicht bekommen haben und ewiges Stillschweigen geloben mussten, gehören mein brillanter Bruder Mat Osman (dessen großartiges Buch *The Ruins* jetzt ebenfalls erschienen ist) und meine Freundin Annabel Jones, die sich trotz ihres irrwitzig engen *Black Mirror*-Terminkalenders die Zeit genommen hat, mein Buch zu lesen und mir all die Antworten zu geben, auf die ich selber nicht kam. Tausend Dank, Annabel, Du solltest das beruflich machen.

Danken möchte ich auch dem wunderbaren Team bei Viking, allen voran meiner Lektorin Katy Loftus, die mich bestärkt und unterstützt hat und die sich eine solche Unzahl verschiedenster, nie kränkender Umschreibungen für die Botschaft »Tut mir leid, aber diese Szene gehört in den Müll« hat einfallen lassen. Und da hinter jeder wunderbaren Lektorin eine wunderbare Lektoratsassistentin steht, Dank von uns allen beiden an Vikki Moynes.

Dank auch an die restliche Viking-Crew: Programmleiterin Natalie Wall, das Kommunikationsteam Georgia Taylor, Ellie Hudson, Amelia Fairney und Olivia Mead, die sich von mir so oft mit einem »Äh, ja, vielleicht« abspeisen lassen mussten. Und Dank an die fantastischen Vertriebler – Sam Fanaken, Tineke Mollemans, Ruth Johnstone, Kyla Dean, Rachel Myers und Natasha Lanigan – und an das DeadGood-Online-Team und Indira Birnie von der Penguin-UK-Website. Ein Buch ist Teamarbeit, und ein besseres Team hätte ich mir nicht wünschen können.

Ebenfalls danken möchte ich meiner amerikanischen Lektorin Pamela Dorman und ihrer großartigen Assistentin Jeramie Orton, bei der ich mich nochmals dafür entschuldige, dass ich ihr zugemutet habe, für mich Ryman's, Halfords und Sainsburys »Schmecken Sie den Unterschied« zu googeln. Großen Dank für seine Gründlichkeit und seine forensische Findigkeit schulde ich meinem Korrektor Trevor Horwood, ohne den ich nie herausbekommen hätte, auf welche Wochentage die im Buch erwähnten Daten aus dem Jahr 1971 fielen.

Beim Bücherschreiben ist der Weg oft das Ziel, und ich war mehr als bereit, das ganze Projekt unter »wertvolle Erfahrung« zu verbuchen, bevor ich eine frühe Fassung an meine Agentin Juliet Mushens schickte. Mit ihrer ersten Reaktion allerdings änderte sich das von Grund auf, durch Juliet erkannte ich, dass der *Donnerstagsmordclub* das Zeug zu einem echten Buch hatte, das echte Menschen allen Ernstes lesen würden. Juliet war von Anfang an eine Naturgewalt – blitzgescheit, einfallsreich, witzig und erfrischend unkonventionell. Danke Dir tausendfach, Juliet. Ihr zur Seite steht die wunderbare Liza DeBlock, die angesichts der vielen wichtigen Verträge, für die sie zuständig ist, zum Glück eine Spur konventioneller agiert.

Und zum Schluss, wenn's recht ist, die schweren Geschütze.

Ich danke meiner Mutter, Brenda Osman. *Der Donnerstagsmordclub* ist unter anderem, jedenfalls hoffe ich das, geprägt durch ein Grundgefühl der Güte und Gerechtigkeit, und dieses Gefühl geht auf Dich zurück, Mum. Es geht natürlich auch auf Deine Eltern zurück, meine Großeltern, Fred und Jessie Wright, die, sosehr sie mir fehlen, auf diesen Seiten hoffentlich äußerst präsent sind. Danke auch an meine wunderbare Tante Jan Wright. Unsere Familie ist klein, aber sie hat es in sich.

Und als Letztes danke ich meinen Kindern, Ruby und Sonny. Ich will Euch nicht mehr als nötig blamieren, deshalb hier nur so viel: Ich liebe Euch.

Leseprobe aus Band 2

Richard Osman

Der Donnerstagsmordclub und der Mann, der zweimal starb

Aus dem Englischen von Sabine Roth

Zum Roman

Elizabeth erhält einen Brief von einem alten Geheimdienstkollegen: einem Mann, mit dem sie eine lange Geschichte verbindet. Er hat einen großen Fehler gemacht, als er einem Säckchen Diamanten einfach nicht widerstehen konnte. Blöd nur, dass die Diamanten ausgerechnet der Mafia gehören. Jetzt sitzt er in der Bredouille, und Elizabeth soll ihm da wieder raushelfen. Und da scheint die Seniorenresidenz Coopers Chase ein gutes Versteck zu sein. So der Plan.

Aber mit Plänen ist das ja bekanntlich so eine Sache, und prompt hat der Donnerstagsmordclub einen neuen Fall. Und bekommt es dabei mit Verbrechern zu tun, die nicht davor zurückschrecken, vier Siebzigjährigen das Lebenslicht auszublasen.

LESEPROBE

1

Einen Donnerstag später …

»Diese Frau aus dem Ruskin Court, mit der ich mich unterhalten habe, hat gerade eine Diät angefangen.« Joyce trinkt ihr Weinglas leer. »Und sie ist zweiundachtzig!«

»Mit Rollator sieht jeder dick aus«, sagt Ron. »Das sind diese klapprigen Rädchen.«

»Wozu macht jemand mit zweiundachtzig eine Diät?«, fragt Joyce. »Was kann ein Hotdog dir denn schon tun? Dich umbringen? Da muss er sich hinten anstellen.«

Der Donnerstagsmordclub hat wieder einmal ein Treffen beendet. Diese Woche haben sie den Fall eines Zeitungshändlers aus Hastings aufgegriffen, der seinerzeit einen Eindringling mit einer Armbrust erschossen hat. Er wurde verhaftet, aber dann schalteten sich die Medien ein, die einhellig fanden, ein Mann müsse ja wohl das Recht haben, seinen eigenen Laden mit der Armbrust zu verteidigen, alles was recht ist!, und so kam er frei, erhobenen Hauptes.

Nach etwa einem Monat entdeckte die Polizei, dass der Tote eine Liebschaft mit der jungen Tochter des Zeitungshändlers gehabt hatte, der zudem wegen schwerer Körperverletzung mehrfach vorbestraft war, aber da krähte schon kein Hahn mehr nach der Sache. Es war schließlich das Jahr 1975. Videoüberwachung gab es noch keine, und unnötig Staub aufwirbeln wollte auch niemand.

»Wie würdet ihr zu einem Hund stehen?«, fragt Joyce.

»Ich dachte, entweder schaffe ich mir einen Hund an, oder ich gehe auf Instagram.«

»Davon würde ich abraten«, sagt Ibrahim.

»Ach, du rätst doch von allem ab«, sagt Ron.

»Im Großen und Ganzen, ja«, gibt Ibrahim zu.

»Keinen großen Hund natürlich«, sagt Joyce. »Für einen großen Hund habe ich den falschen Staubsauger.«

Joyce, Ron, Ibrahim und Elizabeth sitzen im Restaurant, das das Herzstück von Coopers Chase bildet. Auf ihrem Tisch stehen eine Flasche Rot- und eine Flasche Weißwein. Es ist noch nicht ganz Mittag.

»Nimm ihn aber nicht *zu* klein, Joyce«, warnt Ron. »Kleine Hunde sind wie kleine Männer, ständig darauf aus, dir was zu beweisen. Kläffen rum, verbellen jedes Auto, das vorbeifährt …«

»Dann vielleicht einen mittelgroßen, oder? Elizabeth?«

»Mmm, gute Idee«, erwidert Elizabeth, aber sie hört nicht richtig zu. Wie auch? Nach dem Brief, den sie gestern Abend erhalten hat?

Die Eckpunkte bekommt sie natürlich mit. Elizabeths Ohren sind immer gespitzt, man weiß schließlich nie, was einem in den Schoß fallen könnte. Im Lauf der Jahre hat sie alles Mögliche aufgeschnappt. Gesprächsfetzen in einer Berliner Bar, das Geprahle eines russischen Matrosen auf Landurlaub in Tripolis. Im jetzigen Fall, beim donnerstäglichen Mittagessen in dieser verschlafenen Seniorenresidenz in der Grafschaft Kent, scheint es so zu sein, dass Joyce einen Hund will, man sich nicht eins über die Größe ist und Ibrahim Bedenken anmeldet. Aber Elizabeths Gedanken sind anderswo.

Der Brief wurde unter ihrer Tür durchgeschoben, von wem, weiß sie nicht.

Liebe Elizabeth,

ob Sie sich wohl noch an mich erinnern? Vielleicht ja nicht, aber ohne mir zu viel einbilden zu wollen, glaube ich doch eher, Sie tun es.
Das Leben hat wieder einmal seinen Zauberstab geschwungen, und nach meinem Einzug diese Woche entdecke ich nun, dass wir Nachbarn sind. In welche Höhen ich aufsteige! Während Sie sich wahrscheinlich wundern, was für Pack hier neuerdings Einlass findet.
Ich weiß, unsere letzte Begegnung liegt lange zurück, aber ich fände es wunderbar, unsere Bekanntschaft nach all diesen Jahren aufzufrischen.
Dürfte ich Sie auf ein Gläschen in den Ruskin Court Nr. 14 bitten? Als kleine Einweihungsparty? Wenn ja, wäre Ihnen morgen um 15 Uhr recht? Antworten müssen Sie nicht, ich halte so oder so einen Wein bereit.
Sie würden mir eine große Freude machen, wenn Sie kämen. Wir haben uns so viel zu erzählen, bei all dem Wasser, das seit damals die Themse hinuntergeflossen ist.
In der Hoffnung, dass Sie mich noch kennen und ich Sie morgen bei mir begrüßen darf,

Ihr alter Freund
Marcus Carmichael

Elizabeth kommt seitdem aus dem Grübeln nicht heraus.

Ihre letzte Begegnung mit Marcus Carmichael war Ende November 1981, ein sehr dunkler, sehr kalter Abend an der Lambeth Bridge, die Themse auf Tiefststand, ihr Atem dampfend in der Luft. Sie waren ein ganzes Team von Spezialisten unter Elizabeths Leitung. Vorgefahren waren sie in einem weißen Transporter, nach außen ein schäbiges Ding im Besitz von »G. Procter: Fenster, Dachrinnen, Aufträge jeder Art«, innen dagegen spiegelblank, eine funkelnde Batterie von Tastenfeldern und Bildschirmen. Ein junger Constable hatte einen Uferstreifen abgeriegelt, und der Gehweg am Albert Embankment war gesperrt.

Elizabeth und ihr Trupp kletterten eine moosbewachsene, tödlich glitschige Steintreppe hinunter. Das fallende Wasser hatte einen Leichnam zurückgelassen, der gegen den Brückenpfeiler lehnte, fast so, als würde er sitzen. Alle Vorschriften wurden akribisch eingehalten, dafür hatte sie bereits im Vorfeld gesorgt. Ein Mitglied ihres Teams untersuchte die Kleidung, durchkämmte die Taschen des schweren Mantels, eine junge Frau aus Highgate fotografierte alles, und der Arzt bestätigte den Tod. Es stand fest, dass der Mann von weiter flussaufwärts angeschwemmt worden war; ob er in die Themse gesprungen oder gestoßen worden war, würde der Coroner entscheiden. Das Ganze würde von einem dienstbaren Geist gewissenhaft im Protokoll festgehalten werden, das Elizabeth dann nur noch abzeichnen musste. Eine saubere Sache.

Der Weg die glitschigen Stufen hinauf, mit der Leiche auf einer Militärtrage, dauerte seine Zeit. Der junge Constable, der begeistert war, dass er mithelfen durfte, rutschte aus und brach sich den Knöchel, was ihnen gerade noch gefehlt hatte. Sie machten ihm klar, dass sie fürs Erste keinen Krankenwagen holen konnten, und er trug es recht gefasst. Wenige Monate später erhielt er eine nicht ganz verdiente Beförderung, es entstand also kein bleibender Schaden.

Elizabeths kleiner Trupp erreichte schließlich den Gehweg, wo die Leiche in den weißen Transporter geladen wurde. Aufträge jeder Art.

Das Team zerstreute sich, bis auf Elizabeth und den

LESEPROBE

Arzt, die im Laderaum die Fahrt zu einer Leichenkammer in Hampshire mitmachten. Sie arbeitete mit diesem Arzt zum ersten Mal zusammen; er war breitschultrig, mit rotem Gesicht und einem dunklen, schon ergrauenden Schnurrbart, kein uninteressanter Mann. Interessant genug, um sich an ihn zu erinnern. Sie unterhielten sich über Euthanasie und Cricket, bis der Arzt einnickte.

Ibrahim verleiht seinem Argument mit dem Weinglas Nachdruck. »Ich fürchte, Joyce, ich kann dir zu gar keinem Hund raten, egal ob klein, mittel oder groß. Nicht in deinem Alter.«

»Jetzt geht *das* wieder los«, stöhnt Ron.

»Ein mittelgroßer Hund«, so Ibrahim weiter, »sagen wir, ein Terrier oder auch ein Jack Russell, hätte eine Lebenserwartung von circa vierzehn Jahren.«

»Sagt wer?«, will Ron wissen.

»Der Dachverband der Hundezüchtervereine, falls du die Aussage anzweifeln willst, Ron. Willst du die Aussage anzweifeln?«

»Nein, nein, alles gut.«

»Also, Joyce«, fährt Ibrahim fort. »Du bist jetzt siebenundsiebzig?«

Joyce nickt. »Nächstes Jahr achtundsiebzig.«

»Ja, das versteht sich. Und bei einem Alter von siebenundsiebzig Jahren sollten wir einen Blick auf deine Lebenserwartung werfen.«

»Au ja«, sagt Joyce. »So was liebe ich. Ich hab mir mal am Hafen die Karten lesen lassen. Die Frau hat mir geweissagt, dass ich zu Geld kommen werde.«

»Und konkret müssen wir ausloten, wie hoch die Chancen sind, dass deine Lebenserwartung die eines mittelgroßen Hundes übersteigt.«

»Es ist mir ein Rätsel, warum du nie geheiratet hast, alter Knabe.« Ron hebt die Weißweinflasche aus ihrem

Kühler. »So wie dir die Worte von den Lippen fließen. Wer mag noch?«

»Danke, Ron«, sagt Joyce. »Schenk gleich ganz voll, dann musst du nicht ständig nachgießen.«

»Bei einer Frau von siebenundsiebzig liegen die Chancen, dass sie noch weitere fünfzehn Jahre lebt, bei einundfünfzig Prozent«, führt Ibrahim aus.

»Ist das nicht spannend?«, sagt Joyce. »Auf das Geld warte ich übrigens heute noch.«

»Wenn du dir also jetzt einen Hund zulegst, Joyce: Würdest du ihn überleben? Das ist hier die Frage.«

»Ich würde einen Hund aus reinem Trotz überleben«, bemerkt Ron. »Wir würden in entgegengesetzten Zimmerecken sitzen, uns anstarren und warten, wer als Erster aufgibt. Ich schon mal nicht. Das ist wie '78 bei British Leyland. In dem Moment, wo einer von denen aufs Klo ging, wusste ich, wir haben sie.« Ron schwappt einen Schluck Wein hinunter. »Das darfst du nie machen, als Erster aufs Klo gehen. Zur Not machst du dir eben einen Knoten rein.«

»Die Sache ist die, Joyce«, sagt Ibrahim, »vielleicht tätest du's, vielleicht aber auch nicht. Einundfünfzig Prozent. Das ist, als würdest du eine Münze werfen, und das halte ich für unverantwortlich. Man darf nie vor seinem Hund sterben.«

»Ist das eine Weisheit der alten Ägypter oder eine alte Psychiater-Weisheit?«, fragt Joyce. »Oder hast du dir das gerade eben ausgedacht?«

Ibrahim neigt sein Glas in Joyces Richtung, eine Verheißung noch weiterer Weisheiten. »Vor deinen Kindern musst du natürlich sterben, weil du ihnen beigebracht hast, ohne dich zu leben. Aber nicht vor deinem Hund. Weil du deinem Hund beigebracht hast, *mit* dir zu leben.«

»Hmm, das ist auf alle Fälle bedenkenswert, Ibrahim,

danke dir«, sagt Joyce. »Wenn auch vielleicht ein bisschen herzlos. Findest du nicht, Elizabeth?«

Elizabeth hört sie, aber im Geist ruckelt sie nach wie vor in dem Transporter durch die Nacht, zusammen mit der Leiche und dem Arzt mit dem Schnurrbart. Nicht unbedingt ein Einzelfall in Elizabeths Leben, aber ungewöhnlich genug, um seinen Platz im Gedächtnis zu fordern – wie jeder, der Marcus Carmichael kannte, bestätigt haben würde.

»Nimm einen Hund, der schon alt ist, heb Ibrahims System aus den Angeln«, rät sie.

Und jetzt ist Carmichael wieder da, Jahrzehnte später. Was will er? Ein nettes Plauderstündchen? Gemütliches Reminiszieren am offenen Kamin? Wer weiß?

Die Rechnung wird ihnen von der neuen Kellnerin gebracht. Sie heißt Poppy, und auf ihren Unterarm ist eine Margerite tätowiert. Poppy bedient seit zwei Wochen im Restaurant, und bisher sind die Rückmeldungen nicht besonders.

»Das ist die Rechnung für Tisch 12, Poppy«, sagt Ron.

Poppy nickt. »Ach ja, das … oh, wie dumm von mir … welcher Tisch ist das hier?«

»15«, sagt Ron. »Man erkennt es an der großen 15 hier auf der Kerze.«

»Tut mir leid«, sagt Poppy. »Mit diesen ganzen Essen, die ich mir merken muss, und dann das Servieren, und noch die Nummern … Aber ich komm schon noch dahinter.« Sie kehrt in die Küche zurück.

»Guten Willens ist sie ja«, sagt Ibrahim. »Wenn auch nicht gerade prädestiniert für die Rolle.«

»Aber was für hübsche Fingernägel sie hat«, sagt Joyce. »Makellos. Findest du nicht auch, Elizabeth?«

Elizbeth nickt. »Doch, makellos.« Das ist nicht das Einzige, was ihr an Poppy aufgefallen ist, die aus dem Nichts aufgetaucht zu sein scheint mit ihren Nägeln und ihrer Unfähigkeit. Aber im Moment ist anderes dringlicher, und das Rätsel Poppy wird vorerst warten müssen.

Wieder rekapituliert sie im Geist den Brieftext. »Ob Sie sich wohl noch an mich erinnern? … bei all dem Wasser, das seitdem die Themse hinuntergeflossen ist …«

Ob Elizabeth sich noch an Marcus Carmichael erinnert? Was für eine Frage. Sie selbst hat ja Marcus Carmichaels Leichnam bei Ebbe zusammengesunken vor dem Pfeiler einer Themsebrücke gefunden. Sie hat mitgeholfen, selbigen Leichnam tiefnachts die glitschigen Steinstufen hochzutragen. Sie saß keinen Meter entfernt von dem Toten in einem weißen Transporter, der Fensterputzdienste anbot. Sie hat seiner jungen Frau die traurige Nachricht überbracht und bei der Beerdigung am Grab gestanden, um in gebührender Form ihren Respekt kundzutun.

Die Antwort ist somit Ja, Elizabeth erinnert sich bestens an Marcus Carmichael. Trotzdem, Zeit, ins Hier und Jetzt zurückzukehren. Immer schön eins nach dem anderen.

Sie greift nach dem Weißwein. »Ibrahim, Statistiken sind nicht alles. Ron, du würdest lange vor dem Hund sterben, die männliche Lebenserwartung liegt weit unter der weiblichen, und du weißt, was der Arzt über deine Zuckerwerte gesagt hat. Und Joyce, wir wissen beide, dass deine Entscheidung längst gefallen ist. Du wirst dir einen Hund aus dem Tierheim holen. Er sitzt in seiner Ecke im Zwinger, ganz allein und mit flehenden Augen, und wartet auf dich. Du wirst machtlos dagegen sein, und nebenbei bemerkt würde ein Hund uns allen Spaß machen, warum kürzen wir die Diskussion also nicht ab?«

Geht doch.

»Und was ist mit Instagram?«, fragt Joyce.

»Ich habe keine Ahnung, was Instagram ist, fühl dich also ganz frei«, sagt Elizabeth und trinkt ihr Glas leer.

Eine Einladung von einem Toten? Da sagt man doch besser nicht Nein.

LESEPROBE

2

»Wir haben gestern Abend *Kunst und Krempel* gesehen.« Detective Chief Inspector Chris Hudson trommelt beim Sprechen mit den Fingern auf das Lenkrad. »Und da kommt diese Frau, und sie hat diese Krüge dabei, und deine Mum beugt sich zu mir rüber und sagt …«

Police Constable Donna De Freitas schlägt den Kopf ans Armaturenbrett. »Chris, ich flehe dich an, ich flehe dich buchstäblich an. Bitte hör wenigstens zehn Minuten auf, von meiner Mutter zu reden.«

Chris Hudson soll eigentlich ihr Mentor sein, ihr Wegbereiter für den Kriminaldienst, in den sie hoffentlich bald offiziell übernommen wird, aber man würde es nicht glauben, wenn man den ruppigen Ton hört, in dem sie verkehren, oder, mehr noch, die herzliche Freundschaft sieht, die sich fast augenblicklich zwischen ihnen entwickelt hat.

Donna hat Chris, ihren Chef, vor Kurzem mit ihrer Mutter Patrice bekannt gemacht. Sie dachte, die beiden könnten sich vielleicht verstehen. Wie sich gezeigt hat, verstehen sie sich sogar ein bisschen zu gut für Donnas Geschmack.

Observieren mit Chris Hudson war früher viel lustiger. Es gab Chips, es gab Ratespiele, es gab Tratsch über den neuen Detective Sergeant, der, frisch nach Fairhaven versetzt, einer Ladeninhaberin statt der gewünschten Informationen zum Anbringen von Sicherheitsgittern aus Versehen ein Bild von seinem Penis geschickt hat.

Sie haben gelacht, sie haben gefuttert und über Gott und die Welt gelästert.

Aber jetzt? Wie ist das jetzt, wenn man mit Chris an einem Herbstabend in seinem Ford Focus sitzt und den Schuppen von Connie Johnson belauert? Jetzt hat Chris eine Tupperdose mit Oliven, Karottensticks und Hummus dabei. Und die Tupperdose hat ihm Donnas Mum gekauft, der Hummus ist von Donnas Mum selbst gemacht und die Karotten sind von ihr eigenhändig gestiftelt. Als Donna vorgeschlagen hat, ein KitKat zu holen, hat er sie nur angesehen und gesagt: »Kalorien ohne Nährwert.«

Connie Johnson ist ihre ortsansässige Drogenhändlerin. Wobei man eher sagen muss, Drogen*groß*händlerin. Die beiden Antonio-Brüder aus St. Leonards hatten das hiesige Drogengeschäft einige Jahre lang unter sich, aber sie verschwanden vor knapp einem Jahr spurlos, und ihren Platz nahm Connie Johnson ein. Ob sie nur eine Drogengroßhändlerin oder zusätzlich auch eine Mörderin ist, steht noch nicht fest, aber das ist auf alle Fälle der Grund, warum Donna und Chris ihre Woche damit verbringen, in einem Ford Focus zu sitzen und durch Ferngläser auf eine Reihe von Schuppen hinunterzuspähen.

Chris hat etliche Pfund abgenommen, er trägt die Haare kürzer und hat sich altersangemessene Turnschuhe zugelegt – alles Dinge, die Donna ihm seit Beginn ihrer Bekanntschaft schmackhaft zu machen versucht hat. Sie hat ihn mit allen Mitteln ermutigt, ihn beschwatzt, ja *genötigt*, mehr auf sich zu achten. Aber wie man sieht, war die einzige Motivation, derer es bedurfte, um den Wandel einzuleiten, der Sex mit Donnas Mum. Man muss so vorsichtig mit seinen Wünschen sein!

LESEPROBE

Donna rutscht in ihrem Sitz ein Stück tiefer und bläst die Backen auf. Was gäbe sie jetzt für ein KitKat.

»Ist ja gut, ist ja gut«, sagt Chris. »Also dann: Ich sehe was, was du nicht siehst, und das fängt mit J an.«

Donna schaut aus dem Fenster. Tief unten sieht sie die Zeile kleiner Ladenschuppen, von denen einer Connie Johnson gehört, der neuen Drogenkönigin von Fairhaven. Gleich hinter den Schuppen liegt das Meer. Der Ärmelkanal, tintenschwarz mit ein paar sanften Wellenkräuseln, die das Mondlicht einfangen. Weit draußen am Horizont ist ein Licht.

»Eine Jacht?«, rät Donna.

»Kalt«, sagt Chris und schüttelt den Kopf.

Donna streckt die Arme durch und blickt wieder hinunter zu den Schuppen. Eine Gestalt im Kapuzensweatshirt radelt auf einem BMX zu Connies Tür und klopft laut. Sie hören das schwache metallische Wummern bis hier oben.

»Junge auf Fahrrad?«, sagt Donna.

»Eiskalt.«

Donna sieht zu, wie die Tür aufgeht und der Junge nach drinnen verschwindet. Das geht täglich so, rund um die Uhr. Kuriere kommen und gehen. Gehen mit Koks, Ecstasy, Haschisch, und kommen mit Bargeld zurück. In einer Tour. Donna weiß, dass sie schon jetzt zugreifen könnten, aber was hätten sie dann? Einen überschaubaren Drogenfund, einen Mittelsmann, der gelangweilt hinter einem Tisch sitzt, und einen Jungen auf einem Fahrrad. Also harren sie stattdessen hier oben aus, Beamte fotografieren sämtliche Hineingehenden und Herauskommenden und folgen ihnen an ihr jeweiliges Ziel, um so eine möglichst vollständige Dokumentation von Connies Aktivitäten zu liefern. Um genügend Beweise anzusammeln, um das ganze Unternehmen auf einmal hochgehen zu lassen. Mit etwas Glück werden sie konzertierte frühmorgendliche Razzien durchführen können. Mit noch etwas mehr Glück hilft ihnen eine Einheit der technischen Sondergruppe mit druckluftunterstützten Rammen, die Türen aufzubrechen, und einer aus der Einheit ist Single.

»Jacke, gelb?«, sagt Donna, als sie eine Frau den steilen Pfad zum Parkplatz heraufsteigen sieht.

»Kalt«, sagt Chris.

Der Hauptpreis ist natürlich Connie Johnson selbst. Darum sind Donna und Chris hier. Hat Connie zwei Rivalen umgebracht und ist damit durchgekommen?

Gelegentlich entdecken sie unter den Fahrradkurieren ein bekanntes Gesicht. Auch ältere Gesichter aus der Fairhavener Drogenszene. Jeder Name wird festgehalten. Wenn Connie die Antonio-Brüder umgebracht hat, dann war sie es nicht allein. Dafür ist sie zu schlau. Früher oder später kriegt sie ohnehin spitz, dass sie observiert wird. Dann wird sie vorsichtiger vorgehen, verdeckter operieren. Deshalb versuchen sie, ihr Beweismaterial zu sichern, solange sie noch so leichtes Spiel haben.

Es klopft laut ans Beifahrerfenster. Donna zuckt zusammen. Als sie hochschaut, sieht sie die gelbe Jacke der Frau, die den Pfad heraufgestiegen ist. Ein lächelndes Gesicht erscheint im Fenster, dazu zwei Hände mit zwei Kaffeebechern. Donna registriert einen blonden Haarschopf, üppig aufgetragenen roten Lippenstift. Sie fährt das Fenster herunter.

Die Frau geht in die Hocke und lächelt. »Wir sind uns nicht vorgestellt worden, aber Sie müssen Donna und Chris sein. Ich hab Ihnen einen Kaffee von der Tankstelle mitgebracht.«

Sie reicht die Becher zum Fenster herein, und Donna und Chris wechseln einen Blick und nehmen sie.

»Ich bin Connie Johnson, aber das wissen Sie ja sicher.« Die Frau klopft sich auf die Jackentaschen. »Ich hätte auch Würstchen da, falls Sie welche möchten.«

»Nein, danke«, sagt Chris.

»Ja, bitte«, sagt Donna.

Connie händigt Donna eine Papiertüte aus. »Für die Polizistin hinter den Mülltonnen, die diese ganzen Fotos knipst, habe ich jetzt leider nichts.«

»Die ist sowieso Veganerin«, sagt Donna. »Aus Brighton.«

»Ich wollte mich auch hauptsächlich mal vorstellen«, sagt Connie. »Verhaften Sie mich jederzeit, wenn Sie möchten.«

»Werden wir«, sagt Chris.

»Was für einen Lidschatten benutzen Sie?«, fragt Connie Donna.

»Pat McGrath, Gold Standard«, sagt Donna.

»Sehr geil«, sagt Connie. »Für heute sind übrigens alle Geschäfte abgewickelt, falls Sie gern heimmöchten. Und Sie haben die letzten beiden Wochen nichts gesehen, was Sie nicht herzlich gern sehen durften.«

Chris nippt an seinem Kaffee. »Und das ist wirklich Tankstellenkaffee? Schmeckt echt gut.«

»Die haben eine neue Maschine«, sagt Connie. Aus einer Innentasche zieht sie einen Umschlag hervor, den sie Donna gibt. »Hier, können Sie haben. Da sind Fotos von Ihnen beiden drin und von den diversen anderen Bullen, die hier in letzter Zeit rumgekrochen sind. Was ihr könnt, kann ich schon längst. Und ich wette, ihr habt davon nichts mitgekriegt, oder? Zum Teil sind wir euch sogar bis nach Hause gefolgt. Da ist ein nettes Bild von Ihnen mit Ihrem Date neulich dabei, Donna. Nicht so ganz Ihr Niveau, fand ich.«

»Ich ehrlich gesagt auch«, sagt Donna.

LESEPROBE

»Ich muss dann mal wieder, aber nett, Sie endlich persönlich kennenzulernen. Ich war schon so gespannt auf Sie.« Connie wirft ihnen eine Kusshand zu. »Lassen Sie sich bald mal wieder blicken.«

Sie richtet sich auf und tritt von dem Ford Focus weg. Hinter ihnen kommt ein Range Rover in Sicht. Die Beifahrertür öffnet sich, Connie steigt ein und wird wegchauffiert.

»Tja«, sagt Chris.

»Tja«, pflichtet Donna ihm bei. »Und jetzt?«

Chris zuckt die Achseln.

»Super Plan, Chef«, sagt Donna. »Was war das übrigens, was mit J anfängt?«

Chris dreht den Zündschlüssel und schnallt sich an. »Das war das ›junge, schöne Gesicht deiner Mutter‹. Ich sehe es vor mir, sobald ich die Augen schließe.«

»O Mann«, sagt Donna. »Ich muss mich echt versetzen lassen.«

»Gute Idee«, sagt Chris. »Aber nicht, bevor wir Connie Johnson verknackt haben, hoffe ich doch.«

© für die deutsche Ausgabe Ullstein Buchverlage Gmbh,
Berlin 2022
© 2021 by Richard Osman / Titel der englischen
Originalausgabe: *The Man Who Died Twice* (Viking, PRH UK)

LESEPROBE

AGATHA-CHRISTIE-SPANNUNG aus dem GOLDENEN ZEITALTER DER DETEKTIVROMANE: Very Scottish!

Es ist zehn Uhr abends, als der örtliche Staatsanwalt mit einer Schreckensnachricht in den Salon platzt: Lady Mary Gregor, die Herrin von Duchlan Castle, ist tot, im Schlaf erschlagen. Und das Seltsamste ist: Nicht nur fehlt jede Spur der Mordwaffe, auch waren Tür und Fenster im Zimmer der alten Dame von innen verriegelt. Glücklicherweise ist Doktor Hailey zu Gast auf dem schottischen Anwesen – ein hochtalentierter Amateurdetektiv. Als kurz darauf weitere rätselhafte Morde verübt werden, machen die Bewohner der Gegend fischartige Geschöpfe aus den umliegenden Gewässern für die Morde verantwortlich. Aber Doktor Hailey ahnt, dass es für diese teuflischen Taten eine logische Erklärung geben muss.

Anthony Wynne

Das Geheimnis von Duchlan Castle

Ein Fall für Eustace Hailey

Aus dem Englischen von Holger Hanowell
Taschenbuch
Auch als E-Book erhältlich
www.ullstein.de

ullstein